JN065678

［改訂版］

芸術祭と地域づくり

"祭り"の受容から自発・協働による固有資源化へ　　吉田隆之＝著

水曜社

はじめに

　現代アートを内容とする芸術祭が流行している。事業費が1億円以上の芸術祭に限っても、2016年度から2018年度までで13を数える（序章1.参照）。国内では芸術祭による地域活性化に関心が高まるが、はたして芸術祭は地域づくりにつながるのだろうか。アートが地域の奉仕者となっているとの批判もある一方、地域がアートに利用されているとの声も現場では少なくない。そうだからこそ、アートが地域や住民に与える影響を学術的・客観的に探究することがいま求められている。そうした観点から、本書では、芸術祭・アートプロジェクトによる地域づくりの学術的・客観的な効果を明らかにし、今後の展望を示したいと考えている。

　研究手法については、客観性に資する量的研究を採用していない。というのも、大地の芸術祭の事例や、特に社会疫学の分野などですでにソーシャルキャピタル（社会関係資本）の定量的な研究が蓄積されている。その一方で、芸術祭による地域づくりの効果については、定性的研究すら不十分で、仮説もままならない状況にある。また、地域住民にアンケートを実施し、統計的分析を行う定量的手法は、膨大な手間とコストがかかる。そこで、本書では、定性的手法に依拠し、その効果や具体的プロセスを究明したり、仮説を提示したりすることに重点を置くこととした。むろん、1、2の観察でなく、事例研究を7つ行い、質的研究や「アートプロジェクト論」で不足しがちな理論的な位置づけを明確にし、一般性、客観性ある主張をしていきたいと考えている。また、本書の研究は、前記大地の芸術祭の先行研究を鑑み、芸術祭にさまざまな会場やアート活動が含まれることを踏まえ、個別の地域コミュニティ・プロジェクトごとに当該調査地域全体を見ていく視座を示し、方法論的課題への挑戦をした点に学術的意義がある（序章2.参照）。

　以上から、まず、第1章から第4章までは、芸術祭と地域づくりに焦点をあて、芸術祭が短中期的に地域づくりに影響を与えること、そして、その具体的プロセスを明らかにしていく。事例としては、「あいちトリエンナーレ 長者町地区」（名古屋市）、「大地の芸術祭 越後妻有アートトリエンナーレ（以

下大地の芸術祭）莇平集落」(新潟県十日町市等)、「水と土の芸術祭 小須戸ARTプロジェクト」(新潟市)、「いちはらアート×ミックス 内田・月崎・養老渓谷」(千葉県市原市) の4つを各章それぞれで取り上げた。

　つぎに、第5章では、第1章から第4章までの分析の枠組みを参照しつつ、「奥能登国際芸術祭 飯田・正院・若山(上黒丸)」(石川県珠洲市) を事例に、効果だけでなく、芸術祭を短中期的に地域づくりにつなげていくために必要な条件、もしくは、地域づくりにつながらないとすれば、その要因の検討を行う。第4章までで、4つの事例で芸術祭が地域づくりに影響を与えることを明らかにする一方で、あいちトリエンナーレやいちはらアート×ミックスの他地区では、現時点で地域づくりへの影響が顕著に見られない。奥能登国際芸術祭でも、地域づくりへの影響が概して大きくなかった。前章までで取り上げた地区、集落、プロジェクト以外でも、今後地域づくりにつなげていくことはできるのか。また、奥能登国際芸術祭が開催された珠洲市では、1970年代半ばから約30年間、「外来型開発」の原子力発電所誘致に揺れた。芸術祭が原発誘致の発想に回帰したという地元の声があり、改めて芸術祭が地域づくりにつながるのか考えたいと思ったことがある。

　さらに、第6章では、リボーンアート・フェスティバル(宮城県石巻市)を、第7章では、札幌国際芸術祭(札幌市)を取り上げる。第5章で検討した芸術祭を地域づくりにつなげる条件、もしくは、つながらない要因は、芸術祭や地域の事情に応じて個別化・具体化していく必要があった。他方で、芸術文化、特に美術館などの専用施設以外で展開される芸術祭やアートプロジェクトは、主催者が企図しない予測不可能なことが起きる点に意義や面白さがある。だからこそ、芸術文化を評価する難しさもある。そこで、第6章では、リボーンアート・フェスティバルの場づくりの取り組みを紹介する。第5章で示した要因・条件をより掘り下げたのが「はまさいさい」で、当初の企図以上のことが起きたのが「石巻のキワマリ荘」である。第7章では、札幌国際芸術祭が取り組んだ評価をテーマに札幌市資料館の展開を取り上げる。

　前記7つの事例の現場に筆者が幾度も入り、それぞれ約10〜20人の行政・民間等主催者、地域の人々、アーティスト、サポーターなど関係者への詳細なインタビューを行い、現場での奮闘をつまびらかにしている。

かくして芸術祭の効果等を客観的に分析することで、芸術祭が地域活性化などを目的として各地で開催されるのはなぜなのか、はたして意義があるのかを明らかにしたいと考えている。そうすることで、芸術祭に対する経済的効果も含む地域活性化への過大な期待を是正し、その方向性を見定めることに寄与したい。過大な期待を放置すれば、芸術祭やアートプロジェクトをやりさえすれば地域活性化に資すると考える風潮があるが、期待に応えられない芸術祭等が否定され、ひいては芸術祭等が今後地域活性化以外の社会のさまざまな分野で貢献していく芽を摘みかねないからである。

　なお、長者町地区については、あいちトリエンナーレ2010・2013の展開を中心に『トリエンナーレはなにをめざすのか―都市型芸術祭の意義と展望』(水曜社、2015年刊)をすでに著している。本書の第1章はその続編となる。本書ではあいちトリエンナーレ2013以降の展開を中心に論じており、前著と併せ読むと、2009年から足かけ10年間、あいちトリエンナーレ長者町地区の展開を定性的分析により定点観測してきたことになる。芸術祭やアートプロジェクトは、実施するのが精一杯で、通史的、網羅的な記録がつくられることが容易でない。そうしたなかで、他に例がない第三者による貴重な記録・分析と自負している。

序章

1. 問題意識

　国内外で芸術祭が流行している。本書で扱う芸術祭は、①数か年の周期で、②現代美術を内容とし、③事業費が1億円以上で開催される、という限定をしている。芸術祭は、内容、規模によって地域・社会に及ぼす影響、課題、今後の方向性が異なると考えられる。現代美術や1億円以上の要件を課したのは、トリエンナーレ等が流行し、課題、今後の方向性が問われるなかで、当該地域・社会に影響を及ぼす度合いが高いと考えられる芸術祭に議論を限定する趣旨である。2016年度から2018年度に開催された芸術祭は13を数えるが、表0-1では、大都市・広域中心都市型と過疎地・地方型にわけて一覧にした。大都市・広域中心都市型と過疎地・地方型のそれぞれの定義については、4.を参照されたい。

表0-1 2016年度から2018年度に開催された国内の芸術祭

	開催地	事業費1億円以上の芸術祭	初回開催年
大都市・広域中心都市型	横浜市	横浜トリエンナーレ	2001
	新潟市	水と土の芸術祭	2009
	愛知県	あいちトリエンナーレ	2010
	札幌市	札幌国際芸術祭	2014
	さいたま市	さいたまトリエンナーレ	2016
	岡山市	岡山芸術交流	2016
過疎地・地方型	新潟県十日町市等	大地の芸術祭	2000
	香川県・岡山県島嶼部	瀬戸内国際芸術祭	2010
	千葉県市原市	いちはらアート×ミックス	2014
	茨城県	茨城県北芸術祭	2016
	長野県大町市	北アルプス国際芸術祭	2017
	石川県珠洲市	奥能登国際芸術祭	2017
	宮城県石巻市	リボーンアート・フェスティバル	2017

こうした芸術祭の流行に対しては、均質化・肥大化・陳腐化★¹、均質化・批評の不存在★²、作品の類型化★³等の批判がされてきた。その一方で、文化政策研究者の吉本は、「地元の人にとっては、それが唯一の芸術祭。地域ごとに評価すべきだ」★⁴と反論をしている。筆者自身も、個々の芸術祭や、芸術祭のなかでも地域・プロジェクトごとに、芸術祭・アーティストと地域の関わりが異なることから、個別の検討が必要だと考える。

　欧米では参加型アートの議論で、コミュニティアートがエンパワーメントに貢献することを前提に、新自由主義に利用されているとの痛烈な批判がある★⁵。

　日本では、高齢化・少子化で過疎地・地方の疲弊が深刻である。それゆえ、芸術祭による地域活性化が社会的関心を呼ぶ。もっとも、報告書などでも観光関連産業等経済効果に注目が行きがちであるが★⁶、それだけでは観光関連産業以外の居住人口増、地場産業の振興等地域課題解決につながるのかが見えてこない。本書で取り上げる奥能登国際芸術祭のように、来場者が10万人以下でかつ日帰りの来場者が多いと、そもそも経済的効果はそれほど大きくはならない（第5章2.3.参照）。

　過疎地や地方に足りないのは、地域の誇りや矜持のように思われる。住民が気づいていない地域資源や文化資源を地域の誇りにどうつなげていくかが問われ、その一手段として芸術祭に注目していく必要があるのではないか。芸術祭が地域・社会に与える影響に関して多くの言及があるが、定量的・定性的分析は少ないため重要な研究テーマとなる。ただ、地域の誇り・矜持といっても目に見えないものだけに把握しがたく、中長期的な観測が必要となってくる。そこで、地域コミュニティ形成への影響、なかでも自発性・協働性に関わる地域活動など客観的な形態に着目し、かつ短中期的な芸術祭の効果を見ていくこととする。

　ここで、「地域づくり」「地域コミュニティ形成」の語義を確認しておきたい。

　「地域づくり」とは、「バブル経済下で語られた『地域活性化』に代わる用語として、意識的に使われ始めたもの」だという。そこには、「バブル期のリゾート開発批判という時代的文脈の中での『内発性』の強調」がある。また、「地域活性化には、当時は経済的な活況を目指す意味合いがあ」り、「（地域

づくりには）そうした単一目的を批判し、文化、福祉、景観等も含めた総合的目的」などが含意されていた★7。一方で、延藤安弘は、「近年、行政・事業主体側が公共事業の固いイメージをやわらげるために、『まちづくり』の言葉を使いすぎる傾向がとみに著しくなった。(中略) 実態は市民参加とは無縁の基準通りの固いモノづくりであるがために『まちづくり』はすっかり手垢にまみれてしまい、言葉の本来的意味の輝きをなくしてしまった」★8という。そこで、延藤は「まち育て」を提唱し、「市民、行政、企業の協働により、環境（人口・自然・歴史・文化・産業・制度・情報など）の質を持続的に育み、それに関わる人間の意識・行動も育まれていくプロセス」(傍点筆者)と定義する★9。すなわち、自発性・協働性を必須の要件としている。延藤は、本書の第1章で取り上げるあいちトリエンナーレの会場となった長者町地区（名古屋市中区）で2018年2月に逝去するまで約15年間「まち育て」に関わった。

　そこで、「地域づくり」の歴史的文脈や、延藤が関わる第1章が本書の核であることを踏まえ、本書では、「地域づくり」とは、延藤の「まち育て (づくり)」と同義で使うこととする。

　それに対して、「地域コミュニティ形成」は、「地域づくり」「まちづくり」の効果として、交流人口の増加、経済波及効果と並べて、前記自発性・協働性に着目して用いている。それゆえ、地域コミュニティ形成とは、前記定義を参照し、「地縁団体等★10で人々の自発性・協働性が育まれること」と解する。したがって、芸術祭による自発性・協働性に関わる住民の意識や地域活動への影響を見ていくことで、芸術祭の課題や方向性を明らかにしていきたい。

2. 先行研究

　では、芸術祭と地域づくりに関する幾つかの先行研究を紹介しておこう。
　松本★11と鷲見★12・寺尾★13が、「大地の芸術祭 越後妻有アートトリエンナーレ」(以下大地の芸術祭)を事例に、それぞれ定量的分析と定性的分析をともに行い、芸術祭がソーシャルキャピタル形成に寄与するとした。しか

しながら、定量的分析は、形成の有無を統計的分析により客観的に明らか
にした点で優れているが、形成の具体的プロセスが明らかでない。くわえて
「芸術祭に積極的に協力した住民ほど、橋渡（ママ）型ソーシャルキャピタル
の水準が高」[14] いとし、調査地域全体でソーシャルキャピタルが形成され
たのかについての言及が十分でない。定性的分析についても、ソーシャル
キャピタル形成の母体となる個別の集落の状況の分析というよりも、複数の
集落や会場全体を集合的に捉えていること、かつ調査対象者が少ない点に
課題がある。

　そこで、前記事例とは異なるが、筆者が『トリエンナーレはなにをめざす
のか──都市型芸術祭の意義と展望』などで長者町地区を事例に定性的分
析を行う[15]。あいちトリエンナーレ2010・2013によりソーシャルキャピタル
がプロアクティブ化したこと、その具体的プロセスと要因を詳細に解明した。
筆者の研究は、芸術祭にさまざまな会場やアート活動が含まれることを踏ま
え、個別の地域コミュニティ・プロジェクトごとに当該調査地域全体を見てい
く視座を示し、既存の研究を鑑みたうえで方法論的課題への挑戦をした点
に学術的意義がある。

　なお、大地の芸術祭（新潟県十日町市・津南町）と長者町地区の事例は、
中山間地と大都市で立地条件、地域特性が異なる。しかし、1）アートプロ
ジェクトである、2）ソーシャルキャピタル形成への寄与が学術的に分析さ
れた事例である、3）エリアが限定された展開となっている、の3つの共通
点を有し比較しやすいことから、先行研究として同じ土俵に乗せている。

　ソーシャルキャピタル、プロアクティブ化の定義については、第1章2.で
詳述する。

3. 本書の目的と概要

　筆者[16]の研究以外に芸術祭を個別の地域コミュニティ・プロジェクトごと
に定性的な分析を行う調査は管見の限りない。そこで、国内の芸術祭を幅
広く調査し短中期的に定点観測することで、芸術祭の地域コミュニティ形成
への影響を定性的に分析する。こうした定性的研究を積み重ね、芸術祭が

地域づくりに影響を与えること、そして、その具体的プロセスを第1章から第4章までで主に明らかにしたいと考えている。

　第1章の「あいちトリエンナーレ　長者町地区」では、KOSUGE1-16やナウィン・ラワンチャイクンなどの参加・協働型作品により、事業者らの自発性に働きかけることで、エンパワーメントが起きたのはむろん、無関心層・若者・アーティストらを巻き込むなど人と人をつなげる効果を主に見ることができる。第2章の「大地の芸術祭　莇平集落」では、日比野克彦の参加・協働型作品をきっかけとして地域行事を復活させるという効果を確認できる。第3章の「水と土の芸術祭　小須戸ARTプロジェクト」の事例からは、サイトスペシフィック型の作品群によりまちの魅力を発見する等の効果が見られる。第1章から第3章までで、参加・協働型やサイトスペシフィック型の作品により地域コミュニティ形成への影響が短中期的に顕著に見られることを明らかにする。

　ここまでは、作品の性格やアーティストの側から地域コミュニティ形成への影響を見てきたのに対して、第4章の「いちはらアート×ミックス　内田・月崎・養老渓谷」では、視点を変えて地域の取り組みの側から掘り下げていく。むろん内田をはじめとした3地区でも芸術祭により地域コミュニティ形成への影響をみることができるが、そうした影響を与えた地域の受け入れ態勢として3パターンを示している。すなわち、①既存の拠点（地域づくり）連携・発展型　②作品展示継続型　③新たな拠点形成型の3つである。月崎では、参加・協働型に作品展示継続型が組み合わさることで地域活動に結びついている。月崎の例に限らず、参加・協働型の作品などに閉幕前後のこうした地域側の取り組みが組み合わさることで、地域コミュニティ形成への影響が生じやすくなると考える。

　一方で、あいちトリエンナーレやいちはらアート×ミックスでは現時点で他地区では地域づくりへの影響が顕著に見られない。また、第5章の奥能登国際芸術祭でも、前記4つの芸術祭に比べると、地域づくりへの影響が概して大きくなかった。第4章までで取り上げた地区、集落、プロジェクト以外でも、今後地域づくりにつなげていくことはできるのだろうか。また、奥能登国際芸術祭が開催された珠洲市では、1970年代半ばから約30年間、

「外来型開発」の原発誘致に揺れた。芸術祭が原発誘致の発想に回帰したという地元の声がある。そうしたなかでも、新たな拠点を整備したり、既存の地域活動との結びつきが企図されたり、次回以降の持続可能な戦略が明確である。芸術祭が短中期的に地域づくりにつながらない要因、ひいてはつながる条件とは何なのかを多角的に検討したい。

　第6章では、前記要因・条件を芸術祭や地域の事情に応じて掘り下げた取り組みを紹介する。リボーンアート・フェスティバルは、震災復興を目的として、かつ民間主体で開催された点で異色である。後発型ということもあり、持続可能な地域づくりにつながるための仕掛けとして、場づくりに力点が置かれた。女性たちの仕事づくりを明確に意識してつくられたのが、浜の食堂「はまさいさい」、前者ほど初めからその企図は明確ではなかったが、アーティスト育成にフォーカスしたのが、多目的スペース「石巻のキワマリ荘」である。

　第7章では、芸術祭と評価を取り上げる。都市型芸術祭の事例として、第1章でエリアが限定されたあいちトリエンナーレ 長者町地区を取り扱う。一般的に都市型芸術祭は、エリアが広く、人口規模も百万人単位となり、芸術祭の意義・効果が過疎地・地方型芸術祭に比べ、見えづらい。そうしたなか、札幌国際芸術祭では、約200万人の市民を対象としてソーシャルキャピタルの醸成を仮定した評価をし、都市型芸術祭の1つのモデルをつくろうとしているようにも思われる。しかも、芸術祭をきっかけに、ボランティアの熱量をつなげたいと札幌資料館に新たな拠点としてアートセンター「SIAFラボ」をつくった。市民の主体的・自発的活動が意識された稀有なアートセンターといってよい。「市民の主体性向上」「新産業の創出」につなげる愚直な取り組みを紹介する。

　むろんこれら以外にも芸術祭と地域づくりに関して注目すべき取り組みがあると思われる。できる限り現場に足を運び、情報収集に努めたが、13の芸術祭の全ての現場を網羅し、中長期間定点観測することに対する調査者側の時間的・物理的限界もあり、今後の課題としたい。

4. 芸術祭とアートプロジェクト

　ここで、芸術祭とアートプロジェクトのそれぞれの定義を整理しておこう。

　近頃、芸術祭とアートプロジェクトの定義・概念に混乱がみられる。たとえば、本書で比較を行った芸術祭が、全てアートプロジェクトとして紹介されることがある★17,18,19。それに対しては、かりにアートプロジェクトの概念を形式的に捉え、美術館の専用施設ではなくまちなかでの展示を指すと考えるならば、都市型芸術祭のうち横浜美術館・愛知芸術文化センターの展開はアートプロジェクトには当たらないことになろう。

　芸術祭は広くアートプロジェクトに含まれるのだろうか、そもそも違うものなのか。差異があれば、どう違うのか。それぞれの用語の整理を行う。アートプロジェクトについては、近時の研究者によってさまざまに提唱される定義を整理したうえで、筆者自らの定義を示しておきたい。

◎芸術祭

　まずは、芸術祭とほぼ同義で使われる国際展・トリエンナーレ・ビエンナーレの用語の意味に触れておきたい。国際展という日本語は、最近になって美術関係に限らず一般誌でも使われるようになった。明確な定義はなく、①数か年の周期で継続的に開催され、②現代美術を主な内容とする芸術祭が通常国際展と称される★20。そのうち、3年に1度の周期で開催される国際展がトリエンナーレ、2年に1度の周期で開催される国際展がビエンナーレである。国際展の歴史が1895年以来断続的に開催されているベネチア・ビエンナーレなどイタリアに由来することから、いずれもイタリア語である。

　冒頭に示したとおり、本書では、「芸術祭」を、①数か年の周期で、②現代美術を内容とし、③事業費が1億円以上で開催される芸術祭としている。

　なお、芸術祭を大都市・広域中心都市型と過疎地・地方型に分類している。大都市・広域中心都市型は、さらに大都市型と広域中心都市型に分類することができる。前者は、三大都市圏の主要都市を主な会場とし、横浜市など都市間競争に勝ち抜くことに重きを置くことが多い。後者は、札幌市・新潟

市など北海道・東北等全国を8ないし11地方に区分した場合の中心・拠点と位置づけられる地方都市を会場とする。都市間競争での存在感のみならず、合併によるアイデンティティ向上、地域活性化など理念はさまざまである。それに対して、過疎地・地方型とは、いわゆる総務省が過疎地域自立促進特別措置法に指定した地域にとどまらず、「人口の著しい減少によりその地域社会の活力が低下している地域」[21] を主な会場として開催される芸術祭を指す。高齢化・少子化で過疎地・地方の疲弊が深刻ななか、地域活性化を目的として開催されることが多い。いずれにせよ、本書では、自治体が競って芸術祭を濫立させている状況に対し継続の道筋を示すという趣旨から、その差異に留意したうえで論じる。

　たとえば、あいちトリエンナーレは、①3年の周期で継続的に開催され、②現代美術を主な内容とし、③毎回10億円以上の規模であることから、本書で扱う芸術祭に当たる。そして、三大都市圏の名古屋市内が主たる会場であることから、大都市型の芸術祭に当たる。なお、あいちトリエンナーレ2013・2016では、政令指定都市域外の岡崎市・豊橋市での展開が見られたが、主な会場は名古屋市内であることから、大都市型としておく。

◎アートプロジェクト

　アートプロジェクトについては研究者から近時さまざまな定義が提唱されている（表0-2）。

　1つには、小泉は「地域の過疎化や疲弊といった社会問題、あるいは福祉や教育問題など、さまざまな社会・文化的課題へのアートによるアプローチを目的としながら展開している文化事業、ないし文化活動」[22] とし、その目的が社会・文化的課題へのアプローチにあることを指摘する。

　2つには、谷口は「地域に芸術を投げかける社会的活動」としたうえで、主体や重視する目的に応じて芸術創造的アートプロジェクトや公共政策的アートプロジェクトなどに分類し、芸術創造と公共政策の共創を誘発するアートプロジェクトを研究対象としている[23]。「共創」という概念をアートプロジェクトに使い、芸術創造と公共政策の両面があることを指摘した。

　3つには、谷口[24] と同様に熊倉が「共創」の概念に着目し、「現代美術を

中心に、1990年代以降日本各地で展開されている共創的芸術活動。作品展示にとどまらず、同時代の社会の中に入りこんで、個別の社会的事象と関わりながら展開される。既存の回路とは異なる接続／接触のきっかけとなることで、新たな芸術的／社会的文脈を創出する活動」[25]とする。2010年度、2011年度「東京アートポイント計画」の人材育成プログラム「Tokyo Art Research Lab」の講座で、熊倉がアートプロジェクト研究会を主宰した。その研究会の議論を踏まえ、既存の回路とは異なる接続・接触のきっかけになるという効果に着目するのが特徴である[26]。

4つには、野田が、アートプロジェクトの特徴を5つに整理する[27]。
①社会的課題や地域の歴史・文化などに関わるテーマ
②作家と住民とのコラボレーションによる作品制作
③制作物としての作品よりその制作過程を重視
④美術館以外のオルタナティブスペースにおける制作・展示
⑤産業遺産や廃校などサイトスペシフィックな場所へのこだわり(ゲニウスロキ)

野田は「アートプロジェクトは、優れてサイトスペシフィックな活動であり、場所の問題は最重要課題なのである」[28]と指摘する。

5つには、筆者が『トリエンナーレはなにをめざすのか—都市型芸術祭の意義と展望』(水曜社、2015)で「①作品制作も含むプロジェクトのプロセスで、②人々の自発性、もしくは地域・社会の課題にコミット(接触・接続)することを特徴とする、③現代アートを中心とした芸術活動」と定義する。

アートプロジェクトのさまざまな定義を紹介したが、アートプロジェクトはこれまでも時代とともに変化してきたし、これからも変容・進化していく。また、プロセス・目的・効果のいずれの観点に着目するかでも定義は異なってくる。三者三様で当然であり、いずれか1つが正解ということはない。

5つめの定義は、谷口が指摘する芸術創造の側面や、野田が指摘する場所の重要性への配慮をやや欠いている面があったことから、アートプロジェクトの定義・特徴を次のように捉えなおすこととした。

アートプロジェクトとは、①サイトスペシフィック型の作品や参加・協働型の作品などを展開する現代アートを中心とした芸術活動で、②美術館や劇場のような専用施設以外を主に会場とする。③人々の自発性にコミットした

り、場所の特性を活かしたり、地域・社会課題解決につなげることを目的として行われることが多いが、芸術文化の創造自体を目的として行われることもある。

　なお、①と③で使った概念を整理しておくと、サイトスペシフィック型作品

表0-2 アートプロジェクトの定義・特徴

定義（特徴）	提唱者	特徴
地域の過疎化や疲弊といった社会問題、あるいは福祉や教育問題など、さまざまな社会・文化的課題へのアートによるアプローチを目的としながら展開している文化事業、ないし文化活動	小泉元宏	その目的が社会・文化的課題へのアプローチにあることを指摘
地域に芸術を投げかける社会的活動	谷口文保	「共創」という概念をアートプロジェクトに使い、芸術創造と公共政策の両面があることを指摘
現代美術を中心に、1990年代以降日本各地で展開されている共創的芸術活動。作品展示にとどまらず、同時代の社会の中に入りこんで、個別の社会的事象と関わりながら展開される。既存の回路とは異なる接続／接触のきっかけとなることで、新たな芸術的／社会的文脈を創出する活動 ①制作のプロセスを重視し、積極的に開示 ②プロジェクトが実施される場やその社会的状況に応じた活動を行う、社会的な文脈としてのサイト・スペシフィック ③さまざまな波及効果を期待する、継続的な展開 ④さまざまな属性の人びとが関わるコラボレーションと、それを誘発するコミュニケーション ⑤芸術以外の社会分野への関心や働きかけなどの特徴を持つ。	熊倉純子	「共創」の概念を使用したこと、既存の回路とは異なる接続・接触にきっかけになるという効果に着目するのが特徴
①社会的課題や地域の歴史・文化などに関わるテーマ ②作家と住民とのコラボレーションによる作品制作 ③制作物としての作品よりその制作過程を重視 ④美術館以外のオルタナティブスペースにおける制作・展示 ⑤産業遺産や廃校などサイトスペシフィックな場所へのこだわり（ゲニウスロキ）	野田邦弘	場所に着目
①作品制作も含むプロジェクトのプロセスで、②人々の自発性、もしくは地域・社会の課題にコミット（接触・接続）することを特徴とする③現代アートを中心とした芸術活動	吉田隆之	人々の自発性に着目
①サイトスペシフィックな作品や参加・協働型の作品などを展開する現代アートを中心とした芸術活動で、②美術館や劇場のような専用施設以外を主に会場とする。③人々の自発性にコミットしたり、場所の特性を活かしたり、地域・社会課題解決につなげることを目的として行われることが多いが、芸術文化の創造自体を目的として行われることもある。	吉田隆之 （本書）	人々の自発性・場所のみならず芸術文化創造の側面にも着目

（筆者作成）

とはその場の特性を活かした作品である。参加・協働型作品は「様々な属性の人々が関わるコラボレーションと、それを誘発するコミュニケーション」[29]を特徴とする作品である。参加・協働型作品は、その全てではないが、人々の自発性に直接、間接に働きかけ、いわばコミットすることが少なくない。サイトスペシフィック型と参加・協働型は、本書での重要なキーワードである。

◎芸術祭はアートプロジェクトなのか

　芸術祭は、特に海外で、そもそもその時代の旬のアーティストを紹介することを目的として開催されてきた。それに対して、アートプロジェクトは前記特徴を備えるものである。芸術祭がそうした特徴を備えない限り、アートプロジェクトには当たらないことになる。したがって、芸術祭を広くアートプロジェクトとして捉えることも多く見られるが、必ずしも正確ではない。

注及び引用文献：

★1　藤川哲「場の創出―「アジア太平洋トリエンナーレ」におけるキッズAPTの試み」暮沢剛巳・難波祐子編『ビエンナーレの現在―美術をめぐるコミュニティの可能性』青弓社，2008年，195-234ページ．

★2　毛利嘉孝「ポスト・ビエンナーレの試み―北九州国際ビエンナーレ07を考える」暮沢剛巳・難波祐子編『ビエンナーレの現在―美術をめぐるコミュニティの可能性』青弓社，前掲書，2008年，235-268ページ．

★3　福住廉「北アルプス国際芸術祭2017 〜 信濃大町 食とアートの回廊〜その1」『artscape』（2017年8月1日号），2017年，http://artscape.jp/report/review/10137651_1735.html（2018年10月1日最終閲覧）．

★4　吉本光宏「原発断念の街でアート祭典　半島の最先端で見つけた魅力」『朝日新聞』（2017年8月27日）2017年．

★5　Claire Bishop, *Artificial Hells: Participatory Art and the Politics of Spectatorship,* Verso, 2012.（＝大森俊克訳『人工地獄 現代アートと観客の政治学』フィルムアート社，2016年．）

★6　国内の芸術祭の報告書のほぼすべてで経済波及効果に言及がある。ちなみに、あいちトリエンナーレ2016の経済波及効果は、63.3億円である（あいちトリエンナーレ実行委員会『あいちトリエンナーレ2017開催報告書』，2017年a）。

★7　ここまでの「地域づくり」に関する記述は、「農村ビジョンと内発的発展論―本書の課題」（小田切徳美，小田切徳美・橋口卓也編著『内発的農村発展論 理論と実践』農林統計出版，2018年，1-17ページ）による。

★8　延藤安弘『「まち育て」を育む―対話と協働のデザイン』東京大学出版会，2001年，11ページ．

★9　延藤安弘，前掲書，2001年，10-15ページ．

★10　地域コミュニティを地縁団体等と言い換えた。マッキーバーは、コミュニティを地域社会の体、ア

ソシエーションを「共同の関心の（中略）ために明確に組織された組織体」（MacIver,R.M., *Community : a sociological study : being an attempt to set out the nature and fundamental laws of social life,* London, Macmillan, 1917.（＝中久郎・松本通晴監訳『コミュニティ―社会学的研究：社会生活の性質と基本法則に関する一試論』ミネルヴァ書房，2009年．）とする。本稿での「コミュニティ」は前者と同義で、町内会、自治組織等の地縁団体を指す。「地域コミュニティ」は、総務省コミュニティ研究会の考え方を参照し、地域性の有無を実質的に見ていくので、アソシエーションのなかで共通の生活地域をもつ場合を含む（総務省コミュニティ研究会「総務省コミュニティ研究会第1回（平成19年2月7日）配付資料」，2007年．）

★11 松本文子・市田行信・吉川郷主・水野啓・小林槇太郎「アートプロジェクトを用いた地域づくり活動を通したソーシャルキャピタルの形成」『環境情報科学論文集』第19号，環境情報科学センター，2005年，157-162ページ；勝村（松本）文子ほか「住民によるアートプロジェクトの評価とその社会的要因―大地の芸術祭 妻有トリエンナーレを事例として」『文化経済学』第6巻第1号，2008年，65-77ページ．

★12 鷲見英司「大地の芸術祭とソーシャル・キャピタル」澤村明編著『アートは地域を変えたか―越後妻有大地の芸術祭の十三年2000-2012』慶應義塾大学出版会，2014年，63-99ページ．

★13 寺尾仁「大地の芸術祭と人々―住民、こへび隊、アーティストが創り出す集落・町内のイノベーション」澤村明編著『アートは地域を変えたか―越後妻有大地の芸術祭の十三年2000-2012』前掲書，101-146ページ．

★14 鷲見，前掲書，98ページ．

★15 吉田隆之「都市型芸術祭の経営政策―あいちトリエンナーレを事例に」博士論文，東京芸術大学音楽研究科，2013年；吉田隆之『トリエンナーレはなにをめざすのか―都市型芸術祭の意義と展望』水曜社，2015年．

★16 吉田，前掲論文，2013年；前掲書，2015年．

★17 小泉元宏「社会と関わる（Socially Engaged Art）」の展開：1990年代-2000年代の動向と、日本での活動を参照して」博士論文，東京芸術大学大学院音楽研究科，2011年，85-86ページ．

★18 三田村龍伸『日本国内におけるアート・プロジェクトの現状と展望―実践的参加を通しての分析と考察』Kindle版，2013年．

★19 谷口文保「芸術創造と公共政策の共創を誘発するアートプロジェクトの研究」博士論文，九州大学大学院芸術工学府，2013年，26ページ．

★20 暮澤剛巳「はじめに」暮澤剛巳・難波祐子編『美術をめぐるコミュニティの可能性 ビエンナーレの現在』青弓社，2008年，9ページ．

★21 『大辞林 第三版』（三省堂，2006年．）の過疎地域の定義を引用した．

★22 小泉元宏「地域社会に『アートプロジェクト』は必要か？」『鳥取大学地域学部紀要 地域学論集』第9巻第2号，2012年，77ページ．

★23 谷口，前掲論文，6ページ．

★24 同論文，6ページ．

★25 熊倉純子監修『アートプロジェクト―芸術と共創する社会』水曜社，2014年，9ページ．

★26 同書，9ページ．

★27 野田邦弘『文化政策の展開―アーツ・マネジメントと創造都市』学芸出版社，2014年，121ページ．

★28 野田，前掲書，109ページ．

★29 熊倉監修，前掲書，2014年，9ページ．

第 1 章

あいちトリエンナーレ
名古屋市等

長者町地区

AICHI
TRIENNALE

1. 長者町地区とあいちトリエンナーレ

　本章ではあいちトリエンナーレ、なかでも長者町地区での展開を中心に取り上げる。

　長者町地区は、名古屋という日本を代表する大都市の中心部にある。南北3本の通、東西3本の筋で16に碁盤割され、一街区の広さは100メートル四方である。地区全体の広さは400メートル四方で、錦二丁目とほぼ重なる。かつては繊維問屋街として栄えた。しかしながら、小売店の衰退とともに小規模の問屋が次々と廃業する。2000年前後には名古屋長者町織物協同組合は加盟社を最大時より半減させた。これに対して、空きビル・店舗が目立ち、風俗店の進出が見られるようになった危機感から、まちづくり★1に取り組む。そうしたところに、2010年から計3回、足かけ約10年間、愛知県が長者町地区をあいちトリエンナーレの会場とする。芸術祭により長者町地区で何が起きたのかを明らかにしていきたい（写真1-1）。

　あいちトリエンナーレの概要を紹介しておこう。

　あいちトリエンナーレ2010（以下2010）では建畠哲（たてはたあきら）（国立国際美術館館長：当時）、あいちトリエンナーレ2013（以下2013）では五十嵐太郎（東北大学大学院工学研究科教授／都市・建築学）、あいちトリエンナーレ2016（以下2016）では港千尋（みなとちひろ）（写真家・著述家／多摩美術大学美術学部情報デザイン学科教授）が、それぞれ芸術監督を務めた。あいちトリエンナーレ2019（以下2019）では、津田大介（ジャーナリスト／メディア・アクティビスト）が芸術監督となり、4回目を開催する。これまで現代美術を中心にオペラ・ダンス・演劇などジャンルを超えた芸術を積極的に取り込んできた。1）世界の文化芸術の発展に貢献、2）文化生活の日常生活への浸透、3）地域の魅力向上を目的とし、一文化事業として実施されているのが特色である。

　事業費は、2010が18.1億円（うち緊急雇用5.2億円）、2013が14.4億円（うち緊急雇用1.3億円）、2016が13.5億円である。2010、2013、2016での主な会場は、愛知芸術文化センター・名古屋市美術館・長者町地区である。このほか、名古屋市外に2013では岡崎市に、2016では岡崎市と豊橋市に会場が設けられた。2019では、名古屋市内のまちなか会場は、四（し）

写真1-1　長者町繊維街

間道・円頓寺地区などが選ばれ、名古屋市外は、豊田市（豊田市美術館・まちなか）が会場とされた。長者町地区は会場とならなかった★²。

　2010・2013と長者町地区の関わりについては、吉田（2015）★³に詳しい。関心のある読者はそちらを参照していただきたい。本書では、2013閉幕後から2016開催・閉幕後までの芸術祭と長者町地区の関わりについて主に論じていく。また、2019で会場とならなかったことでの長者町地区のアート活動やまちづくりの展開についても言及する。

　筆者とあいちトリエンナーレの関わりは、2010では愛知県職員として長者町地区を担当し、2013以降は一市民として長者町地区のアート活動に関わってきた。

2. あいちトリエンナーレとソーシャルキャピタルの プロアクティブ化
——あいちトリエンナーレ2010・2013と2016の比較

本章の目的

　筆者は、2010・2013により長者町地区でまちづくりの無関心層を巻き込み、ソーシャルキャピタルがプロアクティブ化したこと、その具体的プロセスを著書などですでに詳細に解明している[★4]。ただ、1回か2回の芸術祭で、もしくは数か年で、継続性を要件とするソーシャルキャピタルのプロアクティブ化が認められるのか疑問を呈されていた。

　そうしたところ、その後数か年が経過して2016が開催され、長者町が3回連続で会場となる。かりに、3回の芸術祭、いわば足かけ約10年間でソーシャルキャピタルのプロアクティブ化が認められるならば、継続性の要件に関する疑問が解消されよう。そこで、2010・2013と2016による影響を比較しながら、芸術祭によりソーシャルキャピタルのプロアクティブ化が認められるのかを定性的に分析することを本章の目的とする。なお、長者町地区は、主に人々の自発性にコミットするなど参加・協働型の作品をまちなかで展開してきた点で、アートプロジェクト的性格を有する（序章4.参照）。それゆえ、問いを「アートプロジェクトによりソーシャルキャピタルのプロアクティブ化が認められるのか」と言い換えることもできる。

　本章は芸術祭による住民等の自発性を含めた地域の変化を捉えることを目的とするが、あいちトリエンナーレ長者町地区を取り扱う理由は、芸術祭によって住民（事業者）[★5]等が長期間自発的活動やネットワークの広がりを継続した先駆的事例だからである[★6]。かつ、筆者の見聞の限りでは、あいちトリエンナーレの他のまちなか会場で、住民の継続的な自発的活動が顕著に見られないからでもある。というのも、こうした住民のエンパワーメントが、そもそもトリエンナーレの目的として必ずしも明確に位置づけられていないのだ[★7]。その経緯・理由については、3.で後述する。行政目的として明確な位置づけがないにもかかわらず、長者町で事業者等の継続的な自発的活動がなぜ起きたのかについては、本章で効果を定性的に分析するなかで

明らかにしていきたい（6.3.後述）。

研究の方法

　芸術祭が住民等の自発性を含めた地域に与える影響については、序章で紹介した先行研究に倣い、ソーシャルキャピタルを評価指標として分析する。

　その具体的基準は次のように考える。

　ソーシャルキャピタルを、通説は ①信頼 ②規範 ③ネットワークと定義する（広義説）。

　これに異を唱えるのが坂本で、前記3要件に加え「人々の間の自発的な協調関係をより促進する」という自発性の要件を必要とする（狭義説）。その根拠として、ロバート・パットナムはソーシャルキャピタルを「調整された諸活動を活発することによって社会の効率性を改善できる信頼・規範・ネットワーク」と限定して定義していること、ソーシャルキャピタルが単に「ネットワーク」を指す場合もあり、新しい概念としての存在意義と議論の混乱回避を念頭に置けば限定的な意味合いで用いるべきこと、を挙げる[8]。筆者も坂本と同じく狭義説に立つ。

　信頼・規範は心理的要素のためそもそも観察が難しい。また、ネットワークは実体的要素であるが可視化し難い。そもそもソーシャルキャピタルの趣旨は、信頼・規範・ネットワークがあれば、自発的な協力が得られ集合行為のジレンマ[9,10]が解決できるという点にある。だとすれば、自発的協力という可視的要素も考慮すべきである。よって、ソーシャルキャピタルとは自発的な協力を促す信頼・規範・ネットワークと定義する。くわえて、地域（もしくは共同体）の変化を捉える指標であるから、限定された場所でなく地域（もしくは共同体[11]）全体に広がりがなければならない。かつ、ソーシャルキャピタルは、日本語で社会共通資本として訳されるように資本として蓄積していくものなので、継続性が要件となる。ここでの継続性とは、10年単位での継続的変化を捉えるのが一般的である。したがって、ソーシャルキャピタルは、その基準を形成の有無とし、具体的には ①信頼 ②規範 ③ネットワーク ④自発的な協力 ⑤地域（もしくは共同体）全体への広がり ⑥継続性とする。①〜④については、信頼・規範・ネットワークに裏打ちされた自発的な

協力があるか否かという観点から分析する。こうした立場（狭義説）に立つことで、自発的な協力活動という客観的要素を取り入れソーシャルキャピタルを分析することができる。

　なお、後述（4.参照）のとおり、長者町地区ではまちづくりにより橋渡し型ソーシャルキャピタルがすでに形成されていたところ、芸術祭により自発性やネットワークの面でのまちづくりの限界を克服し、まちが活性化されている。そこで、形成ではなく、活性化（アクティブ化）を評価基準とする。くわえて、自発性に着目し、対症療法的にリアクティブ化したのでなく、対応を先取りしたという顕著な現象を表すものとして、プロアクティブ化の有無を基準として使う。

　ここで、プロアクティブは、学術用語としては、組織行動論の分野で「プロアクティブ行動（自発的な適応行動）」などとして使われてきた[12]。本書では、組織というよりも社会や共同体での行動であるのでややニュアンスが異なる。プロアクティブ（proactive）の本来の語義に照らし、対症療法的にリアクティブ（reactive）化したのではなく、対応を先取りしたという顕著な現象を表すものとして使う。

　以上から、ソーシャルキャピタルのプロアクティブ化とは、自発性の面に着目すると、①自発性が著しく向上すること ②活動の継続性となる。ネットワークの面に着目すると、①ネットワークが著しく広がること ②参加の継続性となる。ただ、前述のとおりまちづくりの限界を克服し、かつ対応を先取りした事象を的確に捉える概念としてプロアクティブ化を用いている。そこで、「著しく広がること」の判断に当たっては、「それまでのまちづくりの限界を克服したか」「対症療法的でなく対応を先取りしたのか（先見性）」という実質的要素を考慮する。端的には、①自発的な対外的活動、または ②参加の広がりが要件となる（表1-1）[13]。

調査の方法

　調査方法については、行政資料・新聞・団体資料等を含む文献調査と、関係者へのインタビューをもとに定性的分析を行う。インタビューの技法は、あらかじめ概略的な質問を決めておき、会話の流れでアレンジしていく半構

表1-1 分析の評価指標と基準

指標	基準				
ソーシャルキャピタル	形成		①信頼 ②規範 ③ネットワーク ④自発的な協力 ⑤地域全体への広がり ⑥継続性		
	当該地区に橋渡し型ソーシャルキャピタルが形成されている場合	プロアクティブ化	自発的な対外的活動	①自発性が著しく向上すること ②活動の継続性	「著しく向上すること」「著しく広がること」の判断に当たっては、プロアクティブ化の趣旨に鑑み、「それまでのまちづくりの限界を克服したか」「対症療法的でなく対応を先取りしたのか（先見性）」という実質的要素を考慮する。
			参加の広がり	①ネットワークが著しく広がること ②参加の継続性	

造化インタビューを採用した。その場でメモを取るのを原則とし、正確性を期するために調査対象者の了解を得たうえで、ICレコーダーで録音した。調査日は、調査結果を用いた本文の注に明記した。聞き取り調査にあたっては、1）研究目的　2）研究手続きの概要（調査時間・調査の同意・録音の了解等）　3）研究結果公表（公表する場合の事前同意等）等を口頭で明確に説明を行う。氏名を明らかにする点については、本人の同意を得ている。

　2016では、インタビュー調査や文献・資料調査により、筆者は原則として第三者的立場で客観的に観察を行った。調査対象者はアート活動やまちづくりのキーパーソンを中心に約20名に及ぶ。ただ、例外的にムービーの輪での活動、長者町大縁会2016、長者町大縁会2017で、企画・運営の一部に一市民として参加した（5.1.；5.2.2.；5.3.2.後述）。そこで、筆者が当事者として関わった活動については、それを本文中に明示するとともに、客観性により慎重に配慮する観点から、原則として長者町で公知の事実を分析の対象とした。たとえば、会議の議事録、ミーティング・イベント等での配布資料、各種団体が発行する機関誌等である。そのうえで、適宜関係者への聞き取り調査を行い、その信憑性や不足部分を補うこととした。

　調査対象者の選定理由は、芸術祭・アートプロジェクトによるまちづくりへの影響をつぶさに観察していくためである。あいちトリエンナーレについて

は、出展アーティストとコーディネーターを、地域については、長者町地区の事業者、長者町を拠点に活動するまちづくりNPO、若者らとアーティストを調査対象とした。事業者は各団体、まちづくりNPO・若者ら・アーティストは各グループのキーパーソンにインタビューを行った。

　調査対象者、各団体・グループを表1-2、表1-3にそれぞれまとめている。また、表1-5で長者町地区やあいちトリエンナーレに関わる事項等年表を付した。読み進めるにあたり適宜参照されたい。なお、表1-3の所属・肩書は、インタビューに協力していただいた立場（肩書・所属）のみを記している。

結束型ソーシャルキャピタルと橋渡し型ソーシャルキャピタル

　ここで、パットナムが示した「結束型ソーシャルキャピタル」と「橋渡し型ソーシャルキャピタル」という2つの類型[14]を簡単に説明しておきたい。「結束型ソーシャルキャピタル」とは、同質的な結びつきで、本章に即せば同業者組合の典型である織物協同組合が挙げられる。それに対して、「橋渡し型ソーシャルキャピタル」とは、異質な人や組織を結びつけるネットワークで、本章でのまちづくり（連絡）協議会が挙げられる。

　こうした結束型・橋渡し型それぞれのソーシャルキャピタルと、地域コミュニティ形成との関係について、表1-4で整理した。

　結束型ソーシャルキャピタルは、同質的な結びつきなので、結束が容易である。形成や継続が簡単で、自発的な協力が促進されやすい。しかし、同質的であるがゆえに内向き・排他的になりやすいので、地域コミュニティ形成につながらないことが多い。一方、橋渡し型ソーシャルキャピタルは、人や組織が異質なので、結びつくのは容易ではない。その形成は簡単ではなく、そのうえ、一旦形成されたとしても、自発的な協力は委縮しがちで、集合行為のジレンマが最も働きやすい。しかし、自発的な協力関係の壁さえ乗り越えれば、橋渡し型ソーシャルキャピタルは地域コミュニティ形成につながる可能性が大きい。この可能性を現実化するための理念・使命と具体化するための戦略（政策）・戦術が、芸術祭やアートプロジェクトには求められることになる。

表1-2　調査対象者

団体・グループの属性			氏名	所属	肩書
事業者	名古屋長者町 (織物)協同組合		滝一之	名古屋長者町(織物)協同組合	理事長
				滝一株式会社	代表取締役
	青長会		東幹人	青長会	会長(当時)
			吉川孝清	サクラ産業有限会社	代表取締役社長
				青長会	メンバー
	錦二丁目まちづく り(連絡)協議会		堀田勝彦	錦二丁目まちづくり(連絡)協議会	副会長を経て 会長
				堀田商事株式会社	代表取締役社長
			河崎泰了	錦二丁目まちづくり(連絡)協議会	副会長
				都市の木質化プロジェクト	メンバー
	ゑびすまつり 山車部会		山口剛史	ゑびす祭り山車部会	代表(当時)
				あいちトリエンナーレ2016 長者町会場推進チーム	メンバー
				八木兵殖産株式会社	代表取締役社長
長者町を 拠点に活動	まちづくりNPO		名畑恵	NPO法人まちの縁側育くみ隊	事務局長を経て 代表理事
	若者ら	2010〜	寺島千絵	長者町アートアニュアル実行委員会	メンバー
			三浦一倫	Arts Audience Tables ロプロプ	メンバー
		2013〜	古橋和佳	名古屋スリバチ学会	世話人
			鬼頭信	キトウバー	店主
			水野晶彦	ヘベレケ会	メンバー
	アーティスト		浅井雅弘	AMR	メンバー
			河村るみ		メンバー
			鈴木優作		メンバー(当時)
			山田亘	長者町スクール・オブ・アーツ	代表
あいちトリ エンナーレ				あいちトリエンナーレ2016 出展作家	
			菅沼朋香	あいちトリエンナーレ2013 出展作家	
	コーディネーター		舟橋牧子	あいちトリエンナーレ2016	

表1-3 長者町の主な団体・グループ

1 あいちトリエンナーレ2010以前

団体名	主体	規模	活動内容
名古屋長者町 (織物) 協同組合	繊維問屋の事業者ら	33組合 (2017年12月現在)	本業のほか、まちづくりにも取り組む。地区の意思決定を行ってきた。繊維業と異なる会員も増えたことから2016年7月「織物」を取り名古屋長者町協同組合とした。
青長会	繊維問屋の若手経営者らのグループ	20名程度	かつては経営者セミナーを企画。定期的な飲み会を開き、親睦を図る程度にとどまっていたが、ゑびす祭りで重責を担うほか、勉強会の開催等活動の幅を広げている。
錦二丁目まちづくり (連絡) 協議会	組合員は約2割。残り8割は広告代理店経営者等新たな担い手や飲食店、地権者、町内会長など	正会員数 50名強	約10年間のまちづくりで、問屋以外に広告代理店経営者等新たな担い手や飲食店、地権者、町内会長への広がりを生む。2011年マスタープラン作成後、都市の木質化プロジェクト (歩道拡幅の社会実証実験)、錦二丁目エリアマネジメント株式会社設立などに取り組む。
NPO法人 まちの縁側 育くみ隊	代表理事 名畑恵	名畑が中心 協力者多数	2004年から長者町のまちづくりに関わる。

2 あいちトリエンナーレ2010以降

グループ名	主体	規模	活動内容
長者町アートアニュアル実行委員会	事業者等	武藤隆、寺島千絵ら数名。協力者多数	ゑびす祭りで山車の練り歩きを始めアートイベントの実施、作品の維持・管理を行う。また「長者町プラットフォーム」「アーティスト・イン・レジデンス」を供用した。両施設は2017年3月閉鎖される。直近では川田知志のフレスコ画《ノーサイド》(部分) を、再開発後も長者町地区に常設していく。
長者町まちなかアート発展計画	あいちトリエンナーレ2010をきっかけに長者町に縁をもった若者ら	20名程度	サポーター、ボランティア、アートファンらがアートイベントを定期的に開催する。
長者町ゼミ		20名程度	シブヤ大学の姉妹校大ナゴヤ大学のゼミで、長者町に関心をもつ学生がカルタ大会等イベントを実施する。
Arts Audience-Tables ロプロプ		20名程度	サポーターらの自主企画が発展し、毎月1回のオープンミーティング、レビュー勉強会、美術館ツアーを実施する。鑑賞者の能動的な活動をコンセプトとする。
AMR	長者町を拠点に活動するアーティスト	浅井雅弘、前川宗睦、河村るみ、伊藤仁美	AMRは長者町トランジットビルを拠点に創作展示を行うアトリエの名称で、発足当時のメンバーは浅井、前川、河村の3名のアーティストである。メンバーの入れ替わりがあり、伊藤が加わり現在4名である。2019年2月アトリエ (ROOM) としての役割を終え、緩やかな集まり (Republic) としての活動を始める。

3 あいちトリエンナーレ2013以降

グループ名	主体	規模	活動内容
ムービーの輪	あいちトリエンナーレ2013をきっかけに長者町に縁をもった若者ら	30名程度	Nadegata Instant Party《STUDIO TUBE》の制作をサポートしたクルーが毎月1回程度、映画＆映像上映会を実施する。映像制作にも取り組む。
名古屋スリバチ学会		30〜40名程度	ガイドボランティアをはじめとしたメンバーが毎月1回程度、名古屋の地形や建築物の探索を実施する。

4 あいちトリエンナーレ2016以降

グループ名	主体	規模	活動内容
「CHOJA MACHIBA」	アーティスト、デザイナー、カフェ店主、IT系エンジニア	浅井(アーティスト)、山田梨紗(デザイナー)、阿部(カフェ店主)、伊藤早苗(IT系エンジニア)の4名	浅井と山田が「Kapsel fab」(アトリエ)を、阿部が「阿部山」(シアター)を、伊藤が「Place La Bon」をそれぞれ運営する。
長者町スクール・オブ・アーツ	アーティスト、キュレーター、デザイナー、メディアアーティスト、アート・プロデューサー、研究者	山田亘(アーティスト)、武藤勇(アーティスト)、河村陽介(メディアアーティスト)、村田仁(詩人)、寺島(アートマネージャー)、浅井、山田梨紗を始め10名程度、協力者多数	アーティストが運営するスクール等独立した活動の集まりを、ネットワークにして、長者町全体でスクール・オブ・アーツと呼ぶことにした。2019の時期に立ち上げるが、それ以降も細く長く続け、助成金に頼らず、学費等により継続的な仕組みを考えていく。

表1-4　結束型・橋渡し型ソーシャルキャピタルと自発性及び地域コミュニティ形成との関係

	説明	特徴	自発性との関係	地域コミュニティ形成の可能性
結束型ソーシャルキャピタル	同質的な結びつき	内向き排他的	形成容易	×
橋渡し型ソーシャルキャピタル	異質な人や組織を橋渡しするネットワーク	外向き開放的	形成困難	○

表1-5　長者町地区やあいちトリエンナーレに関わる事項等年表

年		長者町地区に関わる事項		あいちトリエンナーレに関わる事項	知事
2004		錦二丁目まちづくり（連絡）協議会設置			神田真秋 (99-11)
2010			7月	あいちトリエンナーレ・サポーターズクラブ設立	
	8月	KOSUGE1-16《長者町山車プロジェクト：かたい山車》；ナウィン・ラワンチャイクン《新生の地》	8-10月	あいちトリエンナーレ2010開催	
	10月	第10回長者町ゑびす祭り／山車の練り歩き			
2011	4月	「錦二丁目まちづくり構想・総合計画2030」マスタープラン作成			大村秀章 (11-)
	8月	真夏の長者町大縁会2011	7月	芸術監督が五十嵐太郎に決定	
	11月	第11回長者町ゑびす祭り／山車の練り歩き	10月	テーマが「揺れる大地―われわれはどこに立っているのか場所、記憶、そして復活」に決定	
2012	3月	長者町アートアニュアル実行委員会「長者町プラットフォーム」供用を開始			
	5月	長者町アートアニュアル実行委員会「アーティスト・イン・レジデンス」の供用を開始			
	5月	長者町トランジットビル立ち上げ			
	8月	真夏の長者町大縁会2012			
	11月	第12回長者町ゑびす祭り／山車の練り歩き／冬の長者町大縁会			
2013	8月	Nadegata Instant Party《STUDIO TUBE》制作	8-10月	あいちトリエンナーレ2013開催	
		真夏の長者町大縁会2013			
	10月	第13回長者町ゑびす祭り／山車の練り歩き			
2014	8月	真夏の長者町大縁会2014	7月	芸術監督が港千尋に決定	
	11月	第14回長者町ゑびす祭り／山車の練り歩き	10月	テーマが「虹のキャラヴァンサライ　創造する人間の旅」に決定	
2015	5月	2016長者町会場推進会議第1回開催			
	6月	あいちトリエンナーレ2016長者町会場推進チーム第1回開催			
	8月	真夏の長者町大縁会2015			
	11月	第15回長者町ゑびす祭り／山車の練り歩き			

年	長者町地区に関わる事項		あいちトリエンナーレに関わる事項		知事
2016	3月	展覧会「オカチな AMR」			大村秀章 (11-)
	6月	第1回「まちとアートのしゃべり場―アイデアをうごきに」			
	7月	名古屋長者町織物協同組合から名古屋長者町協同組合へと名称変更			
	8月	ルアンルパ「ルル学校」開校	8-10月	あいちトリエンナーレ2016開催	
		真夏の長者町大縁会2016			
	9月	展覧会「場所の目録」			
	10月	第16回長者町ゑびす祭り／山車の練り歩き			
2017	1-3月	アーティスト・イン・レジデンス「まちと synergism」			
	7-10月	長者町小縁会 長者町中縁会（8月）	7月	芸術監督が津田大介に決定	
	9月	「CHOJAMACHIBA」開設			
	10月	第17回長者町ゑびす祭り／山車の練り歩き	10月	テーマが「情の時代 Taming Y / Our Passion」に決定	
	11月	錦二丁目7番街区市街地再開発組合設立認可			
2018	3月	錦二丁目エリアマネジメント株式会社設立			
	7月	納涼を兼ねた見納めの会とトークの場「玉屋ビルが取り壊されるとき、三つの花火が打ち上がる。」開催			
2019			8-10月	あいちトリエンナーレ2019開催	

3. 2016開催の政策決定と長者町地区の動向

　2013開催の際は、リーダーシップを発揮した神田真秋愛知県知事（当時）が、2010の会期中に不出馬を表明したこともあり★15、2011年2月の知事選後までトリエンナーレ継続の判断ができなかった。それに対して、2016開催はすんなりと決まった。閉幕後すぐの2013年12月議会で、大村秀章知事が「行く行くは、百年以上続くベネチア・ビエンナーレのように、求心力の高いアートフェスティバルに育成していきたい」★16と答弁する。その背景

には、2回継続したこと、2014年2月に知事選挙が予定されていたものの、当選が確実視されていたことがあった。

　2014年7月港千尋が芸術監督に決まる★17。同年10月にはテーマが「虹のキャラヴァンサライ　創造する人間の旅」と決められた。2015年3月には展開概要が発表され、長者町は3回連続で会場とされた。あいちトリエンナーレをきっかけに事業者や若者らを中心にアートやまちづくりの活動が長者町で活発だったことが影響したと考えられる。

　では、本章が焦点を当てる長者町地区の動向とそれを行政がどう評価してきたかを見てみよう。

　そもそも、あいちトリエンナーレ開催のきっかけの1つに、愛知芸術文化センターの活用があったことから、行政は当初まちなか会場にさほど関心をもたなかった。2010では建畠監督の芸術的関心から長者町がまちなか会場として選ばれたのだ★18。評価について触れておくと、当初から3つの開催目的（1）世界の文化芸術の発展に貢献　2）文化芸術の日常生活の浸透　3）地域の魅力の向上）を有する。しかし、あいちトリエンナーレに限った話ではないが、開催目的に照らした評価が必ずしもされてこなかった。評価と思しきものとして、あいちトリエンナーレ実行委員会運営会議配布資料（以下運営会議配布資料）があり、開催目的に照らして、取り組み、主な実績、評価・課題がまとめられている。次のとおり、長者町地区にも言及がある。

　2010の運営会議資料では、3）地域の魅力の向上で、「長者町関係者による自主的な取り組みが始まっている」と成果が記述されている。ところが、2013の運営会議配布資料では、長者町地区の成果への言及がない。それでも、長者町は3回連続で会場とされた。2016の運営会議配布資料では、3）地域の魅力の向上で、「有識者からは、『トリエンナーレにより活気を取り戻した長者町での実績』などが高い評価を得た」とある★19。こうした記述からは、長者町での実績を有識者が評価することは認めているが、県自体の姿勢が読み取れない。

　それに対して、知事の発言等からうかがえるのは、ものづくりだけでなく芸術文化に力を入れることで、愛知県のブランド力向上を図り、中京圏の核として都市間競争を勝ち抜こうという意図である★20。こうした意図は、これ

までの運営会議資料を見る限り開催目的に明確には反映されてこなかった。一方で、長者町の側では、まちづくり若手リーダーの堀田勝彦（錦二丁目まちづくり〈連絡〉協議会副会長〈当時〉／堀田商事株式会社代表取締役社長）が、「アートがないと成熟したまちにならない」と確信をもって、トリエンナーレに取り組んだ★²¹。実際、彼が対応を先取りしながら、ときにはまちの思惑を超え、まちづくりの限界がアートで克服されていく様子を本章では論じている。

　いずれにせよ、利害関係者がそれぞれに異なる評価軸をもちながらも、規模の大きさゆえ調整がされないままトリエンナーレが運営されてきた面がある。主催者自体に統一した評価軸がみられず、長者町地区はむろん他地区も、開催目的の位置づけ、今後の方向性が必ずしも明確でない。本章の最後には、主に長者町やまちなか展開に焦点を当てながら、あいちトリエンナーレ、ひいては芸術祭の方向性に言及したい（7. 後述）。

4. 2010・2013開催により長者町で何が起きたのか★²²

　2016開催により長者町で起きたことを明らかにする前に、2010・2013で起きたこととその分析を、吉田（2015）先行研究★²²の概要として紹介しておこう。適宜長者町ヒストリーマップを参照されたい（図1-1）。

　長者町地区は、かつては繊維問屋街として栄えたが、小売店の衰退とともに小規模の問屋が次々と廃業する。2000年前後には、長者町織物協同組合の加盟社が半減する。その頃までは、地区の共同体は問屋事業者中心に構成され、同質的に結びついた結束型ソーシャルキャピタルが形成されていた。

　これに対して、空きビル・店舗が目立ち、風俗店の進出が見られるようになった危機感から、名古屋長者町織物協同組合の2代目からなる長老グループと、若手経営者らの一部がまちづくりに取り組む。「長者町の地名を知ってもらおう」と衣料品の格安販売を中心にゑびす祭りを毎年開催する。2004年に錦二丁目まちづくり連絡協議会を設置し、延藤安弘（愛知産業大学大学院造形学研究科教授：当時／2018年2月逝去）が関わったことが1

長者町ヒストリーマップ

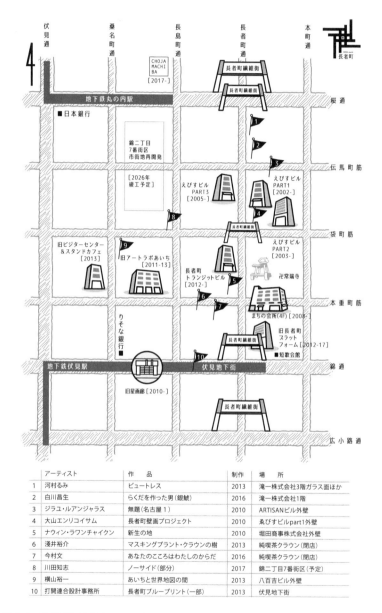

	アーティスト	作品	制作	場所
1	河村るみ	ビュートレス	2013	滝一株式会社3階ガラス面ほか
2	白川昌生	らくだを作った男(銀鯱)	2016	滝一株式会社1階
3	ジラユ・ルアンジャラス	無題(名古屋1)	2010	ARTISANビル外壁
4	大山エンリコイサム	長者町壁画プロジェクト	2010	ゑびすビルpart1外壁
5	ナウィン・ラワンチャイクン	新生の地	2010	堀田商事株式会社外壁
6	淺井裕介	マスキングプラント・クラウンの樹	2013	純喫茶クラウン(閉店)
7	今村文	あなたのこころはわたしのからだ	2016	純喫茶クラウン(閉店)
8	川田知志	ノーサイド(部分)	2017	錦二丁目7番街区(予定)
9	横山裕一	あいちと世界地図の間	2013	八百吉ビル外壁
10	打開連合設計事務所	長者町ブループリント(一部)	2013	伏見地下街

図1-1 長者町ヒストリーマップ

つの転機となった。彼は、まちづくりNPO（まちの縁側育くみ隊）を設立し、短歌による「まちづくり憲章」を作成するなど、まちづくりに表現活動を取り入れる。錦二丁目まちづくり連絡協議会は、「まちのしゃべり場」と称したワークショップ、会議・学習会を100回以上積み重ね、「錦二丁目まちづくり構想・総合計画2030」（マスタープラン）を策定する。その結果、組合だけでなく地権者・町内会・事業者・居住者・行政等異質な人や組織を橋渡しし、さまざまな価値観を包摂しながら、橋渡し型ソーシャルキャピタルを形成していた。

　それでも、2つの限界があった。1つ目は、自発的な対外的活動の限界である。若手経営者からなる青長会の活動が、飲み会で親睦を図る程度にとどまっていたことである。2つ目に、参加の広がりの限界である。まちづくりに批判的な人たちや無関心層が取り込めていなかった。しかも、長者町は居住人口減という切実な課題を抱えていた。地区内には大通に面して大企業の本社、支社が立ち並び、従業員らで地区の昼間人口は万を超えるといわれる一方で、2000年以降地区の居住人口は500人を切っていたのだ★24。

　そうしたところ、2010の長者町地区の展開が起爆剤となる。出展作家KOSUGE1-16（車田智志乃・土谷亨）が戦争で消失した長者町の山車に替えてアート山車を制作する。のみならず、まちの人たちによる山車の練り歩きを企てた。作家は、地域の支え合いを企図し、それに応えて、長者町は山車を受け入れ、毎年練り歩きを継続する。閉幕後、広告代理店主の佐藤敦（株式会社エフェクト代表取締役）が代表となり、若手事業者有志らで長者町アートアニュアル実行委員会（以下長者町アートアニュアル）をつくり、受け皿となる。長者町では、2000年以降まちづくりの取り組みの一環で、まちが問屋の空きビルをリノベーションし、広告業、飲食店主など繊維問屋業以外の事業主を積極的に誘致した。こうした取り組みをきっかけに長者町に拠点を構えた1人が佐藤だった。2012年には佐藤が空きビルを借り上げ、長者町アートアニュアルが活動拠点「長者町プラットフォーム」と、「アーティスト・イン・レジデンス」の供用を開始した。連鎖反応が次々と起こったのだ。臨界点を超えて自発性が向上し、対外的な活動を継続した。こうして、2010を長者町が受け入れ、短期間で事業者らがアート活動を継続

したことに貢献したのが、まちづくりの若手リーダーである堀田である。前述のとおり、彼は「アートがないと成熟したまちにならない」と確信をもって、展示場所確保や作品制作などに協力した。

　また、2010では、ボランティアスタッフとして雑務をこなすだけでなく、自分たちでさまざまなイベントを企画したいとの声を受け、筆者がその立ち上げに関与したのが「あいちトリエンナーレ・サポーターズクラブ」である。登録者は5,373人を数え、トリエンナーレを応援するさまざまな活動を通して継続的に会員がトリエンナーレを支えていく組織をめざした。こうしたサポーターズクラブの活動で自主企画を促したことなどが1つのきっかけとなり、長者町に縁をもった若者らが長者町まちなかアート発展計画、長者町ゼミを立ち上げ、アート活動やまちづくりに関わり始める。長者町まちなかアート発展計画は、サポーター・ボランティア・アートファンらがアートイベントを定期的に開催し、長者町ゼミは、長者町に興味・関心をもつ市民大学「大ナゴヤ大学」の学生らがまちを拠点にさまざまな活動を行った。

　くわえて、建築家が問屋のビルを借り上げ、2012年に武藤勇★25のコーディネートで「長者町トランジットビル」を立ち上げると、多くのアーティスト・クリエイターらが拠点を構えた。ただ、当初はアーティストらと長者町の人たちの接点はさほど見られなかった。ともあれ、若者らがまちで活動することで、ネットワークの広がりが著しく向上し、自発的な参加の広がりが継続した。

　以上から、2010では、山車の練り歩きをはじめとした参加・協働型の作品で、かつ住民らの自発性に働きかけたことで、自発的な対外的活動が生まれた。また、事務局の自主企画を促す仕組みを1つのきっかけに若者やアーティストらのアート活動をはじめとした参加の広がりも見られた。両面から、ソーシャルキャピタルがプロアクティブ化したのだ。その特徴は、参加の広がりが当初はアーティストらがまちとの接点がもてなかったのに対して、対外的活動は連鎖反応が次々と起こり、臨界点を超えて自発性が向上した点にある。

　2013でも長者町地区が会場となると、2010では、若者・アーティストが主体として加わるが、さらに主体が多様化し、アーティストがまちとの接点

をもつなどネットワークがつながっていく。

　1つには、出展作家の菅沼朋香が「長者町音頭」を制作した。すると、女性・子どもが振り付けを考えて、まちの盆踊りをつくってしまう。翌年以降山車の練り歩きとともに継承する。また、AMR（Art Media Room）のメンバーが、2013の企画コンペに出展する。AMRは長者町トランジットビルを拠点に創作展示を行うアトリエの名称で、メンバーは浅井雅弘、前川宗睦、河村るみの3名のアーティストである（当時）。その1人河村が閉幕後もまちに作品を残すことで、日常的にまちの人々と接点をもつようになる。こうして女性・子ども、アーティストが、アート活動やまちづくりの主体として参加した。

　2つには、まちづくりに関わりが薄かった幾人かのまちのキーパーソンが、2013の展示場所確保で県に替わって所有者に働きかけたり、アーティストらを頻繁に飲食に誘ったり、まち側からあいちトリエンナーレを牽引した。たとえば、キーパーソンの1人が、のちに名古屋長者町協同組合の理事長となり改革を進めた滝一之（滝一株式会社代表取締役）である（5.4.後述）。彼は、2010の出展作家ナウィン・ラワンチャイクンの作品制作に協力したことをきっかけに、まちづくりに関わりをもつようになる。

　3つには、出展作家 Nadegata Instant Party（中崎透＋山城大督＋野田智子）の作品制作などに関わったことで、若者らがムービーの輪、名古屋スリバチ学会など新たにさまざまなグループをつくる。ムービーの輪は、Nadegata Instant Party の《STUDIO TUBE》の制作をサポートしたクルーが、毎月1回程度映像上映会などを実施した。筆者もメンバーの1人である。

　2013会期中パブリック・プログラムとして「せんだい・オブ・デザイン」あいちトリエンナーレ分校が開催され、そのワークショップ2の「環境軸」で、名古屋台地周辺の起伏を意識して歩く「名古屋凸凹地形探索」を行った。名古屋スリバチ学会は、この探索に参加したガイドボランティアをはじめとしたメンバーが中心になり、毎月1回程度名古屋の地形や建築物の探索を実施し、30～40人程度が参加する。

　女性・子ども、アーティストが主体として加わり、新たなキーパーソンが

生まれ、若者らのグループが次々と生まれる。主体が一層多様化し、ネットワークが地域全体に著しく広がった点で、2013でも橋渡し型ソーシャルキャピタルがプロアクティブ化した。特に、滝を始め幾人かのキーパーソンがまち側のコーディネーターとなり、まちづくりへの無関心層を巻き込み、まちづくりの限界を多少なりとも克服していったのである。

　かくして2010と2013でソーシャルキャピタルがプロアクティブ化した。ところが、2015年以降そうした活動がやや停滞していくことになる。

5. 2016開催により長者町で何が起きたのか

▶ 5.1. 2015年の状況

　さて、2016開催により長者町で何が起きたのだろうか。

　2010と2013と同様に、2016でも「あいちトリエンナーレ2016長者町会場推進会議（以下2016推進会議）」と、その実働組織として「あいちトリエンナーレ2016長者町会場推進チーム（以下2016推進チーム）」を設置する。それぞれ2015年5月と6月に初回の会議を開催した。これらは、展示場所確保と企画の協働を、行政とまちが協力して進めるための組織である。推進会議の13委員のうち、長者町の有力者は7委員である。2010をきっかけにまちづくりに関わる滝が新たにメンバーとなる（4.前述）。それに対して、推進チームの12構成員のうち長者町関係者は7名である。2010をまち側から牽引した堀田が、2013では私事でほとんど関わることができなかったのだが、2016では推進チームのリーダーを務めた[26]。こうして長者町では2016開催の準備が進められた。

　その一方で、長者町大縁会が開催継続の危機を迎える。2010や2013をきっかけに生まれた若者らのグループが、縁をつなごうという趣旨で2011年から毎夏イベントを開催してきた[27]。だが、数か年以上経過するなかで、各グループの中心メンバーが、転職、転勤等人生の節目を迎え従来のように関わることができなくなったのだ[28]。

　そうしたなか、声をあげたのが長者町アートアニュアルのメンバーの寺島千絵だった。寺島は、あいちトリエンナーレ2016エデュケーターとアートラ

ボあいちディレクターを務めていたが（当時）、長者町アートアニュアルのメンバーとして長者町でのアート活動にも関与していた。6月末に、AMR、kapsel（デザイナー）、長者町アートアニュアル、ムービーの輪など約10名が集まる。筆者もムービーの輪のメンバーとして参加した。浅井（AMR）を始めアーティストらが中心になり皆をまとめていく[29]。開催日を8月末と決め、毎週ミーティングを重ねた。長者町大縁会に活用できる助成金がなく、これまで使ってきた駐車場を借りることが困難だった。そこで、長者町プラットフォーム、長者町トランジットビル、吉田商事1階など無償で使用できる複数の拠点で同時多発的に開催することを考えた。メンバーの1人である筆者が、8月初旬に『トリエンナーレはなにをめざすのか―都市型芸術祭の意義と展望』を刊行することから、出版記念パーティを柱とすることにした。テーマは、多数の会場をハシゴするという趣旨で「長者町でハシゴ」に決まった[30]。

　8月21日（金）、22日（土）に真夏の長者町大縁会2015が開催される。21日18時から吉田商事1階で出版記念パーティが始まる。約60名が参加した。21時に終了すると、さまざまな企画がいっせいに開始された。レストラン ツキダテ[31]では「ツキダテ屋台」が先のパーティの懇親会場となった。長者町トランジットビルではAMRに新たに加入したメンバー鈴木優作が中心になって「ニコニコマッサージAMR」を、ムービーの輪の鬼頭信が「駄菓子でキトウバー」を開店する。翌22日は前記マッサージやバーに加え、伏見地下街で古書店「Biblo Mania」がカルタ大会を開催する。夕刻からは、長者町プラットフォーム特設ステージで、関わったメンバーの10 minトークショーがリレー形式でフィナーレまで続いた。両日併せて延べ約150名が参加した[32]。「例年より規模は小さかった。それでも、関わったメンバーのモチベーションが高く、長者町大縁会の開催が継続され、2016に向けいい助走ができた」[33]と寺島は振り返る。

　アーティストらがこうしたまちの活動に関わっていくことで、事業者からの信頼も得ていく。2016年3月から展覧会「オカチなAMR」が開催される[34]。老朽化に伴い岡地株式会社の社屋を取り壊すと聞き、滝の仲介でAMRが岡地芳孝社長に展覧会開催をもちかけた。メンバーの河村が、2013で

出展作品を岡地株式会社のガラス窓に描いた縁もあった。解体前の2週間、岡地の善意で展示場所の提供を受けることができた[★35]。浅井雅弘、前川宗睦、河村るみ、中村香央里、鈴木優作のAMRのメンバー5名と、AMRに縁がある平松伸之、設楽陸、藤井龍の3名がまちや建物などに関わる作品を展示した[★36]。

　岡地は当時の新聞のインタビューで次のように話す[★37]。

　この街で生まれ育って50数年、トリエンナーレの会場に長者町が選んでもらえたことは、うれしかった。長者町は繊維業に元気がなくなってきた時期だったので、アートや若い人の力が入ることに期待した。それがアートを応援する街になった理由かもしれない。3回目を迎えるトリエンナーレ本展では、また新しい魅力が増えてくれたらうれしい。

　岡地は、アーティストらを応援する理由として、繊維業の衰退に対する危機感をあげる。図らずも、「オカチなAMR」はあいちトリエンナーレ2016のプレイベント的意味合いをもった。

▶ 5.2. 2016開催準備と開催
5.2.1. 展示場所確保
　推進チームの初回の会議で、事務局から「2010並みといかないまでも、2013の規模を超える展示場所3,000平方メートルを確保したい」と目標がだされた[★38]。これに対して、堀田は自ら社屋の南側を無償提供し[★39]、推進チームのメンバーの山口剛史（八木兵殖産株式会社取締役副社長：当時）も社屋八木兵6号館の無償提供を決めた[★40]。堀田は、当時のことを次のように述べた。

　今回も誰が誰の知り合いだとか、ビルの資料をつくっていき、それをずっとあたり歩いて回った。それをまちとしてやれるコミュニティがなかったら、多分できない。それが、このまちのいいところだ。現時点で（2010のときのような）空きビルはないが、立て替えがあったり、再開発があったり、貸せない空きビルは常時

写真1-2 「まちとアートのしゃべり場 ―アイディアをうごきに」（吉田商事1階）

できる。駐車場にすれば儲かるので、本当は壊した方が得だ。それでも、多少ず
らしてもトリエンナーレを迎えた方が将来のまちにとっていいのかなというのを意
外に考える姿勢ができた[41]。

　結果として2013に肩を並べる展示場所を無償提供で確保する[42]。まち
全体で望ましい結果を生じさせるために、皆が不利益を甘受しようという意
識が醸成されたのだった。

5.2.2. 企画の協働
　2013では名畑恵（NPO法人まちの縁側育くみ隊事務局長：当時）はじめ
推進チームが中心になり、トリエンナーレを応援する担い手の縁結びの場を
つくろうと「まちのしゃべり場」を開催した[43]。同様に2016でも、2016年6
月と7月に1回ずつ吉田商事1階で「まちとアートのしゃべり場 ―アイディ
アをうごきに」を開催する[44]。各回それぞれ9組のプロジェクトやアイディアが
発表され、延べ100名が応援にかけつけた（写真1-2）[45]。名畑は次のよう
に振り返る[46]。

長者町に目を向けてくれるアーティストや地域の組織など、長者町にはさまざまなグループがある。それぞれがまちをよくするアイデアをもっている。普段なかなか関わることがないので、あいちトリエンナーレで実現したいアイデアを承認する場をつくっておきたかった。青長会がゑびす祭りを発表したし、本業の繊維とトリエンナーレがつながった年だった。

　こうして実現した行政・まち・アーティストらの主な協働プロジェクトを3つ紹介しよう。こうした企画の協働こそ、内外の芸術祭に見られない長者町地区最大の特色である。

　1つ目に、「都市の木質化プロジェクト＠長者町会場」である。

　長者町では2011年マスタープランを作成し、まちづくりの重点プロジェクトとして「都市の木質化プロジェクト」「公共空間プロジェクト」に取り組んできた。「都市の木質化プロジェクト」は、都市の中で木材を広め、使い尽くすプロジェクトで、公共空間や建物などさまざまな場所で、気軽に楽しく木材利用を拡大している。それに対して、「公共空間プロジェクト」は、まちの公共空間を魅力的に使って、つくり直すプロジェクトで、まちの多くを占める道路と駐車場の新しい使い方を提案している[47]。2012年にはビルの公共空間にストリート・ウッドデッキを、2014年には歩道拡幅の社会実証実験としてウッドテラスを設置した[48]。ただ、木を使った歩道拡幅の実現は、規制の壁に阻まれがちである。それでも、あいちトリエンナーレの開催に併せ、「都市の木質化プロジェクト」に取り組むことで少しずつ前進させようとしている。

　「観客の休憩場所が少ない」とのまちの声を受け、2013では間伐材でつくったベンチを13か所に25脚設置した[49]。2016ではさらに規模を拡大し、県の林務課と協同で「都市の木質化プロジェクト＠長者町会場」を実施した。約830万円の費用は林務課が負担する。主な取り組みを紹介すると、1つには、20メートル以上の長さの2基を含む、木製ベンチ計9基を設置した[50]。公共空間の歩道に木製ベンチを設置することは、名古屋市の道路維持管理の問題からハードルが高いのだが、長い間の錦二丁目まちづくり協議会と市緑政土木局との調整があり、きっかけとして愛知県との協業ということで、

NO.211 **出版案内**

水曜社 URL : suiyosha.hondana.jp
〒160-0022 東京都新宿区新宿1-14-12 TEL 03-3351-8768 FAX 03-5362-7279
お近くの書店でお買い求めください。　　表示価格はすべて本体価格(税別)です。

はじまりのアートマネジメント

芸術経営の現場力を学び、未来を構想する

政策(Policy)と経営・運営(Management)は「コインの表裏」である。最新の情報、現場からの声を盛り込み、自ら「文化の現場」の未来を構想し拓こうとするすべての読者に、新たな"はじまり"を告げる。初学者、現場の担当者に贈る入門書決定版。

9784880655000 C0036　　　　　　　　　　　　　　松本茂章 編 A5判並製 2,700円

学芸員がミュージアムを変える!

公共文化施設の地域力

主役は「学芸員」たち。ミュージアムのあり方を考えた場合、学芸員はどのような存在であるべきか。地域が、ひとが、ミュージアムが変わり、成長し、学芸員も学び変わってゆく。利用者の多様なライフコースに寄り添える新しい公共文化施設の可能性を発見する。

9784880654973 C0036　　　　　　　　　今村信隆・佐々木亨 編 A5判並製 2,500円

地域の伝統を再構築する創造の場　教育研究機関のネットワークを媒体とする人材開発と知識移転

京都・金沢広域圏で300時間超、175名以上に取材。地域固有の芸術文化の創造と享受(消費)を担う人材・情報・教育ネットワークの最適化を模索する。

9784880655017 C0036　　　　　　　　　　　　　　前田厚子 著 A5判並製 2,500円

幸福な老いを生きる　長寿と生涯発達を支える奄美の地域力

「新・老年学」の誕生。老いることは、つらいことなのだろうか? これからの地域コミュニティのあり方、若者世代と現役・長寿世代の生き方を示す。

9784880654959 C0036　　　　　　　　　　　　　　冨澤公子 著 A5判並製 2,300円

イタリアの小さな町 暮らしと風景　地方が元気になるまちづくり

人口1,400人の小さな町に移住した日本人がみた本当の豊かさ。大都市集中と地方の疲弊など先進国共通の問題からどのようにまちを守っているのか。

9784880654942 C0052　　　　　　カラー写真多数　　井口勝文 著 A5判並製 2,700円

設置が認められた。民間の敷地についても企業等の厚意でベンチ設置が実現した[51]。2つには、アートを取り入れ、若手アーティストの作品を展示する「都市木ギャラリー」を愛知県産のヒノキで作成し、ショーウインドウー等に合計10基設置した。ギャラリーの製作、展示の企画運営には、長者町で活動するアーティストらが協力した。1会期3週間で計3回の展覧会が行われ、計30組の作品が展示された[52]。

2つ目に、長者町で活動する作家らが展覧会を開催した。

「私たちは作家なので作品をつくり見てもらいたい」という河村（AMR）の思いで、展示場所を探す。まちの縁側育くみ隊が入居する宮本ビルのオーナーの好意で、ビルの3階を無償で借り受けた。9月に会期3週間で展覧会「場所の目録」を開催する[53]。河村は、3階の窓から見える長者町の風景をクレヨンで窓のガラス面になぞっていく作品《ビュートレス》を、長者町の人々や来場者と一緒に行った。また、宮本ビルの北向かいには、繊維専門商社「遠山産業」の旧名古屋支店があり、2007年に本社移転に伴い取り壊されていた。その歴史的建造物を壁面に描写した上に、3階の窓から見える、その場所に建つコンビニのライブ映像を重ねて合わせた[54]。浅井は、建物の空間の疵を写真で撮影し、疵跡を修復したうえでその撮影した写真を貼り付けた[55]。いずれもまちや建物を丹念にリサーチし、地元で活動する作家だからこそそのサイトスペシフィックな作品となっていた。そうした作品が決して多くなかった2016長者町地区へのアンチテーゼともなった。

3つ目に、長者町大縁会2016である[56]。筆者も企画・運営に関わった。

長者町大縁会の開催が継続され、その助走を引き継ぐ形で、年明けから毎月1〜2回程度長者町大縁会2016のミーティングを開催していく。kapsel（山田梨紗／デザイナー）、AMRなどアーティストらが中心に、ムービーの輪、長者町アートアニュアルも加わり、約10名が集まった。AMRの浅井とkapselの山田梨紗のまちなか結婚式をメインイベントにすることは早々に決まった。あいちトリエンナーレ開催年にあたることから、思い切って約10万円の賃料を払い、堀田商事北側駐車場約800平方メートルを会場とした[57]。

8月19日（金）18時から滝の挨拶で会が始まる。司会は、劇作家の岸井大輔が務めた。翌日結婚式が開催されることから、振る舞い酒で乾杯した

写真1-3 長者町大縁会2016（堀田商事北側駐車場）

（写真1-3）。19時から20時半まで延藤が星空幻燈会（以下幻燈会）★58を実施する。幻燈会は長者町の恒例行事となっており、延藤がこれまでのまちづくりやアート活動を、自ら撮影した大量の写真を次々と紹介しながら、即興で語り尽くした。同時並行で、長者町大縁会2015でも披露されたキトウバーとマッサージ屋が開店する。キトウバーは、会場のあちこちでお酒などを積んだ屋台を曳く★59。駐車場の片隅には、「長者町銀座」と称するバラック小屋が出現し、AMRの前川と鈴木はヌッサージと称してマッサージ屋を★60、あいちトリエンナーレボランティアからなるヘベレケ会はかき氷屋を★61、2013出展作家で「長者町音頭」を制作した菅沼らはスナックを★62、それぞれ開店した。

　2日目に、結婚式である。KITO, Akira Brass Band!のメンバーでもある新郎新婦が、そのメンバーとともに新郎浅井（AMR）はアルトサックスを吹き、新婦山田（kapsel）はスルドを叩きながら入場した。共同作業と称し、汗だくになりながらのこぎりで丸太を切る。レストランツキダテのサプライズで、

スイカを使ったウエディングケーキが振る舞われる。その後、中央に設置された高さ2メートル弱のイントレに2人が立ち、箱一杯に詰められた菓子が幾度も投げられた★63。終盤には、港千尋2016芸術監督と菅沼が対談をし、菅沼を始め皆で長者町音頭を踊った。初日は100名、2日目は400名、計500名が参加した。その一方で、「（前年に比べ）物理的にスペースが大きくなり、それなりの人数やコンテンツが必要だったが、やや不足した」★64という。駐車場を借りて開催したことが、裏目に出た面がある。

　最後に、第16回長者町ゑびす祭りと山車の練り歩きである。

　ゑびす祭りは、衣料品の格安販売を中心に毎年開催され、16回目を迎えた。ここ数年は世代交代もあり、青長会のメンバーが実行委員会の役を務め、重責を担うようになった★65。会期終盤の10月22日（土）、23日（日）長者町通、上長者町通を歩行者天国にして開催する。沿道に衣料品、雑貨、飲食など露店が200近く立ち並ぶなか、延べ10万人を超す人手となった。テーマは「Synergism（シナジズム＝相乗作用）」で、2016との同時開催が意識された★66。

　山車の練り歩きは、1日1回ずつ計2回行われた。これまでは長者町アートアニュアルが山車の練り歩きを継続させてきた。だが、ゑびす祭り山車部会が新たにつくられ、八木兵殖産株式会社の山口剛史が代表となり（当時）、長者町がより主体となって運営していく体制に切り替えたのだ。7月から懸賞幕や提灯の出資を約150名から募り、例年より多数の人を巻き込むことができた★67。

5.2.3. 作品制作の協力

　2010ではKOSUGE1-16が、2013ではNadegata Instant Partyが、まちや若者らが作品制作に協力するなかで、ソーシャルキャピタルのプロアクティブ化に影響を与えていた★68。2016でまちとの関わりが期待されたのはルアンルパである。

　ルアンルパは、インドネシアでアーティストらが設立した非営利団体（約10名）で、ジャカルタでアートスペースを運営する。長者町では、参加者を公募し、まちとアートの問題を自律的に考え、解決していく「ルル学校」を

開校した★69。その学校は、堀田商事1階のインフォメーションセンターの奥のスペースに設けられ、ルアンルパのメンバーは交替で来日し、「ルル学校」に常駐した。4組7名が、彼らと毎週1回程度ミーティングを開き、サジェスチョンやサポートを受けながら作品を制作した★70。

そのうち、2016閉幕後もまちで活動が継続された作品を紹介しよう。森田鉱圭・河崎泰了・服部祐司・名畑恵の4名は名字の頭文字を連ねmocahanaというグループをつくる。彼女らが制作したのが、「カブワケ・モバイル1〜3号」である。もともと森田・河崎・名畑は長者町で公共空間プロジェクトに関わり、歩道拡幅などに取り組んでいた。モバイル型のカートを1号から3号まで3台を制作する。1号には、コーヒーセットなどが載せられ、2号と3号には「カブワケ」を待つ地域で見つけたさまざまな緑が積まれている。「カブワケ」は名畑のアイデアで、まちの人が育てた小さな緑を分け合う行為を通して、人間関係を育くみ、かつ公共空間を拡大しようという仕掛けだった。

ゲリラ的に公共空間を占拠し、ランチや飲み会を2016会期中10月13日（木）〜20日（木）の間計5回開催した。実際にランチを食べていると、偶然通りかかった人が巻き込まれ、輪が広がることがあったという。機動性・実験性がアートの魅力だと名畑は指摘する★71。

まちづくりだと、合意形成がいる。恒常的なものをつくらねばならない。終わりがない。結果として冒険し難い。一方、アートだと、小さなチームで細やかに動ける。気負わず仮設性のものでどんどん実験していける。始めと終わりがあるので、ある一定のことをやろうとなる。結果として目標に近づいていく。

名畑らが制作したカブワケ号は、まちで公共空間を新たに活用していくことにつながっている（5.3.2.後述）。

▶5.3. 2016閉幕後
こうして2016開催では、展示場所確保により、まちの将来を考え、皆で不利益を甘受して、トリエンナーレに協力しようという意識が醸成された。

そのほか、アートによる都市の木質化プロジェクトや長者町大縁会をはじめとした企画の協働や、ルアンルパの作品制作の協力は、閉幕後長者町のアート活動やまちづくりにどのような影響を与えたのだろうか。

5.3.1. これまでのアート活動の停滞

　長者町大縁会は若者らのグループをつなぐ場となってきたことから、特にトリエンナーレ開催年の長者町大縁会2016は、停滞気味の若者らの活動への起爆剤と期待された。ただ、活動の停滞を打開するまでには至らなかった。名古屋スリバチ学会は、月1回程度のペースで活動を継続しているが、ムービーの輪は年1回程度の活動にとどまっている。Arts Audience Tablesロプロプ等は活動の見通しが立っていない[72]。のみならず、事業者有志らをメンバーとする長者町アートアニュアルが長者町のアート活動を支えてきたのだが、転機を迎える。2010をきっかけにできた「長者町プラットフォーム」や「アーティスト・イン・レジデンス」が2017年3月に閉鎖されることとなった。若者らのグループと同様に、関わるメンバーの転職等身辺事情が変化したことによる[73]。

5.3.2. アートと接点をもつまちづくりとアーティストらの活動の定着

　それでも、2016開催が1つのきっかけとなり、新たな動きも見られる。
　1つには、アートと接点をもつまちづくり活動を継続する気運が生まれている。「都市の木質化プロジェクト@長者町会場」で、木製ベンチの設置が2016開催期間中に認められた。それがきっかけとなり、民間の敷地はむろん、公共空間の歩道でもベンチ設置の継続が決まった。まちが維持・管理していくという条件が付されたので、「都市の木質化プロジェクト」のメンバーが月1回見回り、ひび割れなどの修繕・管理を行う[74]。くわえて、そうした見回りで、前記カブワケ号に修繕のための工具とコーヒーを積んで、ティーパーティーを組み合わせた[75]。アートを取り入れ、機動的・実験的に非日常を楽しみながらプロジェクトの輪を広げる仕掛けだ。都市木ギャラリーの一部は、滝が社長を務める滝一株式会社などに残され、AMRの作品などが展示される[76]。山車は、まちがより主体となって運営し、2017年

写真1-4 都市の木質化プロジェクト（カブワケ号によるティーパーティー）＆長者町小縁会（名古屋センタービル公開空地）

6月からは山車の部品をまちの皆で分担して保管することとなった★77。

　2つには、長者町に拠点をもつアーティストらが、2016の開催前と開催中に、長者町の建物等を無償提供で借り受け、展覧会を実施し、まちなかでの活動が定着していく。そして、彼らは長者町大縁会を立て直そうとしている。設置が継続されたベンチを活用し、長者町小縁会を7～10月に毎月2回ずつ、計6回公共空間で開催する。筆者も参加した。そのうちの1回は、都市の木質化プロジェクト（カブワケ号によるティーパーティー）と併催した（写真1-4）。飲食等をコンテンツに公共空間で定期的に開催することで、長者町に勤める人々と縁をもちたいという。2017年8月4日（金）には規模を拡大し、長者町中縁会2017を、延藤の幻燈会をメインプログラムに、阿部充朗が営むカフェの協力で開催した★78。この幻燈会は、のちに津田監督のトークイベントにつながる（第8章3.1.参照）。

　9月1日（木）、浅井（アーティスト）、山田（デザイナー）、阿部（カフェ店主）、ほか1名の4名がマンションの最上階2戸相当を借り上げ、共同で

「CHOJAMACHIBA」という井戸端（シェアスペース）を新たに誕生させた。浅井（AMR）と山田は長者町に居を構えていたが、まちの再開発計画に伴い移転を迫られ、新居を探したことが1つのきっかけとなった。活動スペースを探していた阿部らが意気投合し、拠点を立ち上げる。浅井と山田が「kapsel fab」（アトリエ）を、阿部が「阿部山」（シアター）等をそれぞれ運営する。「一緒にご飯を食べたり、映画を観たり、ワイワイしたり、時には真剣に話し合ったり、そんな風に自然と人が集まってくる。私たちの町の、新しい井戸端にしたい」と浅井はいう★79。

　アーティストの1人浅井は、長者町でなぜ活動を継続するのか、なぜまちづくりに関わるのかについて、さらに次のように話す★80。

　郊外でなく都市にスペースをもつのは、賃料が高く負担が大きい。それでも、都市で何ができるのか、やるのは面白い。長者町が、アーティストがたくさんいるまちになれば。トリエンナーレがあったり、ギャラリーがあったり、長者町は現代アートのまちになるポテンシャルが高いからだ。まちづくりとある程度の交流することで、このまちで活動する意味、よさを生かすことができる。

▶ 5.4. トリエンナーレをきっかけにした長者町の既存団体の変化

　長者町では、長らく名古屋長者町織物協同組合が地区の意思決定を行い、結束型ソーシャルキャピタルが形成されていた。ところが、2000年から約10年間のまちづくりで、地権者・町内会・行政等さまざまな人や組織を橋渡しし、橋渡し型ソーシャルキャピタルを形成する（4. 前述）。それ以降も飲食店の進出などで、組合自体も繊維業とは異なる会員が増えていった。そこで、実体に併せて2016年7月に名古屋長者町協同組合と名前を変えた。併せて、滝が理事長、堀田、吉田幸司（吉田商事株式会社代表取締役）が副理事長となる★81。結束型ソーシャルキャピタルの象徴ともいえた「織物」という名称を取り、若返りを進めた。

　ことのおこりといえば、トリエンナーレだ。トリエンナーレの会期だけで終わらずに、日常のアート活動をやっている若い人たちやアーティストを応援したり、そ

の人たちの投げかける問題を聞こうとするとそうなってきた。偶然じゃない。河村さん（AMR）の作品を見て、同じように見えることでも人によって見方が違うことを知った。多様性の大切さに気づくことができた。繊維が市場合理性の競争に晒されたということがあるが、アートが身近な存在となったことで、他者との共存により自己も繁栄すると考える方が増えたのだろう★82。

　トリエンナーレ開催も1つのきっかけとなり、将来を見据え、人や組織によって異なるさまざまな考えや価値観を包摂していこうという新理事長滝の覚悟が垣間見える。第8章4.でも言及するが、「祭り」で受容した寛容性を日常に還元していくのだ。
　一方、青長会も、かつては若手経営者の親睦会が主たる活動だった。だが、ゑびす祭りで重責を担うほか、2か月に1回は勉強会を開催し、活動の幅を広げている。名城大学の学生が2016年のゑびす祭りについてアンケート調査を行い、その結果の分析を青長会の勉強会で発表した★83。2015年春に規約を改正して、会員資格の門戸を広げたことで、経営者に限らず長者町で働き、活躍している人たちが加入し、会員を大幅に増やしている★84。まちづくりNPOの名畑やアーティストのAMRも入会した。「まちづくりも盛んになってきたし、トリエンナーレでがんばってきた人たちもいたし、そういうのに触発されているとまでは断言できないが、青長会も一緒に活性化されている。若手経営者の間でAMRへの信頼度は高い」と名畑は話す★85。

▶ 5.5. 2019開催
　2017年7月、2019の芸術監督が津田大介に、2017年10月には、テーマが「情の時代 Taming Y/Our Passion」とそれぞれ決定した。2018年3月には開催概要が公表され、参加作家の男女平等の実現が耳目を集める。2018年8月東京医科大学で女子受験者を一律減点していたことが発覚した事件にショックを受けた津田は、美術業界及び日本社会を変えようと発案した★86。
　一方で、長者町地区は2019では会場とならなかった。そうしたなかでの新たな動きを紹介したい。

旧玉屋ビルは、あいちトリエンナーレのプレイベント「長者町プロジェクト2009」、2010・2013の展示会場、アートラボあいち長者町（2015-2016）として活用されてきた。しかし、錦二丁目7番地区の再開発地となっているため、2018年8月に取り壊されることになっていた。そこで、2018年7月27日、納涼を兼ねた見納めの会とトークの場「玉屋ビルが取り壊されるとき、三つの花火が打ち上がる。」が、長者町アートアニュアル、錦二丁目エリアマネジメント株式会社、長者町スクール・オブ・アーツの共催で開催された（写真1-5）。

　トークの場で打ちあがった3つの花火について紹介しておこう。

　1つ目の花火は、長者町アートアニュアルの寺島が打ち上げた。

　長者町アートアニュアルは、これまであいちトリエンナーレがまちに残した作品の維持・管理を担ってきた。今回は、錦二丁目エリアマネジメント株式会社と協力し、旧玉屋ビル5階に設置していた川田知志のフレスコ画《ノーサイド》（部分）を、再開発後もこのエリアに常設していくという★87。

　まちの縁側育くみ隊は、あいちトリエンナーレ実行委員会から委託され、2015・2016年度「アートラボあいち長者町」の運営を行う。2017年1〜3

写真1-5「玉屋ビルが取り壊されるとき、三つの花火が打ち上がる。」（旧玉屋ビル）© 名畑恵

月に、雇用された寺島がアーティスト・イン・レジデンス「まちとsynergism」を企画した。まちの内外の方々と公開審査のうえ採択された1つが川田の作品である。取り壊しが決まっていた旧玉屋ビルで、鑑賞者がこの作品をとおし建物の質感やスケールを体感し、このビルから見えるまちの景色を記憶に留めてもらえたらという想いを込め、制作された★88。

2つ目の花火は、錦二丁目エリアマネジメント株式会社代表取締役となった名畑（NPO法人まちの縁側育くみ隊代表理事）が打ち上げた。

2017年11月、名古屋市から錦二丁目7番地区市街地再開発組合が設立認可を受けた。錦二丁目7番地区は長者町地区を構成する100メートル四方の街区の一部である。2021年に、超高層マンションを中心とする複合ビルを建設する。長者町地区では、2011年にマスタープランを策定し、あいちトリエンナーレなどによりさまざまな人々を巻き込み、まちづくりを行ってきた。そうしたなか、この再開発計画は、マスタープランのリーディングプロジェクトとして位置づけられてきた。その成果として、にぎわいを持続的に展開しようと、1）エリアマネジメント活動拠点を整備し、2）「会所」や「路地空間」を再生・創出することが事業の特徴として採り入れられた★89。

また、2018年3月、錦二丁目エリアマネジメント株式会社を設立し、名畑が代表取締役に就任する。錦二丁目エリアマネジメント(株)は、町内会・錦二丁目まちづくり協議会・名古屋長者町協同組合等からなる一般社団法人錦二丁目まち発展機構が株主である。地域の意向を事業にして地域に還元していくという仕組みが立ち上がったのだ。これまでの長者町地区でのまちづくり活動をステップアップして、エリアマネジメント拠点の運営、公共空間の活用、既存の空間の利活用、コミュニティ活動支援をしていくという★90。

3つ目の花火は、長者町スクール・オブ・アーツの山田亘（アーティスト）が打ち上げた。

2019では長者町地区が会場にならないことから、アートとの関わりを次の段階に進めたいと立ち上がったのが、長者町スクール・オブ・アーツである。キーパーソンの山田亘は、愛知県を拠点に活動する。「アメリカでアートを学んだ山田の活動は写真をベースに、多彩なメディアの様式を活用し、その表現の可能性を問う」。2016では、出展作家となり、「ベルリンや大阪市

の西成区で展開されてきた「なるへそ新聞」を愛知県で展開し、《大愛知な
るへそ新聞》として発行する」[★91]。

　山田はじめアーティスト4名が、長者町トランジットビルで、2012年から
四畳半程度の小さなスペースを借りて「アートセンター［Yojo-Han］」を始
める。そこでは、山田が写真教室、村田仁が詩の教室をそれぞれ開講して
きた。先に紹介した「CHOJAMACHIBA」でもいくつかの教室が立ち上がっ
ている。アーティストが運営するスクールの集まりができつつあることから、
ネットワークにして、長者町全体でスクール・オブ・アーツと呼ぶことにした。
そのねらいは、技術はなくても本格的に表現したい人たちをアーティストに
したいという点にある。2019年1月に立ちあがるが、それ以降も細く長く続
け、助成金に頼らず、学費等により継続的な仕組みを考えていきたいという。
2019年1月から12月にかけ、「ART FARMing（アート・ファーミング）」とい
う企画を実施する。まちとアートを農園に見立て、まちのなかを舞台に育ん
でいくプロジェクトで、アートで埋め尽くしたメイン会場の「綿覚ビル」を中
心に、まちのあちらこちらにアートが広がっていく（第8章3.1.参照）。

6. 分析

　長者町では2000年から約10年間のまちづくりで橋渡し型ソーシャルキャ
ピタルが形成されていたが、対外的活動と参加の広がりの点で2つの限界
があった。それらが2010と2013で徐々に克服され、ソーシャルキャピタル
がプロアクティブ化した。はたして2016開催によりソーシャルキャピタルの
プロアクティブ化が認められるのか。2010と2013を比較しながら分析して
いきたい。

▶ 6.1. 2010と2013

　4.の繰り返しになるが、2010と2013について簡単に振り返っておきたい。
　2010では、アーティストユニットKOSUGE1-16が地域の支えあいを企
図して、山車を制作する。その企図に応えて、若手事業者有志らが山車の
練り歩きを継続する。そればかりか、長者町アートアニュアルを立ち上げ、

「長者町プラットフォーム」という活動拠点を設けたり、「アーティスト・イン・レジデンス」を始めたりなど、連鎖反応が次々と起こり、対外的活動の自発性が臨界点を超え著しく向上した。2010では、参加・協働型の作品で、かつ住民らの自発性に働きかけたことで対外的活動に重きが置かれながら、ソーシャルキャピタルがプロアクティブ化した。その背景には、まちづくりの若手リーダーが、「アートがないと成熟したまちにならない」と確信をもって2010に協力したことがある。

　それに対して、2013では、滝を始め幾人かのキーパーソンが、コーディネーター的存在となって新たにまちづくりに関わるとともにあいちトリエンナーレを牽引した。また、長者町に縁をもった若者らの幾多のコミュニティが活動する。2013では、無関心層を取り込めないという橋渡し型ソーシャルキャピタルの課題を克服しつつ、参加の広がりに重きが置かれながら、ソーシャルキャピタルがプロアクティブ化した。

▶ 6.2. 2016

　こうして2010では、参加・協働型作品などにより長者町アートアニュアルの活動が、2013では、事務局の自主企画を促す仕組を契機として若者らのグループの活動などがソーシャルキャピタルをプロアクティブ化させた。ところが、2015年以降いずれもその活動が停滞してしまう。それでも、2016開催によりソーシャルキャピタルのプロアクティブ化が認められるのだろうか。

　対外的活動については、たしかに、2010で連鎖反応として、長者町アートアニュアルが開設した長者町プラットフォームやアーティスト・イン・レジデンスが閉鎖された。しかし、ソーシャルキャピタルをプロアクティブ化させた核となった山車の練り歩きが継続され、しかも、まちが主体となって運営し、かつ山車をまちで分担して保管することとなる。2010で起きた自発的な活動の核が、まちの自発性の向上を伴い継続されている（写真1-6）。

　のみならず、これまでまちづくりの限界をアートが克服していく経験を踏まえ、まちづくりの重要課題を先取りしてさまざまな角度からアートと組み合わせ、解決しようとしている。すなわち、2013でのベンチ設置の取り組みを

発展させ、2016をきっかけに都市木ギャラリーの設置等長者町の至る所の木質化を実現した。都市木ギャラリーの一部とベンチは終了後も継続して設置される。機動的かつ実験的なアートの性格を体現するカブワケ号を組み合わせる。これらの取り組みにより、木を使った歩道拡幅など規制に阻まれ

写真1-6 長者町ゑびす祭り2017（常瑞寺）©怡土鉄夫

がちなまちづくりに風穴をあけようとしている。また、まちづくりのリーディングプロジェクトと位置づけられた再開発計画では、あいちトリエンナーレ等のレガシーを承継したエリアマネジメント拠点が設置され、川田のフレスコ画の作品が常設されるという。

　さらに、青長会にまつわるまちづくりの限界は2010と2013でも克服されなかったのだが、少しずつ改善されようとしている。青長会もゑびす祭りで重責を担い、活動の幅を広げ、アーティストなどもメンバーに加わっている。

　以上から、1) 2010・2013によるソーシャルキャピタルのプロアクティブ化の核となった山車の練り歩きが継続し、自発性をより発展させている。 2) 幅広い角度でまちづくりとアートを組み合わせる点で先見性があり、しかも、まちづくりに風穴を開けようとしている。 3) 青長会が活動の幅を広げ、まちづくりの限界を克服している。いずれも任意団体がつくられ、活動の継続性が担保されている。こうした事情を鑑みれば、自発性が著しく向上し対外的活動が継続されている。

　参加の広がりについては、たしかに、若者らのグループの活動は停滞する。しかしながら、入れ替わる形で、AMRをはじめとしたアーティストらの活動が着実にまちに定着し、長者町大縁会を立て直そうとし、「CHOJA-MACHIBA」という新たな拠点も生まれた。若者らの活動が、転職等仕事上の都合により数か年で停滞したのに対して、転職等がない同世代のアーティストらの活動はまちに定着している。3回連続でトリエンナーレの会場となったことで、数は多くないがアーティストらが集積してきた。2019では、会場とならなかったが、アートとの関わりを次の段階に進める。アーティストが運営するスクールの集まりができつつあることから、ネットワークにして、長者町全体でスクール・オブ・アーツを立ち上げたのだ。持続可能な仕組みで、広く表現者を育てる狙いだ。彼らは、まちづくりにも関わることで、長者町が現代アートのまちとして発展していく潜在性を先読みしている。

　のみならず、2016の展示場所確保により、これまで以上にまちづくりに縁が薄い人も含みながら、自己の利益を犠牲にしてトリエンナーレのために貸すことが、将来のまちのためになると考える姿勢ができた。

　さらに、名古屋長者町織物協同組合も、まちづくりの進展や飲食店の進

出などで、繊維業と異なる会員が増えているという実態に合わせ、2016年に名古屋長者町協同組合と名前を変えた。理事長職なども若い世代にバトンタッチされた。先を見据えて、異なる人や組織の価値観を包摂する決意表明として名称を変えると同時に、担い手の世代交代も進めたのだ。こうした長者町の既存団体の変化は、直接的には、繊維業の衰退に対する危機感、まちづくりの取り組み、時の経過による世代交代等の要因が影響を与えている点は否定できない。それでも、まちにアートが定着してきたなかで、トリエンナーレの開催を縁とした若者やアーティストの存在が、他者との共存の必要を認識させ、名古屋長者町協同組合が名称を変更したりしたことに間接的につながった。

　以上をまとめると、1）若者らの活動は停滞したが、それに替わってアーティストらの活動が定着する。彼らが現代アートのまちとして発展していく潜在性を先読みしている点で、先見性がみられる。2）無関心層も含むより広い範囲で不利益を甘受しようという意識が醸成され、まちづくりの限界が克服されている。3）主体となる担い手に質的変化が見られ、かつ、名古屋長者町協同組合と名称変更した点で、先見性がある。いずれも継続性が見られる。これらを勘案すると、アーティストら、事業者らの若い世代等が新たなまちの担い手として、いわばコーディネーター的存在として定着し、著しく参加の広がりが継続している。

　したがって、2016開催により、それにくわえて、2019開催に向けた動きも勘案すると、対外的活動と参加の広がりの両面で、2010・2013と同程度に著しい変化があり、ソーシャルキャピタルがプロアクティブ化したといえよう（表1-6）。なかでも、2013で無関心層・若者らを巻き込み、2015年以降若者らの活動が停滞していたものの、2016でアーティスト・事業者らの若い世代が新たなまちのコーディネーター的存在として定着している。こうした人と人をつなげる効果を顕著に見ることができるのが、他の芸術祭では見られない長者町の特徴となっている。

表1-6 分析のまとめ

それまでの まちづくり	あいちトリエンナーレ 2010・2013			2015年 以降	あいちトリエンナーレ2016
青長会→親睦会 （自発的な対外的 活動の限界）	2010				・山車→長者町主体で運営 かつ、分担保管 ・都市の木質化プロジェクト ＋カブワケ号→さまざまな 角度でアートと接点をもつ 活動継続の気運（先見性） ・青長会→ゑびす祭りで重 責＋活動の幅を広げる（ま ちづくりの限界を克服）
	若手事業者 有志→長者町 アートアニュア ル実行委員会	山車の練り歩き			
		長者町プラット フォーム、アー ティスト・イン・ レジデンスの 供用	プラット フォーム、 レジデンス の廃止	
無関心層を取り 込めない（参加の 広がりの限界）	2013				・展示場所確保 トリエン ナーレに貸す→まちのため になる（まちづくりの限界の 克服） ・アーティストらの活動が定 着＋長者町スクール・オブ・ アーツ（先見性） ・名古屋長者町協同組合と 名称変更（先見性）
	若者らのグルー プ・まちの人た ち・アーティス トら	多様な担い手 によるさまざま なアート活動 継続	若者らの グループ の活動の 停滞		

▶ 6.3. なぜ長者町で芸術祭によりソーシャルキャピタルがプロアクティブ化したのか

　最後に、1. で触れたが、行政目的として明確な位置づけがないにも関わらず、なぜ長者町では芸術祭によってソーシャルキャピタルがプロアクティブ化したのかに言及しておきたい。

　1つには、そもそも愛知県がアートによるまちづくりを意図していなかったことがある。芸術祭をまちづくりと位置づければ、芸術祭はまちづくりに等しいものとまちの人に受け止められてしまう。まちづくりに批判的な人や無関心層を取り込むこともままならず、まちづくりの限界を容易に乗り越えることはできなかったのではないだろうか。

　2つには、長者町では、芸術祭以前から、まちづくりによって住民らの自発的活動が生じており、会場となってからも、多様な担い手がさまざまな仕掛けと工夫で、まちづくりに芸術祭を多面的に利用していることである。たとえば、前述のとおり都市の木質化プロジェクトにカブワケ号を組み合わせるなどアートと接点をもつまちづくりが、対外的活動の推進力となっている。そこには、合意形成・恒常性等が問われるまちづくりの困難を、実験的、かつ機動的なアートを活用することで打開しようという名畑（まちの縁側育くみ

隊事務局長：当時）らの地道な取り組みが見られる。

　逆に言えば、行政が安易にアートによるまちづくりを掲げたり、会場地にまちづくり等の素地がなかったりすれば、芸術祭によって住民らの自発的活動が継続されることが容易でないことを示している。

7. まとめ

　本章では、2016により長者町地区でソーシャルキャピタルがプロアクティブ化したことを定性的分析により明らかにしてきた。最後に、芸術祭による地域の活性化・変化のメカニズムを包括的に説明するための本章に関連する研究課題を4つに整理しておきたい。

　1つには、定量的研究の必要性である。

　2010と2013で起きた活動が2016開催前後で停滞してしまう。たしかに、そうした点を強調すればソーシャルキャピタルのプロアクティブ化を否定することもできよう。定性的分析の曖昧さが問われる限界事例でもあった。むろん、本章では先行研究の評価指標・基準をより明確化・実質化して定性的分析を行い、客観性に関する十分な留意を払った。

　2つには、芸術祭による地域活性化の内容についてである。

　本章では、長者町の事業者等の自発性の変化をソーシャルキャピタルにより分析してきた。一方で、長者町では、2010や2013で見られた空きビル・店舗がなくなり、飲食店で埋め尽くされる状況が生まれ、これらを指して長者町が活性化されたといわれることもある★93。しかし、長者町で不動産を扱う八木兵殖産株式会社の山口剛史によれば、「名古屋の2大繁華街の名駅・栄に挟まれ、市営地下鉄東山線のハブとなっている伏見のオフィスエリア周辺で、比較的抑えた家賃で出店できるお得なエリアとして、長者町に出店する状況がある」★94との指摘がある。飲食店の増加は、まちづくりやトリエンナーレの成果とまでは言い切れないのだ。飲食店へのインタビュー等も含めた分析は、今後の課題としたい。

　3つには、美術史・美学的評価の必要性である。

　本章では、2016によりソーシャルキャピタルがプロアクティブ化したと結

論づけた。その一方で、「長者町会場のパワーが低下」「今回は弱さがめだった」★95との有識者の声もあった。2016長者町地区では、展示場所面積は2013を上回ったが、展示箇所は18から4と大幅に減り、豊橋会場が増やされたことで作家数も16から11に減った。展覧会のボリューム感を欠いたことは歪めない。しかしながら、このことは、まちづくり、地域政策の面での評価と、美術史・美学的アプローチの評価が異なることを示し、かつ芸術祭の美術史・美学的評価の必要性を浮かび上がらせる。

4つには、あいちトリエンナーレ、ひいては芸術祭の方向性についてである。

多様な利害関係者がいて、主催者の中でも評価軸に幅があり、今後の方向性が定まっていないことは、3.で言及した。本章では、芸術祭による地域活性化に焦点を当てていることから、長者町地区やまちなか展開に関わる方向性を示したうえで、芸術祭全般の評価の課題を指摘しておきたい。

有識者も認める「長者町を活性化させた実績」（2.前述）を、たとえ行政が当初意図していなかったとしても、フィードバックを行う必要がある。たとえば、開催目的の 3）地域の魅力の向上について、まちなか展開のいくつかの現場の課題を拾い、アーティストや若者らの自発的活動などの評価軸をつくっていくのが望ましい。

芸術祭全般の評価の課題にも言及しておくと、まちなか会場に限らず、まずは、主催者が、現場の課題に照らして開催目的をより具体化した評価軸をつくる必要がある。札幌国際芸術祭2014では、開催目的と効果の間のストーリーを細分化し、論理的に体系化したロジックモデルを作成しており★96、そうした取り組みが参考になる（第7章参照）。そのうえで、地域・市民・アーティスト等を対象にした評価ワークショップなどを取り入れ、さまざまな利害関係者の評価軸を取りまとめていく役割も行政に期待したい。

注及び引用文献：

★1　長者町地区では「まちづくり」という言葉が慣例的に使われることから、本章では「地域づくり」ではなく「まちづくり」を使うこととする。

★2　ここまでの記述は『あいちトリエンナーレ2010開催報告書』；『あいちトリエンナーレ2013開催報告書』；『あいちトリエンナーレ2016開催報告書』(あいちトリエンナーレ実行委員会、2011年a；2014年a；2017年a) による。2019に関わる情報は、「あいちトリエンナーレ2019」(あいちトリエンナーレ実行委員会、2019年、https://aichitriennale.jp/〈参照2019年5月1日〉) による。

★3　吉田、前掲書、2015年．

★4　吉田、前掲論文、2013年；前掲書、2015年．

★5　長者町では、かつて事業者は問屋の上階に住み、住民ともなっていたが、現在は事業者の多くが地区外に居住する。結果、地区の住民は約400人に過ぎず (名古屋市総務局企画部統計課『名古屋の町 (大字)・丁目別人口 (平成27年国勢調査)』、2017年．)、その多くはマンション等に住む単身者と考えられる。事業者らが、住民に替わって事実上地区の意思決定を行っていることから、住民 (事業者) と記した。

★6　吉田、前掲論文、2013年；前掲書、2015年．

★7　住民らの継続的な自発的活動がトリエンナーレの目的として明確に位置づけられていないことは、2010、2013、2016のそれぞれのあいちトリエンナーレ実行委員会運営会議配布資料による (あいちトリエンナーレ実行委員会『あいちトリエンナーレ実行委員会運営会議 (2011年3月25日) 資料「あいちトリエンナーレ2010結果」』、2011年b；『あいちトリエンナーレ実行委員会運営会議 (2014年3月26日) 資料「あいちトリエンナーレ2013結果」』、2014年b；『あいちトリエンナーレ実行委員会運営会議 (2018年3月22日) 資料「あいちトリエンナーレ2017結果」』、2017年b.)

★8　坂本治也『ソーシャル・キャピタルと活動する市民―新時代日本の市民政治』有斐閣、2010年、57-64ページ．

★9　ここで集合行為のジレンマとは、各個人が不利益を甘受しあえば全員にとって望ましい結果となるが、各個人が利益しか考えないことが合理的であるため全員にとって不利な結果が生まれてしまうことを指す。

★10　Putnam, Robert D., Making Democracy Work: *Civic Tradition in Modern Italy, Princeton*, N. J: Princeton Univercity Press, 1993.（河田潤一訳『哲学する民主主義―伝統と改革の市民的構造』NTT出版、2001年、200-206ページ．）

★11　ここでの「地域」、「共同体」は、マッキーバーの「コミュニティ」、「アソシエーション」に対応する。マッキーバーは、コミュニティを地域社会の体、アソシエーションを「共同の関心の (中略) ために明確に組織された組織体」(MacIver, R.M., op.cit.) とする。

★12　Parker, S. K., Williams, H. M., & Turner, *N. Modeling the antecedents of proactive behavior at work,* Journal of Applied Psychology, 91, 2006, pp.636-652.

★13　分析の評価基準については、吉田 (前掲論文、2013年、100-107ページ；前掲書、2015、120-9ページ) の先行研究によりながら明確化・実質化した。

★14　Putnam, Robert D., *Bowling Alone:The Collapse and Revival of American Community*, NewYork: Simon & Chuster, 2000.（柴内康文訳『孤独なボウリング―米国コミュニティの崩壊と再生』柏書房、2006年、19ページ）.

★15　朝日新聞社「神田・愛知知事、4選不出馬」『朝日新聞』(2010年9月16日)、2010年．

★16　愛知県議会事務局議事課『定例愛知県議会会議録 (五)』、2013年．

★17　愛知県県民生活部文化芸術課「あいちトリエンナーレ2016芸術監督が決定しました」(2014年7月28日記者発表資料)、2014年．

★18　吉田、前掲論文、2013年、68-76ページ；前掲書、2015年、83-89ページ．

★19　あいちトリエンナーレ実行委員会、前掲資料、2011年b：2014年b；2017年b.

★20 朝日新聞社「大村知事新年インタビュー 名古屋駅の大改造、必要 グローバル化の先頭に／愛知県」『朝日新聞』(2014年1月3日), 2014年.

★21 吉田, 前掲論文, 2013年, 74-75ページ；前掲書, 2015, 89-90ページ.

★22 本節に関する記述は, 前掲論文 (吉田, 2013年.)・前掲書 (吉田；2015年.) にもとづく。

★23 吉田, 前掲論文, 2013年；前掲書, 2015年.

★24 名古屋市総務部企画部統計課『名古屋の町 (大字)・丁目別人口 (平成12年国勢調査)』, 2001年；『名古屋の町 (大字)・丁目別人口 (平成17年国勢調査)』, 2006年；『名古屋の町 (大字)・丁目別人口 (平成22年国勢調査)』, 2011年.

★25 武藤は, 名古屋でアートNPO「N-mark」を設立し, プロジェクト主体の活動を継続してきたが,「長者町トランジットビル」立ち上げを機会にそのビルにアートスペース「N-mark B1」をオープンさせた。

★26 あいちトリエンナーレ実行委員会「第1回あいちトリエンナーレ2016長者町推進会議」(配布資料), 2015年.

★27 長者町アートアニュアル実行委員会『長者町アートアニュアル年間報告書2013』, 2014年.

★28 2017年2月20日寺島千絵 (長者町アートアニュアルメンバー) へのインタビュー。

★29 ここまでの2015年度の長者町大縁会の立ち上げの経緯について, 2017年2月20日寺島へのインタビュー。

★30 企画の経緯については,「真夏の長者町大縁会2015議事録」(長者町大縁会実行委員会, 2015年.) による。

★31 レストラン ツキダテ「レストラン ツキダテ」, 2019年, http://tsukidate.info/ (参照2019年5月1日). 当時は長者町地区 (中区錦二丁目) に店を構えていたが, 2018年7月中区丸の内に移転している。

★32 長者町大縁会実行委員会「真夏の長者町大縁会実行委員会2015議事録」, 2015年.

★33 2017年2月20日寺島へのインタビュー。

★34 AMR「オカチなAMR」(展覧会ちらし), 2016年a.

★35 「オカチなAMR」の開催経緯について, 2017年1月31日浅井雅弘 (AMR／アーティスト) へのインタビュー。

★36 AMR「オカチなAMR」(展覧会作品解説資料), 2016年b.

★37 COUPGUT「名古屋・長者町で『オカチなAMR』地元アトリエが建物解体前に展覧会」『サカエ経済新聞』(2016年3月4日), 2016年.

★38 2016年10月7日堀田勝彦 (錦二丁目まちづくり協議会会長／堀田商事株式会社代表取締役社長) へのインタビュー。

★39 2017年9月30日堀田へのインタビュー。

★40 2017年2月23日山口剛史 (八木兵殖産株式会社取締役副社長：当時) へのインタビュー。

★41 2017年9月30日堀田へのインタビュー。

★42 あいちトリエンナーレ実行委員会『あいちトリエンナーレ2016開催報告書』, 2017年a, 17ページ.

★43 吉田, 前掲書, 2015年, 173-6ページ.

★44 錦二丁目・長者町界隈まちづくり「まちのしゃべり場」実行委員会「まちとアート アイデアをウゴキに」(ちらし), 2016年. 錦二丁目・長者町界隈まちづくり「まちのしゃべり場」実行委員会, 2016年.

★45 2016年7月7日舟橋牧子 (あいちトリエンナーレ2016コーディネーター) へのインタビュー。

★46 2017年2月8日名畑恵 (まちの縁側育くみ隊事務局長：当時) へのインタビュー。

★47 錦二丁目低炭素地区まちづくりプロジェクト「Community Life Development―錦二丁目地区」, 2016年, https://nishiki2lcd.jimdo.com/ (参照2019年5月1日).

★48 吉田, 前掲書, 2015年, 176；218-220ページ.

★49 吉田，前掲書，2015年，177ページ．

★50 愛知県農林水産部農林基盤局林務課「都市の木質化プロジェクト＠長者町会場」（ちらし），2016年．

★51 会期中の木製ベンチ設置の経緯に関する記述は，2017年7月27日河崎泰了（錦二丁目まちづくり協議会副会長／あいちトリエンナーレ2016長者町会場推進チームメンバー／都市の木質化プロジェクトメンバー／竹中工務店）へのインタビュー．

★52 都市木ギャラリーに関する記述は2017年1月31日浅井へのインタビュー．

★53 浅井雅弘・尾野訓大・河村るみ・藤井龍「場所の目録」（展覧会ちらし），2016年．

★54 展覧会「場所の目録」に関する記述は2016年9月7日河村るみへのインタビュー．

★55 浅井の作品に関する記述は2017年1月31日浅井へのインタビュー．

★56 長者町大縁会2016開催に関する記述は，「市民団体等によるあいちトリエンナーレ2016連携事業実施結果報告書（長者町大縁会2016における、あいちトリエンナーレ2016オープニングトーク）」（長者町大縁会実行委員会，2016年 b.）による．適宜、関係者へのインタビューで補足した．

★57 長者町大縁会実行委員会「真夏の長者町大縁会実行委員会2016議事録」，2016年 a.

★58 延藤はまちづくりの実践でこの幻燈会を続けてきた。延藤の言葉を借りると、「まち育ての現場におけるヒト・モノ・コトの有機的関連の様相をいきいきと写真に収める。（中略）活きのよいビジュアル・イメージが詰まったスライドを物語的に編集する。（中略）ゲントークとは、言葉と映像による世界の捉え直し、あるいは状況をつくりかえ再構成していくストーリー・テリングである」（延藤安弘編著『人と縁をはぐくむまち育て―まちづくりをアートする』萌文社，2005年，14ページ）という。

★59 2018年2月7日鬼頭信（キトウバー店主）へのインタビュー．

★60 2017年2月19日鈴木優作（AMR／アーティスト）へのインタビュー．

★61 2018年2月7日水野晶彦（ヘベレケ会メンバー）へのインタビュー．

★62 2018年2月7日菅沼朋香（アーティスト）へのインタビュー．

★63 まちなか結婚式に関する記述は、2017年1月31日浅井へのインタビュー．

★64 2017年2月20日寺島へのインタビュー．

★65 2017年2月8日東幹人（青長会会長：当時）へのインタビュー．

★66 名古屋長者町協同組合「ゑびす祭り、10万人を超す賑わい！」『長者町新聞』第1876号（2016年11月10日），2016年 b.

★67 本段落に関する記述は、2017年2月23日山口へのインタビュー．

★68 吉田，前掲論文，2013年；前掲書，2015年．

★69 あいちトリエンナーレ実行委員会「ルル学校 [Institut ruangrupa] 開校!!」（ちらし），2016年．

★70 ルアンルパ「ルル学校」（新聞），2016年．

★71 mocahanaの「カブワケ・モバイル1～3号」に関する記述とコメントは2017年2月8日の名畑へのインタビュー．

★72 名古屋スリバチ学会については2018年2月7日古橋和佳（名古屋スリバチ学会世話人）、Arts Audience Tables ロプロプについては2017年5月6日三浦一倫（Arts Audience Tables ロプロプのメンバー）へのインタビュー。なお、ムービーの輪については、筆者自身がメンバーであることから、自らの見聞による。

★73 「長者町プラットフォーム」や「アーティスト・イン・レジデンス」の閉鎖に関わる記述は、2017年2月20日寺島へのインタビュー．

★74 ここまでの木製ベンチの設置・維持等に関する記述は、2017年7月27日河崎へのインタビュー．

★75 2017年2月8日名畑へのインタビュー．

★76 2017年8月4日浅井へのインタビュー．

★77 2018年2月7日山口へのインタビュー．

★78 2017年度の長者町大縁会には筆者も主催者の1人として関わる。記述は、筆者の現場取材による。

★79　「CHOJAMACHIBA」に関する記述は、2017年9月2日浅井へのインタビュー。

★80　2017年1月31日浅井へのインタビュー。

★81　名古屋長者町協同組合「名古屋長者町織物協同組合改め『名古屋長者町協同組合』へ」『長者町新聞』第1873号（2016年7月15日），2016年a.

★82　2016年6月22日滝一之（名古屋長者町協同組合理事長／滝一株式会社代表取締役）へのインタビュー。

★83　青長会が活動の幅を広げている様子については、2017年2月8日東へのインタビュー。

★84　青長会の規約改正に関わる記述は、2017年2月22日青長会のメンバーである吉川孝清（サクラ産業有限会社代表取締役社長）へのインタビュー。

★85　名畑やAMRが青長会に入会したこと、青長会に関するコメントは、2017年2月8日名畑へのインタビュー。

★86　「あいちトリエンナーレ2019　2019年3月27日 企画発表会」、（津田大介，2019年，https://www.youtube.com/watch?v=vQXVPM0AYnU&feature=youtu.be〈参照2019年5月1日〉）での津田の発言を一部要約した。

★87　本段落に関する記述は、2018年7月27日の旧玉屋ビルでのトークの場での寺島千絵のプレゼンにもとづく。

★88　本段落に関する記述は、寺島の前記プレゼンと、『アーティストインレジデンス「まちとsynergism」記録集』（アートラボあいち，2017年）の記載の一部を筆者が要約したものである。

★89　本段落について「名古屋・錦二丁目7番第一種市街地再開発事業」市街地再開発組合設立認可のお知らせ〜錦二丁目地区の再生に向けたリーディングプロジェクト〜」（野村不動産株式会社・旭化成不動産レジデンス株式会社・NTT都市開発株式会社・株式会社長谷工コーポレーション，2017年）の記載の一部を筆者が要約した。

★90　本段落に関する記述は、2018年7月27日の旧玉屋ビルでのトークの場での名畑恵（まちの縁側育くみ隊代表理事）のプレゼンにもとづく。

★91　山田亘の紹介に関する記述は、『虹のキャラヴァンサライ　創造する人間の旅 あいちトリエンナーレ2016』（あいちトリエンナーレ実行委員会，平凡社，2016，106ページ）の記載を一部引用した。

★92　3つ目の花火に関する記述は、2018年7月27日の旧玉屋ビルでのトークの場での山田亘のプレゼンにもとづく。

★93　建畠哲・五十嵐太郎・港千尋「芸術監督が振り返る『あいちトリエンナーレ』」『リア』40号リア制作室2017年，2-24ページ.

★94　2015年12月2日山口へのインタビュー。先に紹介してきたように、山口は展示場所確保で推進メンバーとして協力し、ゑびす祭り山車部会の中心メンバーでもある。

★95　あいちトリエンナーレ実行委員会、前掲報告書，2017年a，131ページ.

★96　札幌国際芸術祭2014事業評価検証会『札幌国際芸術祭2014事業評価検証会報告書』2016年.

第 2 章

大地の芸術祭

新潟県十日町市・津南町

莇平集落

ECHIGO-TSUMARI
ART FIELD

1. 大地の芸術祭

　本章では、「大地の芸術祭 越後妻有アートトリエンナーレ」（以下大地の芸術祭）を取り上げる。芸術祭による地域活性化が注目されているが、国内、特に過疎地での流行をつくるきっかけとなった芸術祭である。

　大地の芸術祭の最大の特徴は、強烈な個性をもつ北川フラム総合ディレクターのもと、ぶれないコンセプトをもち、芸術祭による地域づくりのパイオニアとして根気強く約20年間の歴史を刻んできたことである。そうした彼の考えの一端が伺われる北川へのインタビュー記事を一部紹介しよう★¹。

　地域づくり、あるいは地域おこしや地域活性化ということの何よりの意義は、この「誇りをもつこと」にあります。そのために、ぼくが専門としている美術が役に立たないだろうか、と思ったのが最初の出発点です。

　もちろん、当初は大変でした。(中略)しかし徐々に、人間が一生懸命生き、積み重ねてきたいろんな地域の文化を、その価値観を、きちんと表に出すことが大きな意味をもつことが、みんなわかってきたんだと思います。

　要するにぼくは、いろんな人と会うということが、お金以上の最大の価値のひとつだと思っている。

　結果だけ、「アートで何かやれば何とかなる」と思っての地域芸術祭では、アートの出来上がり方のイメージがまったく違う。そうではない、普遍的なことがあるはずです。

　アートをやりさえすればいいのではなく、普遍性が大事だとの指摘は興味深いし、一語一語に先駆者としての説得力と重みがある。

　さて、本章では実際に大地の芸術祭により地域活性化や地域づくりにつながっているかを学術的・客観的に明らかとしていきたい。たしかに、来訪者による交流人口増と主に飲食業・宿泊業への経済波及効果がその報告書からも伺える★²。しかし、観光関連産業以外の地場産業の振興・居住人口減などの地域課題の解決に、現時点では明白に結びついているわけではなさそうだ。経済的効果だけでなく、住民等の自発性を含めた地域の変化を

見ていくこととしたい。

　本論に入る前に、そもそもの開催経緯等と直近で開催された大地の芸術祭2018を紹介しておこう。

2. 開催経緯等

大地の芸術祭2000-2015

　1990年以降2000年代初頭にかけ、アーティストやコーディネーターなど有志が中心となり、時には行政や大学が関わり、中小規模（1億円未満の事業費）ながらアートプロジェクトが全国各地で行われていた。そうしたなか、数億円以上の規模で、かつ過疎地で開催されたのが、現代美術を主な内容とする大地の芸術祭である。

　2000年から3年ごとに新潟県十日町市・津南町地域を会場とし開催してきた。正式名称の一部として使われる越後妻有は、古くから妻有庄（十日町・川西・中里・津南）、松之山庄（松代・松之山）といわれる地域で、芸術祭開催にあたり、特に松代・松之山に納得してもらうため妻有に越後というより大きな名前を先につけたことに由来するという★³。そもそも妻有とは、先人たちが安住の地を求め信濃川を遡り、険しい山に囲まれ、行き止まりの場所に留まったことから、「とどのツマリ」を意味する★⁴。当該地域には約200余の集落があり、大地の芸術祭2018では、うち102集落に378の現代アート作品が設置された★⁵。1）交流人口の増加　2）地域の情報発信　3）地域の活性化を目的とする。約5〜7億円の規模で、第3回目までは新潟県が約1〜3億円の財政支援を行う。だが、その後は、十日町市・津南町が約1億円の負担を行うのみで、パスポート等の売上や福武財団をはじめとした寄付・助成で賄っている。ただ、5〜7回目は国の財政支援がそれぞれ1.1億円、2.3億円、2.5億円となり、芸術祭の流行を後押しする国の政策に乗っかった形となっている（表2-1）★⁶。

　開催のきっかけは、1999年から政府主導で「平成の大合併」が行われるなか、その大合併を見据え、1994年新潟県が「ニューにいがた里創プラン」を策定したことだ。広域行政圏で実施する地域活性化施策として、10年間

で総事業費の6割、最大で5億円を補助した。当時の十日町広域行政圏（十日町市・川西町・中里村・松代町・松之山町・津南町）が第1号の認定を受けると、コンサルタント会社や広告会社から大型イベントの提案がある。反面、ハコモノ行政に対する批判が強まっていた時期でもあった。

　そうしたなか、1995年新潟県地域政策課渡辺斉が、北川フラムが手がけたパブリックアートを活用した再開発事業「ファーレ立川」に着目し、北川にプラン策定に向けたワーキングチームへの参画を依頼する。1996年北川を中心に議論が進められ、「越後妻有アートネックレス整備構想」を策定し、アートを活用した地域活性化施策をまとめ、4つのプロジェクトの実施が決まる。その1つが、各地域の特色を活かした拠点施設を整備する「ステージ」事業で、「越後妻有交流館『キナーレ』」「まつだい雪国農耕文化村センター

表2-1 大地の芸術祭の事業費等推移

開催年	2000/第1回	2003/第2回	2006/第3回	2009/第4回	2012/第5回	2015/第6回	2018/第7回
実行委員会事業費	5.5億円	4.3億円	6.5億円	5.8億円	4.8億円	6.2億円	6.6億円
国・自治体負担額	県補助金・負担金2.8億円市町村負担金1.9億円緊急雇用0.1億円	県補助金・負担金2.2億円市町村負担金1.5億円緊急雇用0.1億円	県補助金・負担金1.1億円市町負担金1.7億円緊急雇用0.1億円	十日町市0.6億円津南町0.2億円	国庫補助金1.1億円十日町市0.9億円津南町0.1億円	国庫補助金2.3億円十日町市0.9億円津南町0.1億円	国庫補助金2.5億円十日町市1.1億円津南町0.1億円
寄付（協賛金）	0.1億円	0.02億円	2.1億円	2.4億円	1億円	1.3億円	1.3億円
全体事業費	5.5億円	4.3億円	6.5億円	6.0億円	計8.6億円十日町市単独3.5億円津南町単独0.7億円新潟県単独0.3億円	計11.5億円十日町市単独3.2億円津南町単独1.7億円	計15.0億円十日町市単独7.7億円津南町単独2.4億円
作品数	153作品	220作品	334作品	365作品	367作品	378作品	378作品
来場者数（人）	162,800	205,100	348,997	375,311	488,848	510,690	548,380
経済波及効果	127.6億円	188.4億円	56.8億円	33.7億円	46.5億円	50.9億円	53.9億円

『農舞台』」「越後松之山『森の学校』キョロロ」などの拠点が生まれる。もう1つが、これらの拠点を中心に展開されていく大地の芸術祭である。アートを活用したまちづくりの具体例が少ないことや現代美術に対する偏見などで現地に強い反発があるなか、2000年7月に第1回目が開催される。結果は、予想を大きく上回る約16万人が来訪した[7]。ただ、大地の芸術祭が当初パブリックアート的性格を有していたことを指摘する声が少なくなかった[8]。

　そうした状況で、2003年から日比野克彦が松代の旧莇平小学校（1992

図2-1 十日町市・津南市

年閉校）を使い、集落の人たちと毎夏朝顔を育てる参加・協働型のプロジェクト《明後日新聞社文化事業部》を開始する★9。また、2004年秋の新潟県中越地震がきっかけとなり、2006年の第3回には、「うぶすなの家」をはじめとした多くの「空家プロジェクト」が展開された。「うぶすなの家」は、震災で壊れた家を焼き物の美術館として再生し、1階のレストランでは地域のお母さんたちが地元の食材を生かした料理を振る舞う★10。こうして大地の芸術祭は、パブリックアート的性格から徐々に地域協働に比重を移していくのだ。

　第6回目となる大地の芸術祭2015では、食とアートなどを打ち出したり、廃校舎を利活用し新たな拠点として奴奈川キャンパス（松代）、清津倉庫美術館（中里）、上郷クローブ座（津南）がつくられたりするなど（写真2-1）、新たな展開を見せている★11。約51万人が来訪し、総事業費6.2億円で、50.8億円の経済効果を生じさせた★12。

　ちなみに、上郷クローブ座の名付け親となり、レストランをプロデュースしたのがアーティストEAT＆ART TAROである。津南は豚肉が有名な場所で、スパイスのクローブを使う料理を出す場所をつくろうとした。そこでグローブでなくクローブと駄洒落的に付けたという。こうしたクローブ座での拠点づくりの経験が、「奥能登国際芸術祭2017」での《さいはての『キャバレー準備中』》の作品展開にもつながる★13（第5章 3.2.2.（3）参照）。

　大地の芸術祭は、①3年ごとに、②現代美術を内容とし、③約5〜7億円の規模で開催されるので、むろん本書で扱う芸術祭の定義に当てはまる。また、サイトスペシフィック型の作品を展開する現代アートを中心とした芸術活動で、美術館などの専用施設以外の空き家、廃校舎などを会場とする。また、芸術祭自体が、交流人口の増加、地域活性化を明確に謳い、地域・社会課題につなげることを目的としている点で、アートプロジェクト的性格を有する（序章4.参照）。

大地の芸術祭2018

　2018年7月〜2018年9月に第7回目の大地の芸術祭2018が開催された。開催初期につくられた3つの大規模拠点（「キナーレ」「農舞台」「森の学

写真2-1 上郷クローブ座（2015）津南町

校」）に加え（写真2-2；2-3）、前回つくられた前記3つの拠点（奴奈川キャ
ンパス、清津倉庫美術館、上郷クローブ座）を中心に展開される★14。

　そうしたなか、観客の注目を浴びたのが、越後妻有を代表する名所の1
つである清津峡の作品である。トンネル施設のリニューアルという公共事業
に現代美術を取り入れた。こうした道路、公園整備などさまざまな公共事業
と組み合わせた展開は、大地の芸術祭の得意とするところだ。「清津峡渓谷
トンネルのエントランス施設（新築）とトンネル施設の改修をMADアーキテ
クツが手がけた」★15。MADアーキテクツは、「2004年に中国出身の建築家、
マ・ヤンソンによって設立され、ダン・チュン（中国人）と早野洋介（日本人）
の3名にて運営される建築事務所」★16である。

　清津峡は、マグマで冷えて固まり柱上の岩になった柱状節理が多数見ら
れるのが特徴で、黒部峡谷、大杉谷とともに日本三大峡谷の1つに数えら
れる。1949年に国立公園に指定され、清津峡温泉からの遊歩道を使い、
観光客が鑑賞していた。しかし、大小の落石や雪崩が頻発し、1988年には
落石による死亡事故が起き、遊歩道への立ち入りが禁止される。こうした

写真2-2　レアンドロ・エルリッヒ《Palimpsest：空の池》（2018）越後妻有里山現代美術館［キナーレ］十日町市市街地

写真2-3　まつだい雪国農耕文化村センター「農舞台」（2018）十日町市松代

写真2-4 MADアーキテクツ《ライトケーブ》(2018) 十日町市中里

写真2-5 リョン・チーウォー（梁志和）＋サラ・ウォン（黄志恆）「津南ミュージアム・オブ・ザ・ロスト」
（失われたものたちの美術館）(2018)「香港ハウス」津南町

事態に対して、地元などの要望があり、新潟県の補助金を受け旧中里村主体となり、総工費約20億円で1996年に観光用トンネルを完成させた。全長750メートルで、途中3ヶ所に見晴所を設け、最奥の終点にはパノラマステーションが設けられた[17]。1997年度には16万8,000人が訪れる。

　ところが、2017年度は5万8,000人に落ち込む。十日町市は入場者数を増やそうと総事業費2億6,000万円で改修工事を行い、2018年4月にリニュアルオープンする[18]。「トンネルを外界から遮断された潜水艦に見立て、外を望む潜望鏡として」[19]恒久の現代アート作品を展開した。《ライトケーブ》は、終点のパノラマステーションで、床に水を張り、トンネルの壁にステンレス板を貼る。外の景色がトンネル内部に映る仕掛けで、一躍"インスタ映え"スポットになる（写真2-4）。見晴所にはトイレを設置し、半球型の屋根にマジックミラーが取り付けられ、かつそのミラーから峡谷を眺めることができる。峡谷の入り口付近にはエントランス施設として《ペリスコープ（潜望鏡）》を設置し、1階にカフェ、2階に足湯がつくられた。足湯につかりながら上を見やると、鏡が取り付けられた丸く空いた穴から自然の景色を見ることができる。

　大地の芸術祭は、こうした観光資源の開発という側面も見せる一方で、国際文化交流にも力を入れている。文化交流拠点として、2009年に「オーストラリア・ハウス」がつくられたが、2016年に奴奈川キャンパスそばの空き家を改修して「中国ハウス」が、今回の芸術祭で上郷クローブ座と同敷地内に「香港ハウス」がつくられた（写真2-5）[20]。海外からの来訪者は、大地の芸術祭2015では全体の1.8％だったが、大地の芸術祭2018では8.7％と急増した[21]。今後の動向に注目したい。

3. 大地の芸術祭とソーシャルキャピタル

本章の目的
　さて、地域活性化を目的として芸術祭が開催されることが少なくないが、経済的効果だけでなく、住民等の自発性を含めた地域の変化を捉える必要がある。

こうした観点から、大地の芸術祭を事例に、松本★22と、鷲見★23・寺尾★24がそれぞれ定量的分析と定性的分析をともに行い、芸術祭がソーシャルキャピタル形成に寄与するとした。しかしながら、定量的分析は、形成の有無を統計的分析により客観的に明らかにした点で優れているが、形成の具体的プロセスが明らかにならず、くわえて調査地域全体でソーシャルキャピタルが形成されたか否かについての言及が不十分である。定性的分析についても、ソーシャルキャピタル形成の母体となる個別の集落の状況分析というよりも、複数の集落や会場全体を集合的に捉えていること、かつ調査対象者が少ない点に課題がある（序章2.参照）。

　そこで、本章の目的は、大地の芸術祭の会場地のなかで莇平集落の取り組みに焦点をあて、当該集落全体で芸術祭によりソーシャルキャピタルが形成されるのか、その具体的プロセスを定性的に分析することにある。ちなみに、莇平集落での展開も、《明後日新聞社文化事業部》が地域の人たちの自発性にコミットする参加・協働型の作品であることから、アートプロジェクト的性格を有する（序章4.参照）。それゆえ、問いを、「アートプロジェクトによりソーシャルキャピタルが形成されるか」と言い換えることもできる。

　莇平集落を取り上げたのは、長期間アーティスト、学生ら外部者と交流を継続した代表事例だからである。会期以外に外部と地域が交流し、しかも年4回の地域行事に参加を継続してきた。大地の芸術祭の他集落と比して、交流継続の期間、頻度が突出する。

　くわえて、第1章で紹介したとおり、芸術祭によるソーシャルキャピタル形成について定性的に分析した先行研究として筆者の「あいちトリエンナーレ長者町地区」の事例があることから★25、地区の性格やアート活動の内容の差異に配慮しつつ、章の最後に両者の比較を行う。

　なお、大地の芸術祭を事例とした他の研究を紹介しておくと、田中ほかの空き家再生に関する研究★26、小泉の社会と関わる芸術として捉える研究★27、山名の経済波及効果に着目した文化施策の長期効果に関する研究★28など、建築学・社会学・経済学等さまざまなアプローチで研究が進められてきた。また、莇平集落の事例では、地域文化に関する情報とプロジェクトの研究があり、人々の関係性の変化に着目した分析をしている★29。本章も人々

の関係性の変化に焦点を当てるが、ソーシャルキャピタルを用いて分析している点に特徴がある。

研究の方法

では、評価指標を簡単に説明しておこう。

先行研究に倣い、評価指標はソーシャルキャピタルとし、基準は形成とする。その具体的基準は、前章で紹介したとおり、①信頼 ② 規範 ③ネットワーク ④自発的な協力 ⑤地域全体への広がり ⑥継続性とする。なお、①〜④については信頼・規範・ネットワークに裏打ちされた自発的な協力があるか否かという観点から分析する（第1章2.参照）（表2-2）。

莇平集落に関わる調査対象者はアート活動や地域づくりのキーパーソンを中心に約10名である。芸術祭・アートプロジェクトによる地域づくりへの影響をつぶさに観察していくため、芸術祭については、出展アーティストの日比野克彦と佐藤悠、日比野のアシスタント1名（当時）、学生OB1名、地域については、地区のキーパーソン6名、地域おこし協力隊1名を調査対象とした。

4. 莇平集落《明後日新聞社文化事業部》

ここからは莇平集落での《明後日新聞社文化事業部》のプロジェクトについて紹介しよう。表2-3では、明後日新聞社やその文化事業部の取り組みを年表にまとめた。適宜参照されたい。

莇平集落は、標高200メートル前後の典型的な中山間地域である。新潟県十日町市の松代地区の北西に位置し、柏崎市と隣接している。地区の中

表2-2 評価指標と基準

指標	基準	
ソーシャルキャピタル	形成	① 信頼 ② 規範 ③ ネットワーク ④ 自発的な協力 ⑤ 地域全体への広がり ⑥ 継続性

心であるほくほく線まつだい駅から約7キロメートルで、車で夏季は10分程度であるが、積雪時は20分程度かかる。12月から4月まで根雪となる豪雪地帯で、積雪は2メートル〜3メートル50センチ程度になる。ほとんどが農家で水稲作付けを行ってきたところ、高齢化・人口流出で、集落行事の維持もままならない状況にあった★30。2019年5月現在、莇平の戸数は18世帯で、人口は42人である★31。65歳以上の割合が50パーセントを超え、限界集落となっている★32。過疎化により結束型ソーシャルキャピタル（第1章2.参照）が弱体化し、居住人口減という課題を抱えていた。

その莇平集落が2003年大地の芸術祭の一会場となる★33。それ以降も、3年に1度の芸術祭で、アーティスト日比野克彦が継続して、《明後日新聞社文化事業部》という集落の住民らと参加・協働型プロジェクトを展開する（写真2-6）。それ以外にも約15年間、アーティスト日比野が多くの学生らとともに年4回、また明後日新聞社社員は毎月東京から定期的に通い、地域行事を復活させてきた。そのきっかけとこれまでの活動の経緯を説明しておきたい。

2003年2回目の大地の芸術祭の出展にあたり日比野は「（ディレクターの北川）フラムさんから『廃校になった小学校を舞台にして、やってくれないか』と話が来て、廃校になった学校を20校ぐらいみた。それで一番小さな山奥を選んだ」という。そして、地域の人と話す口実に新聞社をつくり、文化事業部で何かをやろうとした。当初は継続することを考えていなかったという★34。

2003年5月25日（日）に日比野と集落が初顔合わせをする。集落の多くの人は当惑気味で、会話が途切れかけた頃、日比野は学校の花壇に花が咲いていたのを思い出し、話題にした。ようやく会話が弾み、「一緒に植物を育てますか」と問いかけた★35。これに対して、花を育てる経験がある集落の女性たちが「朝顔だったらお手伝いできる」と声を上げる。麻縄張り・苗植えからスタートし朝顔を育てていった★36。7月20日（日）に日比野を社主とする明後日新聞社は、旧莇平小学校を本社として発足し、『明後日新聞』第1号を発刊する。大地の芸術祭期間中は、ほぼ毎日全40号（計1万8,000部）を発行した。文化事業部としては、記者の観察力・集中力・体力を養うためのワークショップを実施したり、ボールはビーチボール、ゴールはビニー

表2-3 明後日新聞社文化事業部等の取り組み

年	大地の芸術祭に 併せた取り組み		茹平集落での取り組み		茹平集落と外部との 交流の取り組み	
2003	5月 6月 7-9月 8月 10月	初顔合わせ 麻縄張り・苗植え 第2回大地の芸術祭 2003開催 『明後日新聞』発行 （以降継続） 盆踊りが復活				
2004			1月 10月-	日比野が小正月に初参加、鳥追いが復活（以降毎年開催） 苗植え、盆踊り、収穫祭年4回の訪問が恒例化 新潟県中越地震の際、日比野が茹平集落の人たちと救援物資を運ぶ		
2005				中山間地域等直接支払制度の交付金を日比野の活動に活用	6月	水戸訪問
2006	7-9月	第3回大地の 芸術祭2006開催				朝顔プロジェクトを岐阜・福岡・太宰府の展覧会で実施
2007					9月	日比野克彦アートプロジェクト「ホーム→アンド←アウェー」方式（金沢21世紀美術館・コレクションとして収蔵） 明後日朝顔プロジェクト21 全国14ヶ所で展開
2008				明後日田んぼ		
2009	7-9月	第4回大地の 芸術祭2009開催 多摩美・青学の演劇の課外授業を実施				
2010			8月	あざみひら演劇祭 （以降毎年開催）		
2011			7月	幸七家借り受け→ アーティスト・イン・レジデンス		
2012	7-9月	第5回大地の 芸術祭2012開催 《想像する家》オープン（幸七家） 佐藤悠《ゴロゴロ茹平》				
2013						
2014						

2015	7-9月	第6回大地の芸術祭2015開催《ギャラリー幸七》スタート 佐藤悠《ゴロゴロ莇平》	十日町市地域おこし協力隊募集	
2016			村越優子が地域おこし協力隊北山地区担当として3年間活動	
2017				
2018	7-9月	第7回大地の芸術祭2018開催《アジアの獣神奉納のぼり旗》制作 佐藤悠《ゴロゴロ莇平》		専修大学森本祥一ゼミがあざみひら演劇祭2018をマネジメント

ルプール、各選手は水鉄砲を持って「アサッテカップ」を開催した[★37]。8月15日（金）には盆踊りが復活する[★38]。日比野は、「僕らが来たときは廃校になって約10年。盆踊りとかずっとやっていなかった」という[★39]。

「朝顔の種ができてまた来年やろうかとなった。これの連続」だと、最初の1年を日比野は振り返る[★40]。集落との何気ない話から生まれた種という仕掛けが、プロジェクトの継続を後押しした。2004年1月には、日比野らは小正月に初参加し、盆踊りに続いて鳥追いが復活する[★41]。鳥追いは、小正月の一行事で、地域によって行事内容が異なる。莇平集落では明後日新聞社社員・社員OB・学生・集落の子どもたち数人の総勢約20〜30名が、唄い、鳴り物を鳴らしながら一軒一軒を回り、田畑を鳥の被害から守ることを祈念する。集落の人たちは学生らにお酒やお菓子などを振る舞い、精一杯のもてなしをする[★42]。

一方で、2003年度の区長の池田征弘は「ほかの集落は1年（で終わる）。1年限りでやると思っていた。(アーティストらの宿泊の世話等が大変で、)困っちゃってさ」という。「(それでも)自分たちだけだとえらいけど、だんだん皆が協力してくれるようになった」ことで、覚悟したという[★43]。こうして2004年以降、小正月、麻縄張り・朝顔苗植え、盆踊り、収穫祭と年4回日比野が集落を訪れることが恒例となる。毎回の協働作業により、連帯感が醸成さ

写真2-6　日比野克彦《明後日新聞社文化事業部》(2018)　十日町市松代

れていくのだ。2004年1月からは、学生らが社員となり『明後日新聞』を月
一回発行として定期購読の受付を開始した[★44]。

　また、朝顔を毎年育てることが他地域との交流を生む。日比野はそのきっ
かけを次のように話す。

　2005年に水戸で展覧会（『日比野克彦の一人万博 HIBINO EXPO 2005』）を
やるとき、（2002年、2004年水戸芸術館現代美術センターでは、）地域の中でカ
フェイン水戸をやっていた。地域を巻き込んでやる前例として莇平があったから
「朝顔を水戸の芸術館の建物に広げようか」と莇平のお父さんたち、お母さんた
ち（10余名）をマイクロバスに苗と一緒に連れていった[★45]。

　当時ヒビノスペシャル[★46]のアシスタントとして関わった米津いつかは、水
戸を訪ねた際の集落の変化について「普段集落からほとんど出ることがな
いお母さん方は、水戸の人たちに歓迎されて、今度は（水戸の人たちを莇平

で) おもてなししようという気持になっていた。人と人の交流がうまれる大きなきっかけになった」[47]という。

2005 年には、国の中山間地域等直接支払制度[48]による交付金を日比野の活動に活用することを、集落が提案する[49]。莇平集落の集落協定で多面的機能の維持・増進に芸術家や学生たちとの交流を取り入れた[50]。既存の制度を使い金銭的支援の仕組みを整えたのだ。

2006 年には 3 回目の大地の芸術祭が開催される。莇平で始まった朝顔のプロジェクトが、岐阜・福岡・太宰府の展覧会でも実施され、各地の人が莇平を訪れ、各地域との交流が始まる[51]。こうした地域の交流が全国に広がる決定打が、2007 年金沢 21 世紀美術館での「日比野克彦アートプロジェクト『ホーム→アンド←アウェー』方式」だった[52]。「明後日朝顔プロジェクト 21」と名付けられ、活動を継続してきた莇平・水戸・岐阜・福岡・太宰府のほか全国 14 地域が参加した。アウェーで育った苗とホームで育った苗が集まり、丸い 360 度の美術館を、咲き誇った朝顔が覆いつくした[53]。翌年以降はさらに各地に広がっていく[54]。

こうした交流による地域の変化について、2005 年度に莇平区長を務め、かつ、キーパーソンの 1 人でもある高橋多一郎は「一番仲がよいのは水戸。交流が盛ん。お盆には毎年来てくれる。集落だけで収穫祭をやるのはほとんど無理。(そうした行事が) スムーズにいくのが一番でかい」[55]と話す。外部からの行事参加者が増えることで、他地域との交流による活動の再評価も相まって、行事の復活が後押しされるのだ。

2008 年には、明後日新聞社が「明後日田んぼ」を始める。「明後日田んぼ」やさまざまな行事を復活させた経緯について、高橋は次のように話す[56]。

(集落協定は) 荒れている田んぼをできるだけとめよう (という目的がある)。道路の近く、一番皆でやりやすい。たまたまつくらない田んぼが出たもんだから、集落協定の輪のなかに入っていて、それをしないと国からもらうお金が減っちゃう。そのときに考えたのは日比野さんにやってもらおうと (思った)。

集落の人には一発でなく、ちびちびと出す。盆踊り・どんとやき (鳥追い)。せがれが小学校に入ったとき、子ども会の会長をした。30 年ぐらい前に。全部考

写真2-7 佐藤悠《ゴロゴロ莇平》(2018) 十日町市松代

えて俺たちが子どもの頃のものをさせていた。子どもがいなくなって、やめちゃった。それをちびっとずつ出しているわけ。それが非常にいい。子ども会の行事を日比野さんにやってもらうという感じ。それを一度に全部やるとギブアップしてしまう。少しずつ。日比野さんが来て、教えた。鳥追いは俺が「やったらどうだい」と言った。昔やってたことやるから、皆ついてこれるわ。それがみそ。なじめる。そういう火付け役がいないと、発展しない。

　日比野が主導しながらも、集落の中にもイベントを企画していくコーディネーター的資質を有するリーダーが存在し、相互に影響を与え合っている様子が伺える。
　2009年の4回目の大地の芸術祭では、日比野は多摩美術大学・青山学院大学の演劇の課外授業を莇平で実施する。その授業が翌年にはあざみひら演劇祭に発展する★57。かつては集落ごとに青年会などが開催する演芸会というのがあり、娯楽がない集落でそうした演芸会に変わる楽しみとなって

いる★58。

　また、2012年の5回目の大地の芸術祭では、空き家だった幸七家★59を借り受け、《想像する家》と名付け、家全体をキャンバスに見立てる。2階の各部屋には、ホワイトボードが張り巡らされ、想像したアイデアを書いたり消したりできるようにした★60。蒔平滞在時の拠点としてのみならず、若いアーティストが滞在制作する場として活用していくこととなる。日比野は幸七家を借りた経緯について次のように話す。

　どこの田舎もそうだけども、空き家って空いているからといって貸してくれない。別に家賃とりたいわけでもないし、いつか帰ってきたときに使いたいと皆思っている。10年もやってきたから、信頼関係があるから声をかけてくれた。★61

　こうした若者らが集落と交流していく拠点がつくられるだけでなく、日比野が集落と交流を継続するなかで、若手アーティストを輩出する。主に初期に関わった五十嵐靖晃、明後日新聞社5代目編集長北澤潤★62、蒔平を舞台に大地の芸術祭2012以降作品《ゴロゴロ蒔平》を出展する佐藤悠などだ（写真2-7）★63。

　学生の参加については、毎年女子美術大学、多摩美術大学や東京藝術大学の芸術系の学生が参加してきた。幾人かは大学を卒業してもOB・OGとして顔を出している。そのOB・OGらも、最初に集落との関係をつくった世代から、ある程度関係ができてきたところで、自身の活動と集落での行いを相互に展開してゆく世代にバトンが手渡されてきた★64。その一方で、2017年度からは新たに芸術系以外の学生が参加する新しい動きがある。経営の視点から限界集落の地域活性化に関心をもつ森本祥一専修大学経営学部教授が日比野の取り組みを知り、14名の学生がゼミナールで「あざみひら演劇祭2018」のマネジメントに取り組んだ★65。

　集落の今後や日比野との関係について、キーパーソンの1人である池田は、2013年当時、「今、俺はやっていない。十何年もやってきたが、若い人たちにバトンタッチし任せた。そういう風にしていかないと。こうじゃないとだけはいう」「若い衆が、皆に話をちゃんと通すのが大事だ」★66と話す。また高

橋多一郎は「地域の行事が復活したことが嬉しい。明後日新聞社が元気なうちに集落を離れた人にまずは戻ってきてもらいたい、人が増えたら（よい）」「日比野を離さないように大変なんだよ。源甚[67]、源甚と言われ、お互い愛し合っている。いい仲なんだ」[68]とそれぞれに語っていた。

　2013年から5年が経ち、池田は「（日比野さんを）受け入れないで集落ばっかりだとどうなっていたか。いろいろあるけど、日比野さんがいるおかげで、おらは有り難い」[69]と、池田の妻・敏枝も「自分たちばかりだと井の中の蛙になる。そこに、リーダー的な人がいるということはいいことだ。芸術とか演劇とかわからないけど、お互い歩み寄り、よそから人が来ることがよかったなという感じが15年もしてからやっとわかるみたいな気分だ」[70]と話す。一方で、池田は「学生の先輩らが来て、俺らと日比野さんの関わりをさ、ある程度来て話すぐらいをやってもらいたい」[71]と注文も忘れない。

　最後に、地域おこし協力隊の受け入れについて触れておきたい。十日町市では2009年から総務省所管の地域おこし協力隊に取り組む。都市部の意欲ある人材が移住し（最長3年）、地域力の維持・強化を目的とした支援活動を行う[72]。2015年に、莇平・田野倉・仙納の集落を併せた北山地区で、特産品づくりや芸術祭と地域の交流の拡大などを目的として、高橋多一郎が中心となって地域おこし協力隊を募集した。1年目はマッチングがかなわなかったが、2年目村越優子に白羽の矢が立つ。村越は十日町市川西出身で、地域資源を活かした特産品の試作や情報発信などに少しでも貢献したいと東京からUターンした。2016年から3年間、集落内の見回りや各集落で行っている健康体操の運営の手伝い、明後日朝顔プロジェクトをはじめとした地域行事への参加、特産品づくりの試作に取り組んだ。特産品づくりでは、地元に自生する馬ブドウに着目し、薬草茶の商品化に取り組み、ビジネスモデルをつくろうと挑戦する。村越は、「北山地区では初めての協力隊だったため、始めはどういった活動が集落に見合っているかわからず困難に直面したこともあったが、集落の方たちの温かいサポートのお陰で無事に3年間の任期を終えることができた」と話す[73]。村越に地域の要望を伝えつつ、高橋らはサポートを行った[74]。

5. 分析

　ここまでで、莇平集落でアーティストをはじめとした外部との交流により約15年の間に起きてきたことを主にインタビューにより見てきた。ソーシャルキャピタルが形成されたといえるのか。①信頼 ②規範 ③ネットワーク ④自発的な協力 ⑤地域全体への広がり ⑥継続性という要件を順に検討し、分析を行う（表2-2参照）。

　①アーティスト日比野が地域と話す口実で明後日新聞社をつくった。しかも、地元の人が得意な朝顔育てに着目する。そこには、当惑気味の反応に対して、集落の目線に立ち、彼らにとって身近な取り組み易いことから始めようという日比野の謙虚な姿勢が垣間みえる。こうした姿勢が、それがたまたま朝顔の種という仕掛けがあったことで、事業の継続へとつながり、盆踊り等地域行事を復活させる。また、毎年苗植え・収穫祭・小正月等に参加し、継続していくなかで、こうした共同作業が連帯感を生み、集落の人たちの間はむろん、アーティスト・学生らと信頼関係が構築される。②当初は区長など一部に負担がかかったようだが、集落とアーティストらの信頼関係が少しずつ集落に浸透していくなかで、行事の協力者が増え、協力しようという規範が生じている。③また、種という仕掛けが他地域との交流を生み、アーティストや学生のみならず、他地域とのネットワークが広がる。④こうした他地域との交流により、外部からの行事参加が増え、自分たちの活動の再評価にもつながっている部分があると考えられる。くわえて、地域にもコーディネーター的資質を有するリーダーがいたことで、アーティストと相互に影響を与え合い、アーティスト主導でありながらも、盆踊り・鳥追いなど集落の行事の復活が後押しされた。⑤年長者からすると、「情報の風通しをよくしてほしい」など注文もあるようだが、5年前からは若い世代にバトンも手渡されている。結果、復活した行事には集落のほとんどが参加する。⑥10年の月日が経ち、アーティストは地区の空き家を貸してもらうまでの信頼を獲得したり、直近では芸術系以外の学生が参加したり、こうした活動が約15年間継続されてきた。地域おこし協力隊を受け入れ、特産品の開発に取り組むなどの挑戦も始まっている。

まとめると、①アーティストが集落の目線に立ち、身近な取り組みから始め、たまたま朝顔の種という仕掛けがあったことで、事業を継続する。地域行事も復活させ、こうした共同作業が連帯感を生み、集落の人たちの間はむろん、アーティスト・学生らと信頼関係が構築される。②信頼関係が浸透し、行事の協力者が増え、③また、朝顔の種という仕掛けが、アーティストや学生のみならず他地域との交流でネットワークが広がる。④こうした他地域との交流による活動の再評価や、コーディネーター的資質を有するリーダーが集落にいたことも要因となり、アーティスト主導でありながらも集落行事の復活が後押しされた。⑤若い世代にバトンも手渡され、結果、復活した行事には集落のほとんどが参加する。⑥こうした活動が15年間継続され、ソーシャルキャピタルが形成されたといえる。

　だとすれば、このソーシャルキャピタルは、橋渡し型ソーシャルキャピタルといえるだろうか。集落とアーティストや学生、他地域の人々らが年に数回交流を重ねているに過ぎないので、異質な人や組織を橋渡ししたとまではいえない。ただ、同質的な集団がアーティストや学生、他地域など外部との交流を継続しているという点で、結束型にとどまらない外に開かれたソーシャルキャピタルを形成している。

　以上、「大地の芸術祭 莇平集落」を事例に、約15年の月日をかけソーシャルキャピタルが形成されたことと、その具体的プロセスを分析した。

6.「あいちトリエンナーレ 長者町地区」との比較

　ここで、第1章の「あいちトリエンナーレ 長者町地区」と比較しながら、芸術祭がソーシャルキャピタル形成に寄与するのかについて、整理しておきたい。芸術祭による地域づくりへの影響が定量的・定性的に分析されることが少ないなかで、1）アートプロジェクトである、2）ソーシャルキャピタル形成への寄与が学術的に分析された事例である、3）エリアが限定された展開となっている、4）コーディネーターの存在、の4つの共通点を有し比較しやすいからである。

　もちろん、あいちトリエンナーレと大地の芸術祭では、開催地の立地環境

表2-4 莇平集落と長者町地区の比較

	大地の芸術祭 莇平集落	あいちトリエンナーレ 長者町地区
結果	アーティスト主導とはいえ、地域も相互に影響を与え合いながら集落の行事を復活させ、若手アーティスト育成でも成果を生む。	・地域主体のアートイベント等活動継続 ・まちづくりへの無関心層を巻き込み、参加の広がりを生む。
分析	結束型に止まらない外に開かれたソーシャルキャピタル形成	橋渡し型ソーシャルキャピタルのプロアクティブ化
プロセス	・高齢化・過疎化で結束型ソーシャルキャピタルが弱体化 ・単独のアーティストが、参加・協働型の作品で、かつ住民らの自発性にコミットすることで、他地域とも交流しながら集落行事を復活させた。	・約10年間のまちづくりの取り組みで橋渡し型ソーシャルキャピタル形成 ・複数のアーティストが事業者らの自発性に働きかける参加・協働型作品を一時的に介在させたことを契機にアート活動を継続する。 ・事務局の自主企画を促す仕組みやコーディネーターが多数育ち、存在していくことで、無関心層や若者らが参加する。
特徴	・単独のアーティスト ・参加・協働型の作品で、かつ住民らの自発性にコミット ・コーディネーター的資質を有する複数のリーダーの存在 ・アーティスト、若者らと集落との交流	・まちづくり活動との顕著な結びつき ・多数のアーティストらが、事業者らの自発性へ働きかけ、参加・協働型の作品を一時的に介在 ・コーディネーター的存在が多数で、なかでもリーダーが「まちにアートが必要」と確信をもっていること
課題	・地域課題との結びつきが弱い ・こうした成果を居住人口増という課題解決につなげていくためのまちづくりの専門家によるコーディネートが必要だ。	・あいちトリエンナーレから自立し、まちづくりと連携した新たなアートの関わりを見つけようとしている。

や性格が大きく異なる。また、長者町地区は、日本有数の大都市の繊維問屋街で、居住人口は約500人だが、昼間人口は万を超えるのに対して、莇平集落は、高齢化・過疎化が進む中山間地の約50人程度の集落で、大きな違いがある。そうした差異には留意しつつ、両地域のアートプロジェクトの特徴、性格をそれぞれ見ておきたい（表2-4）。

　第1章で記したように、あいちトリエンナーレ 長者町地区について、莇平集落との比較を意識し、まちづくりNPOやコーディネーターの活動にも注目しながら、ソーシャルキャピタルによる分析を紹介しておきたい。

　長者町地区では、2000年以降10年間まちづくりに取り組むことで、橋渡し型ソーシャルキャピタルが形成されていた。そうしたところ、あいちトリエンナーレ2010が開催され、数か年で橋渡し型ソーシャルキャピタルがプロ

アクティブ化する（第1章4．参照）。すなわち、KOSUGE1-16が地域の支え合いを企図して、山車を制作し、その企図に応えて、若手経営者らが、山車練り歩きを毎年実施する。そればかりか、若手事業者有志が立ち上げた長者町アートアニュアルが中心となり、アート活動を継続する。2010では、参加・協働型の作品で、かつ住民らの自発性に働きかけたことで対外的活動に重きが置かれながら、ソーシャルキャピタルがプロアクティブ化した。

それに対して、あいちトリエンナーレ2013では、2010のナウィン・ラワンチャイクンの作品制作の協力をきっかけに滝が巻き込まれたのを始め、幾人かのキーパーソンが、新たにまちづくりに関わるとともにあいちトリエンナーレを牽引した。また、2010でのサポーターの自主企画を促す仕組みや2013のNadegata Instant Partyの作品をきっかけに、長者町に縁をもった若者らの幾多のコミュニティが活動する。のみならず、こうした若者らの活動に触発され、町内会がまちづくりに関わっていく動きすら見られた。こうした町内会の活動は、地域の自発性に配慮されながら、まちづくりNPOやコーディネーターによってサポートされている。2013では、まちづくりの無関心層を取り込み、若者らの参加による主体の多様化など参加の広がりに重きが置かれながら、ソーシャルキャピタルがプロアクティブ化した。

2016でも会場となり、一進一退はありながらも幅広い角度でまちづくりとアートを組み合わせ、しかもアーティスト・事業者らの若い世代が新たなまちのコーディネーター的存在として定着することでソーシャルキャピタルをプロアクティブ化させている。

以上から、アーティストが事業者らの自発性に働きかける参加・協働型作品を一時的に介在させたことや、サポーターズクラブという市民の自発性を促す仕掛けやコーディネーター的存在が多数育ち、存在したことで、数か年で自発性の著しい向上や、とりわけネットワークの著しい広がりが見られ、ソーシャルキャピタルがプロアクティブ化した。

ソーシャルキャピタルがプロアクティブ化した直接的要因は、KOSUGE1-16が自発的な協力を促そうという仕掛けをしたことである。間接的要因は、まちづくりで橋渡し型ソーシャルキャピタルが形成されていたことや、コーディネーター的資質を有する若手リーダーが、「まちにアートが必要だ」と確信

をもち、トリエンナーレをまちの立場でサポートしたことがあげられる★75。しかも、まちづくりのプロセスでコーディネーター的存在が多数育っていくのだ。また、数億円以上使う規模感により、数十万人の観客が来訪し、かつ、長者町地区の知名度を一気に高めた。こうしたことがまちでのアートの理解を促進し、若者が長者町に関わり、起爆力を一層大きくした★76。

　では、両者の分析を踏まえ、莇平集落と長者町地区の性格や、アート活動の相違点に配慮しつつ、2事例の結果・分析・プロセス・特徴・課題の比較を行う。

　1つ目に、結果については、莇平集落では、アーティスト日比野が主導したとはいえ、地域も相互に影響を与え合いながら集落の行事を復活させた。若手アーティスト育成でも成果を生んでいる。それに対して、長者町地区でも、多数のアーティストの作品をきっかけとして、事業者・若者らがアートイベント等の活動を継続させた。両者とも、自発的活動を生じさせた点で共通するが、むしろ、長者町地区では、まちづくりへの無関心層を巻き込み、参加の広がりを生んだ点に特徴がある。

　2つ目に、分析については、中山間地である莇平集落では芸術祭により橋渡し型ソーシャルキャピタルとまではいえないが、結束型に止まらない外に開かれたソーシャルキャピタルがあらたに形成された。それに対して、長者町地区ではまちづくりですでに橋渡し型ソーシャルキャピタルが形成されていたことから、形成ではなくプロアクティブ化とした。

　3つ目に、そのプロセスについては、莇平集落では高齢化・過疎化で結束型ソーシャルキャピタルが弱体化していた。そうしたところ、アーティスト日比野が、朝顔の種という仕掛けにより、3年に一度の芸術祭以外にも、約15年間アーティストが多くの学生らとともに年4回、また明後日新聞社社員は毎月、定期的に通い、継続的に関与した。そして、複数のコーディネーターがいる地域とも交流しながら、住民と協働し、集落行事を復活させた。すなわち、参加・協働型の作品で、かつ住民らの自発性にコミットすることで、集落行事を復活させた。それに対して、長者町地区では、あいちトリエンナーレ開催までの約10年間で、まちづくりにより橋渡し型ソーシャルキャピタルがすでに形成されていた。そうしたところ、多数のアーティストが事業者らの

自発性に働きかける参加・協働型作品を一時的に介在させたことを契機に
アート活動を継続する。また、事務局の自主企画を促す仕組みやコーディ
ネーターが多数育ち、存在していくことで、無関心層や若者らが参加した。

　4つ目に、両者の特徴をみておこう。

　莇平集落から見ていくと、1）単独のアーティスト、2）参加・協働型の作
品で、かつ住民らの自発性にコミット、3）コーディネーター的資質を有す
る複数のリーダーの存在、4）アーティスト、若者らと集落との交流が挙げ
られる。

　同様に、長者町地区では、1）まちづくり活動との顕著な結びつき、2）多
数のアーティストが、事業者らの自発性へ働きかけ、参加・協働型の作品を
一時的に介在させたこと、3）コーディネーター的存在が多数で、なかでも
リーダーが「まちにアートが必要」と確信をもっていること、が挙げられる。

　以上から、共通点は、1）参加・協働型の作品で、かつ自発性にコミット
する仕掛けを有していたこと、2）コーディネーターの存在の2点となる。

　一方、差異点としては、莇平は継続的に関わるアーティスト主導で、アー
ティスト、若者らと集落との交流が見られる。そうしたことで、より自発的活
動が促された。それに対して、長者町地区は、まちづくり活動との顕著な結
びつきがあり、芸術祭出展アーティストの介在はどちらかといえば一時的で、
芸術祭などを1つのきっかけとして活動を継続する若者・アーティストとまち
づくりのコーディネーターらの主導である。そうしたことも一因となり、自発
的活動のみならず、参加の広がりを生んでいる。

　こうした特徴から2つの事例の課題を次のように指摘できよう。

　莇平集落は、大地の芸術祭の会期外に毎年多くのアート活動が見られ、
芸術祭からの自立度も比較的高いように思われる。だが、地域の課題との
結びつきがこれまでは弱かった。とはいえ、2015年からは、地域おこし協
力隊を莇平集落に受け入れ、特産品づくりに取り組む。こうした取り組みを
居住人口減という課題解決につなげていくには、地域おこし協力隊をはじめ
とした地域づくりの専門家らなどによるコーディネートがこれからも必要だと
考えられる。

　一方、長者町地区は、あいちトリエンナーレが与えた影響が大きく、アー

ト活動のまちへの影響ということでいえば、あいちトリエンナーレからの自立度がこれまでは低い面もあった。まちづくりと連携しつつ、アートとの関わりを次の段階に進めようという活動に注目したい。

7. まとめ

　最後に、本章の結論をまとめておくと、「大地の芸術祭 莇平集落」を事例として、約15年間アーティストが多くの学生らとともに年4回、また、明後日新聞社社員は毎月、通い続け、地域行事を復活させ、芸術祭・アートプロジェクトによりソーシャルキャピタルが形成された。年に数回交流を重ねているに過ぎないので、橋渡し型とまではいえないが、結束型にとどまらない外に開かれたソーシャルキャピタルを形成している。くわえて、莇平集落と長者町地区の相違点に留意しつつ比較したところ、芸術祭・アートプロジェクトにより、中山間地や大都市を問わず自発的なアート活動が生まれる。のみならず、長者町地区では、無関心層を巻き込むというネットワークの広がりが特徴として見られた。その結果、莇平集落と長者町地区では、芸術祭によりソーシャルキャピタルを形成し、もしくは、プロアクティブ化し、地域コミュニティ形成に影響を与えた。共通の特徴とは　1）アーティストの参加・協働型の作品等が自発性にコミット（接触）する仕掛けを有していたこと、2）複数のコーディネーターの存在である。そして、莇平集落は大地の芸術祭からの自立性が高く、若者らが集落と交流する拠点づくりや、若手アーティスト育成などの効果を生じている。ただ、こうした効果を居住人口増といった地域の課題解決につなげるには、これまで以上に地域づくりの専門家らによるコーディネートが必要となろう。それに対して、長者町地区は、まちづくりと連携した新たなアートの関わりを見つけようという動きに期待したい。

注及び引用文献：

★1　北川フラム「世界はいま『美術と観光』を求めている」『Fobes JAPAN』（2018年5月6日），2018年，https://forbesjapan.com/articles/detail/20922/2/1/1（参照2019年5月1日）．
★2　大地の芸術祭実行委員会「大地の芸術祭 越後妻有アートリエンナーレ2018 総括報告書」2019年，2-6ページ．

★3　北川フラム『大地の芸術祭〈ディレクターズ・カット〉』角川学芸出版，2010年，24ページ．

★4　北川フラム・大地の芸術祭実行委員会監修『大地の芸術祭 越後妻有アートトリエンナーレ 2018 公式ガイドブック』現代企画室，2018年，28ページ．

★5　十日町市「今までの大地の芸術祭の記録の紹介／十日町市観光サイト」，2019年，http://www.city.tokamachi.lg.jp/kanko/K001/K005/1454068600343.html（参照2019年5月1日）．

★6　大地の芸術祭の各回の事業規模等や表2-1のデータは，それぞれの報告書による．越後妻有大地の芸術祭実行委員会『越後妻有アートトリエンナーレ2000 大地の芸術祭・総括報告書』，2000年；大地の芸術祭・花の道実行委員会『越後妻有アートトリエンナーレ2003 第2回芸術祭・総括報告書』，2003年；大地の芸術祭実行委員会『越後妻有アートトリエンナーレ2006 第3回大地の芸術祭 総括報告書』，2006年；『大地の芸術祭 越後妻有アートトリエンナーレ2009 総括報告書』，2010年；『大地の芸術祭 越後妻有アートトリエンナーレ2012 総括報告書』，2013年；『大地の芸術祭 越後妻有アートトリエンナーレ2015 総括報告書』，2016年；前掲報告書，2019年．

★7　ここまでの大地の芸術祭の経緯に関する記述は，『大地の芸術祭〈ディレクターズカット〉』（北川フラム，前掲書，2010年，20-27ページ）；『美術は地域を開く―大地の芸術祭10の思想』（北川フラム，現代企画室，2014年，214-218ページ）；『創造的人材の定住・交流の促進に向けた事例調査～定住自立圏の形成を目指して～』（総務省地域力創造グループ地域自立応援課，2012年，44ページ．）を参照し，要約したものである．

★8　暮沢剛巳「パブリックアートを超えて―「越後妻有トリエンナーレ」と北川フラムの十年」『美術をめぐるコミュニティの可能性 ビエンナーレの現在』，2008年，57ページ．

★9　大地の芸術祭・花の道実行委員会東京事務局編『大地の芸術祭 越後妻有アートトリエンナーレ2003』現代企画室，2004年，144-145ページ．

★10　北川フラム・大地の芸術祭東京事務局監修『大地の芸術祭 越後妻有トリエンナーレ2006』現代企画室，2007年，25ページ；197-206ページ．

★11　北川フラム・大地の芸術祭実行委員会監修『大地の芸術祭 越後妻有アートトリエンナーレ2015 地球環境時代のアート』現代企画室，2016年．

★12　大地の芸術祭実行委員会，前掲報告書，2016年，2-5ページ．

★13　本段落に関する記述は，2018年9月14日15時から30分程度越後妻有里山現代美術館［キナーレ］（新潟県十日町市）での EAT & ART TARO（アーティスト）へのインタビュー．

★14　北川ほか，前掲書，2018年．

★15　北川ほか，前掲書，2018年，134ページ．

★16　越後妻有 大地の芸術祭の里「マ・ヤンソン／MAD アーキテクツ」，2019年，http://www.echigo-tsumari.jp/artist/ma_yansong（参照2019-5-1）．

★17　ここまでの清津峡に関する記述は，「日本三大峡谷清津峡」（清津峡渓谷トンネル管理事務所，2019年，http://nakasato-kiyotsu.com/〈参照2019年5月1日〉）の記載を要約した．

★18　1997年度の入場者数，トンネルのリニューアルオープンの経緯に関する記述は，「十日町・清津峡渓谷トンネル、現代美術を取り入れ幻想的に。足湯やカフェなども建設中」（2018年5月4日）（新潟日報，2018年）の記事を要約した．

★19　北川ほか，前掲書，2018年，134ページ．

★20　各作品の記述は，『大地の芸術祭 越後妻有アートトリエンナーレ2018 公式ガイドブック』（北川ほか，前掲書，2018年）の記載を，筆者の2018年9月9日～13日の現地視察で適宜補足している．

★21　大地の芸術祭実行委員会，前掲報告書，2016年；2019年，2ページ．

★22　松本ほか，前掲書，2005年，2008年．

★23　鷲見，前掲書，63-99ページ．

★24　寺尾，前掲書，101-146ページ．

★25 吉田，前掲論文，2013年；前掲書，2015年．

★26 田中遵・荒木晋作・高橋佳祐・日高單也「芸術の導入による空き家再生の有効性と今後のあり方 ─大地の芸術祭・越後妻有アートトリエンナーレ『空家プロジェクト』における空き家再生を通して」『デザイン学研究』第56巻第4号，2009年，1-10ページ．

★27 小泉元宏「社会と関わる芸術（Socially Engaged Art）」の展開：1990年代-2000年代の動向と，日本での活動を参照して」博士論文，東京芸術大学大学院音楽研究科，2011年．

★28 山名尚志「越後妻有アートトリエンナーレの経済波及効果」『地域創造』25号，2008年，62-68ページ．

★29 地域文化に関する情報とプロジェクト［NPOrecip］「地域におけるアートプロジェクトのインパクトリサーチ『莇平の事例研究』活動記録と検証報告」，2014年．当該研究は，吉澤弥生が中心となり，2013年7月〜2014年3月に関係者に詳細なインタビューを行い，一次資料としても貴重な価値を有する。それに対して，本章（研究）は，2013年8月〜2014年2月，2018年1〜9月に筆者が独自に関係者へのインタビューを行い，その調査結果にもとづくものである。

★30 莇平のここまでの記述は，2014年1月12日高橋重春（2013年4月〜2014年3月莇平区長）へのインタビュー。

★31 2018年1月14日高橋道久（莇平区長：当時）へのインタビュー。

★32 65歳以上の人口の割合が50％を超えることはホームページで公表されていない。2014年6月2日十日町企画政策課協働推進係に電話で問い合わせた。

★33 大地の芸術祭・花の道実行委員会東京事務局編，前掲書，144-145ページ．

★34 大地の芸術祭2003で莇平集落の廃校を会場に選んだ経緯について2014年1月11日日比野克彦へのインタビュー。

★35 本段落のここまでの記述は，「明後日新聞社文化事業部」（明後日新聞社文化事業部，2014年，http://asatte.jp/〈参照2014年6月1日〉）による。2019年5月1日時点では削除されている。

★36 朝顔のやりとりに関する記述は，2013年10月27日当時婦人会で花の責任者を務めていた高橋カヤへのインタビュー。

★37 明後日新聞社発足と発足時の活動に関する記述は，『大地の芸術祭 越後妻有アートトリエンナーレ2003』（前掲書，144-145ページ）による。

★38 『明後日新聞』の発行，盆踊りの復活に関する記述は，「明後日新聞社文化事業部」（明後日新聞社文化事業部，2014年，http://asatte.jp/〈参照2014年6月1日〉）による。2019年5月1日時点では削除されている。

★39 2013年10月27日日比野克彦へのインタビュー。

★40 2013年10月27日日比野克彦へのインタビュー。

★41 明後日新聞社文化事業部「明後日新聞社文化事業部」，2014年，http://asatte.jp/〈参照2014年6月1日〉．2019年5月1日時点では削除されている。

★42 ここまでの莇平集落での鳥追いに関する記述は，2014年1月11日と2018年1月13日計2回の現地調査での筆者の見聞による。

★43 2013年10月27日池田征弘（2003年4月〜2004年3月莇平区長）へのインタビュー。

★44 「明後日新聞」の編集・発行に携わる明後日新聞社社員の主要メンバーは毎年2、3名だという。社員に関わる記述は，2015年2月13日塩野谷卓（明後日新聞社7代目編集長：2010年8月-2011年8月）にメールで確認した。

★45 集落の行事参加が恒例となったこと，他地域の交流のきっかけについて，いずれも2014年1月11日日比野克彦へのインタビュー。

★46 日比野の個人事務所名を株式会社ヒビノスペシャルという。

★47 2014年1月12日米津いつか（元ヒビノスペシャルアシスタント）へのインタビュー。

★48　中山間地域で、耕作放棄を防止し、継続的な農業生産活動などを通じて農地の持つ多面的機能を確保するため、集落協定を締結した集落や農業者に交付金が直接支払われる制度（十日町市産業観光部農林課農地整備係「中山間地域等直接支払制度」，2018年，http://www.city.tokamachi.lg.jp/shigoto_sangyo/E019/E025/1454068583588.html〈参照2019年5月1日〉）.

★49　2013年10月27日高橋多一郎（2005年1月〜2006年3月蒔平区長）へのインタビュー。

★50　2014年1月7日十日町農林建築課松代支所への電話での問い合わせで確認した。

★51　当該文について、「明後日新聞社文化事業部」（明後日新聞社文化事業部，2014年，http://asatte.jp/〈参照2014年6月1日〉）による。2019年5月1日時点では削除されている。

★52　2014年1月11日日比野克彦へのインタビュー。

★53　明後日朝顔プロジェクト21に関わる記述は、「日比野克彦アートプロジェクト『ホーム→アンド←アウェー』方式」（平林恵編，金沢21世紀美術館，2008年. ）の記載を要約した。

★54　2014年1月11日日比野克彦へのインタビュー。

★55　2013年10月27日高橋多一郎へのインタビュー。

★56　2013年10月27日高橋多一郎へのインタビュー。

★57　当該文について、2009年課外授業、2010年あざみひら演劇祭に多摩美術大学の学生として参加した塩野谷へのインタビュー。

★58　当該文について2013年10月27日高橋多一郎へのインタビュー。

★59　名字以外に屋号で呼び合う習慣が残っており、幸七は屋号の1つである。

★60　《想像する家》に関する記述は、『大地の芸術祭 越後妻有トリエンナーレ2012』（北川フラム／大地の芸術祭実行委員会監修，2013年，91ページ. ）の記載を要約した。

★61　本段落の幸七家の活用や借用の経緯に関する記述は、2014年2月17日日比野克彦へのインタビュー。

★62　明後日新聞社文化事業部「明後日新聞社文化事業部」，2014年，http://asatte.jp/（参照2014年6月1日）.2019年5月1日時点では削除されている。

★63　北川フラム・大地の芸術祭実行委員会監修，前掲書，2013年，91ページ；前掲書，2016年，137ページ；前掲書，2018年，179ページ.

★64　本段落のここまでの学生参加に関する記述は、2019年1月21日13時から10分程度佐藤悠（アーティスト）への電話でのインタビュー。

★65　専修大学「町おこしを成功させた専修大学・経営学部・森本ゼミが再び集落活性化に取り組む専修大学 森本祥一教授・森本ゼミ生 インタビュー取材のご案内」，2018年.

★66　2013年10月27日池田征弘へのインタビュー。

★67　源甚も屋号の1つである。

★68　2013年10月27日高橋多一郎へのインタビュー。

★69　2018年9月13日池田征弘へのインタビュー。

★70　2018年9月13日池田敏枝（池田征弘の妻）へのインタビュー。

★71　2018年9月13日池田征弘へのインタビュー。

★72　十日町市の地域おこし協力隊の取り組みについて、「『地域おこし協力隊』の取り組み（高齢化集落支援）」（十日町市総務部企画政策課協働推進係，2017年，http://www.city.tokamachi.lg.jp/shisei_machidukuri/F001/F006/1454896031832.html（参照2019年5月1日）. ）による。

★73　北山地区での地域おこし協力隊の取り組みについて2018年1月14日村越優子（十日町市地域おこし協力隊（蒔平・田野倉・仙納））へのインタビュー。

★74　本段落の地域おこし協力隊の受け入れの経緯や村越へのサポートについて2018年1月14日高橋多一郎へのインタビュー。

★75　吉田、前掲論文，2013年，63-95, 116-119ページ；前掲書，2015年，90-120, 137-139ページ.

★76　吉田、前掲論文，2013年，121-122ページ；前掲書，2015年，144ページ.

第 3 章

水と土の芸術祭
新潟市

小須戸ARTプロジェクト

Water and Land
Niigata
Art Festival

1. 水と土の芸術祭と地域コミュニティ形成

水と土の芸術祭を取り上げる理由

　本章では、水と土の芸術祭を事例として取り上げる。2009年を初回にこれまで計4回約10年間継続されてきた。〈アートプロジェクト〉と〈市民プロジェクト〉の2つのプログラムを有し、市民主体のプロジェクトを展開している点が（2.後述）、内外の芸術祭に例のない特徴となっている。

　芸術祭は数か年に1度で期間も限られ、数回の開催で地域コミュニティ形成に影響を与えるには、既存の地域活動と結びつくなど特段の事情が必要だと考えられる。この点、前記〈市民プロジェクト〉は既存の地域活動と結びついて展開されていることが少なくない。〈市民プロジェクト〉のうち、そうした地域活動との結びつきが顕著な「水と土の芸術祭　小須戸ARTプロジェクト」を事例として、芸術祭が地域コミュニティ形成に影響を与えるか、その具体的プロセスを定性的に分析していくのが本章の目的である。本章の最後には、先行研究の「あいちトリエンナーレ　長者町地区」の事例と比較しながら（第1章参照）、それぞれの特徴や、芸術祭開催の社会的意義にも言及する。

研究の方法

　芸術祭の地域コミュニティ形成への影響の分析にあたっては、第1章、第2章で紹介した先行研究にならい、評価指標をソーシャルキャピタルとし、基準を形成とする。形成の具体的基準は、①信頼　②規範　③ネットワーク④自発的な協力　⑤地域全体への広がり　⑥継続性とする。なお、①〜④については、趣旨に照らし信頼・規範・ネットワークに裏打ちされた自発的な協力があるか否かという観点から分析する（第1章2.；第2章3.参照）。

　その一方で、小須戸の事例では、後述のとおり、継続性はともかく地域全体への広がりの点でソーシャルキャピタルが形成されたとまではいえないことから、一時的、もしくは、個別的な変化を中心に捉えていきたい。そこで、地域コミュニティ形成の構成要素の自発性・協働性（序章1.参照）、ソーシャルキャピタルの要件のネットワーク等を勘案し、提案力・行動力、ネットワー

表3-1 評価指標と基準

	指標	基準	
一時的、もしくは個別的な変化	提案力・行動力	向上	
	ネットワーク	広がり	
継続的、かつ地域全体に広がりがある変化	ソーシャルキャピタル	形成	①信頼 ②規範 ③ネットワーク ④自発的な協力 ⑤地域全体への広がり ⑥継続性

クを評価指標とする。そして、評価基準は、前者は向上、後者は広がりとする。いずれについても、個別的な影響でも足りるので、特定の仲間やグループ内にとどまっていてもよい[*1]。提案力・行動力の向上、ネットワークの広がりが、時間的に空間的に積み重なることで、地域コミュニティ形成やソーシャルキャピタル形成につながると考えられ、その端緒を捉えることは意義があるし、しかも、そうした端緒を捉えた定性的分析は多くなく、学術的意義も認めることができる（表3-1）。

　水と土の芸術祭と小須戸ARTプロジェクトそれぞれに関わる調査対象者はアート活動や地域づくりのキーパーソンを中心に計約10名である。芸術祭・アートプロジェクトによる地域づくりへの影響をつぶさに観察していくため、芸術祭については、総合ディレクター1名、事務局1名、コーディネーター1名、小須戸については、コーディネーター1名、アーティスト2名、地元関係者3名を調査対象とした。

2. 開催経緯と特徴

　地域コミュニティ形成への影響を見る前に、水と土の芸術祭のこれまでの開催経緯とその特徴を説明しておきたい。

水と土の芸術祭の開催経緯

　新潟市は人口約81万人で、日本海側の中心・拠点の1つと位置づけられる地方都市である。よって、水と土の芸術祭は、都市型芸術祭のうち広域中

図3-1 新潟市の地図

心都市型に分類できる（序章4.参照）。初回の開催目的は、新潟市のアイデ
ンティティづくり、市民の誇りづくり、地域を活性化させる新・新潟づくりで
ある★²。都市のアイデンティティ形成や新・新潟市づくりが開催目的として
掲げられたのは、新潟市が、いわゆる平成の大合併により近隣の14市町村
と2001年と2005年に合併し、日本海側初の政令指定都市となったことに
よる★³。2回目以降は創造都市実現が掲げられた。

　水と土の芸術祭は、初回こそ新潟市美術館をメイン会場としたものの、2
回目以降は美術館などの専用施設以外を会場とする。また、芸術祭が都市
のアイデンティティ形成、創造都市実現などを謳い、地域・社会課題につな
げることを目的としている点で、アートプロジェクト的性格を有する（序章4.
参照）。

　そもそものきっかけは、2007年7月新潟県中越地震が発生し、柏崎刈羽
原子力発電所での火災の映像が全国に流れ、企業立地を含む政令市移行

に伴う効果が吹っ飛んだり、観光客が大幅に減ったりするなかで、北川フラムと篠田昭市長が雑談したことだ★⁴。2009年には、新潟市が約4億円の規模で水と土の芸術祭2009を開催した。ところが、トップダウンで短期間に準備を進めたことが、メイン会場となった新潟市美術館などの現場に相当な混乱と反発をもたらした★⁵。「2010年3月に、水と土の芸術祭実行委員会が解散したときは、第2回開催の目途はたってなかった」★⁶という。

　それでも、「(2010年)6月に再スタートした水と土の芸術祭市民サポーターズ会議から、市長あてに次回の提言書が提出された」★⁷。2010年9月に、新潟市が「初回開催が創造都市実現のキックオフになった」と総括報告書をまとめる★⁸。そして、11月には篠田市長が水と土の文化創造都市を掲げ3選を果たした★⁹。「(2010年)12月からは有識者による『水と土の芸術祭2012構想検討会』を2011年3月までに8回開いた」★¹⁰。2011年6月「水と土の芸術祭2012構想(案)」をまとめ、開催目的を「『水と土の文化創造都市にいがた』の前進」とした★¹¹。「2011年の9月、市議会からは厳しい意見はついたものの、債務負担行為の設定が承認された」★¹²。2回目の「水と土の芸術祭2012」を2.8億円の規模で開催した★¹³。

　2013年5月、「『市民サポーターズ会議』及び『水と土の芸術祭2012のディレクター及びアドバイザー』の2団体から市長及び議長に対し、提言書が提出され、その中で『中長期的視点に立った継続開催』を前提にすることが求められている」として総括報告書をまとめた★¹⁴。2014年2月には議会の承認を経て、事実上水と土の芸術祭2015の開催が決まる★¹⁵。ところが、11月の市長選では、他の2候補はいずれも水と土の芸術祭の中止を公約に掲げたのに対し★¹⁶、篠田のみが継続開催を主張した★¹⁷。結果は篠田が辛くも4選を果たし★¹⁸、中止を免れる。2.5億円の規模で3回目の「水と土の芸術祭2015」を開催した★¹⁹。

　2016年6月に総括報告書がまとめられ、「最大の特徴は、多様で質の高い『市民プロジェクト』の存在である。(中略)交流人口の増大だけでなく、『新潟暮らし』(移住:著者注)の推進にもつながるよう、さらに発展させていく必要がある」★²⁰とする。9月には、『水と土の芸術祭2018骨子(案)』を作成し、開催の可否や改善の必要性を検討した★²¹。その結果、12月に補正予

算で基本計画策定などに関わる準備経費として800万円が議会で承認され、「水と土の芸術祭2018」の開催が決まった[★22]。2017年4月、水と土の芸術祭2018実行委員会第2回総会で谷新が総合ディレクターに選任された[★23]。

水と土の芸術祭の特徴

改めて水と土の芸術祭の特徴を確認しておきたい。それは、〈アートプロジェクト〉と〈市民プロジェクト〉の2つのプログラムをもつことである。〈アートプロジェクト〉は、実行委員会が企画・実施する。写真3-1は水と土の芸術祭2015で、新潟の特徴である「潟」を中心に展開した作品の1つで、宮内由梨の《清五郎さん》である。一方、〈市民プロジェクト〉は、市民が企画・実施する[★24]。事務局が「1事業につき50万円を上限に全額助成してきた」[★25]。「芸術祭開催年以外でも、プロジェクトは毎年実施」[★26]され、継続的な地域づくりが企図されている。「市民の芸術活動の自立を促そうと、2016年からは上限50万円は変わらないものの、助成率を5分の4に下げた」[★27]。また、水と土の芸術祭2018では〈市民プロジェクト〉のなかに、区内の市民プロジェクトの広報・連携の核となる拠点を設ける地域拠点プロジェクトが新たにつくられた[★28]。それらを併せて予算総額は約4,500万円である[★29]。

ただ、〈市民プロジェクト〉は、アート活用だけでなく、文化振興、新潟の魅力発信、震災復興、東アジアの文化交流等でもよい[★30]。それゆえ、現代アートとは直接関係ない市民活動も含まれ、むしろそちらの方が多くアートプロジェクトとしての性格を有しないものもある。

表3-2 アートプロジェクトと市民プロジェクトの作品数と決算等の推移

	水と土の芸術祭2009		水と土の芸術祭2012		水と土の芸術祭2015	
	件数	決算(億円)	件数	決算(億円)	件数	決算(億円)
アートプロジェクト(アート展示)	61作家71作品	2.35	59作家66作品	0.98	56作家69作品	0.84
市民プロジェクト(地域プロジェクト)	70件	0.25	137件	0.53	109件うち過去アーティスト11件	0.43
芸術祭全体		3.98		2.78		2.50

写真3-1 〈アートプロジェクト〉宮内由梨《清五郎さん》（2015）清五郎潟（新潟市中央区）©Yuri Miauchi

　ちなみに、初回の水と土の芸術祭2009は、〈アート展示〉と〈地域プロジェクト〉[31]の2つの柱があった。だが、これら2つのプログラムは、2回目の水と土の芸術祭2012以降〈アートプロジェクト〉と〈市民プロジェクト〉と名称を変える。それだけでなく、〈市民プロジェクト〉は決算上1回目の〈アートプロジェクト〉の10分の1から2分の1に比重を増やした。その理由について、小川弘幸（水と土の芸術祭2015総合ディレクター：当時）は、「芸術祭を自分のこととして関わってもらう。その仕掛けのひとつとして市民プロジェクトを考えた」[32]という（表3-2）。

　なお、〈地域（市民）プロジェクト〉がつくられた理由について、五十嵐政人水と土の芸術祭実行委員会事務局次長（当時）は、次のように話す[33]。

　もちろん、市民参加という純粋な目的があったのだが、議会と市民の批判が強く、そうしたプロジェクトに力を入れざるをえなかったと思う。また、そもそも巻町（2005年新潟市西蒲区に編入合併）では日本で初めて住民投票で原発計画を撤

回させたり、阿賀野川流域では新潟水俣病をユーモラスに告発した映画『阿賀に生きる』を市民が制作したりしていた。そうしたときに、アーティストを呼んでいた。それぞれの地域でアートや文化を絡めながらまちおこしや市民活動が活発な土地柄でもあった。1回目開催が決まった2008年から1年半かけ北川フラムディレクター（当時）が各市町村を回り、こうした市民活動に関わる地域の面白い人たちと一緒にやろうということがあった。

　こうして活発な市民活動に関わる人たちと一緒にやろうという姿勢は、映画『阿賀に生きる』の製作委員会委員を務めた小川弘幸（イベントプロデューサー／文化現場代表）が、北川に替わり2回目3回目で総合ディレクター（プロデューサー）を務めていることにもつながっている。

3. 小須戸ARTプロジェクトと地域づくり

　〈市民プロジェクト〉は既存の地域活動と結びついて展開されていることが少なくない。なかでも、小須戸（新潟市秋葉区）では自治組織主催でまちづくり活動をしていた。そうしたところ、水と土の芸術祭をきっかけに、まちづくり活動の主要な取り組みとして小須戸ARTプロジェクトを展開している。調査を行った2015年から2017年の段階で、水と土の芸術祭と地域活動との結びつきが顕著な事例の1つであり、取り上げることとした。表3-3を適宜参照されたい。

▶ 3.1. まちの歴史

　小須戸は、いわゆる在郷町で、農村部に信濃川の河畔の物資の集積地として栄えた。だが、鉄道・自動車の普及とともに舟運が衰退する。また、江戸時代から機織りが盛んで、明治以降小須戸縞として県内外に広まる。だが、1923年関東大震災を境に生産が落ち込み、現在は商業生産が途絶えている★34。

　1901年に起きた大火では、町の約85％を消失したことがあった★35。「今に残る町屋で最も古いものは、この大火後に立てられたものということにな

表3-3 水と土の芸術祭と小須戸での取り組み

年	水と土の芸術祭		市長	小須戸での取り組み	
2003			篠田昭第1期 (2002.11-)		小須戸商工会「地域振興プラン策定事業」
2004					「まち育て支援事業」開始 (-2008年)
2005				3月	旧小須戸町が新潟市に合併 小須戸まち育て支援協議会設立
2006			篠田昭第2期 (2006.11-)		小須戸コミュニティ協議会設立
2007	7月	中越沖地震			小須戸町並み景観まちづくり研究会発足
2008					
2009	7-12月	水と土の 芸術祭 2009開催			〈地域プロジェクト〉応募、 薩摩屋酒店を整備・改修
2010			篠田昭第3期 (2010.11-)	4月	「町屋ギャラリー薩摩屋」オープン
2011				7-9月	秋葉区「文化施設の連携に向けたワークショップ」参加
2012	7-12月	水と土の 芸術祭 2012開催		2月 4月- 7-12月	薩摩屋企画委員会設立 「町屋ギャラリー薩摩屋」土日・祝日定期開館 薩摩屋が〈アートプロジェクト〉会場 [作家:南条嘉毅]
2013				11-12月	飲食店「あかり庵」「わかば」オープン 薩摩屋ARTプロジェクト2013 [公募作家:鈴木泰人・橋本直明]
2014			篠田昭第4期 (2014.11-)	2月 9-10月	「カフェ ゲオルク」オープン 小須戸ARTプロジェクト2014(小須戸商店街に展開) [公募作家:飯沢康輔・荻原貴裕・吉野祥太郎]
2015	7-10月	水と土の 芸術祭 2015開催		7-10月	小須戸ARTプロジェクト2015(商店街以外に大型壁画を設置) [公募作家:したてひろこ・野原万里絵]
2016				9-10月	小須戸ARTプロジェクト2016(AAF助成、京都、東京に展開) [公募作家:小出真吾・鮫島弓起雄・渋田薫]
2017				9-11月	小須戸ARTプロジェクト2017(花と緑をテーマ) [公募作家:久木田茜・都築崇広]
2018	7-10月	水と土の 芸術祭 2018開催	中原八一 (2018.11-)	7-10月	小須戸ARTプロジェクト2018(町屋ラボオープン) [招待作家:南条嘉毅・飯沢康輔・鮫島弓起雄] 地域拠点プロジェクト《水と油の芸術祭》実施 [招待作家:深澤孝史]

写真3-2　小須戸商店街の町並み

る。その当時、小須戸は物資輸送や織物産業によって経済が潤っていたことから、良い材料を使った立派な町屋が数多く再建された。(中略) 道の両側に妻入りの町屋が連なった町並みを見られるのは、新潟県内でもここだけという貴重な風景」★36となっている (写真3-2)。こうした地域資源をまちづくりやアートで発見し、活用していくプロセスを本節では掘り下げていきたい。

　2005年3月に、旧小須戸町は、旧新津市とともに平成の大合併により新潟市となる。2007年には新潟市の政令市移行にともない秋葉区となった★37。小須戸 (出張所管内) の人口は、2019年4月末日時点で9,506人である★38。

▶ 3.2. まちづくりと芸術祭との連携
　では、地域コミュニティ形成への影響について中間支援組織設立によるまちづくり (第1期)、町並み景観によるまちづくり (第2期)、芸術祭との連携 (第3期) に分けて見ていこう。

3.2.1. 第1期 中間支援組織設立によるまちづくり

　それまでも小須戸商工会は幾度も事業報告書を作成してきたのだが、活用されていなかった。ところが、小さな自治体が新潟市に合併される危機感があるなか、2003年に「地域振興プラン策定事業」を手がけたときは違った。地域振興プラン策定委員会の委員に入ったのが、寺尾仁（新潟大学工学部助教授：当時）である。商工会のキーパーソンの村井豊（住吉屋寝装店主）によれば、「自分たちもお金を出さなければ、本気にならない」との寺尾のアドバイスを徹底したという[39]。地域のアイデンティティを残す活動の方向性を定めるため、「地域振興プラン策定事業報告書」を新たに作成したことで、本格的なまちづくりが始まる。

　合併前の2005年3月には、村井を始め商工会が中心となり、報告書を踏まえて小須戸まち育て支援協議会（以下支援協議会）を設立し、「まち育て支援事業」に取り組む。ところが、2004年当初は、支援の受け皿団体が不明であるとの理由で、佐藤太加志小須戸町長（当時）の理解が得られなかった。それでも、前述の寺尾のアドバイスを実践し、協議会のメンバーで約50万円を集める。そして、「平成16（2004）年度を本格事業の開始前の試行年として、地域活動を支援する『まち育て基金』を集めることと各団体の支援を実施」[40]した。「試行年の途中の11月には、小須戸町長や助役に2回目の『町づくり資金』についてお願いに行」[41]く。「あわせて町議会にも同様の請願書を提出し」[42]た。その結果、この事業の意義が認められ、2005年、町から100万円の補助金と、町民からも金銭的な協力を得ることができた。総額200万円で本格的なスタートを切る。

　「まち育て支援事業」に、チャレンジ部門一律5万円、ステップアップ部門上限15万円の2部門を設け、1年間で支援できる上限を約40万円とした。支援協議会が2008年までの計5年間で延べ19団体を後方支援する[43]。情報や人などが支援協議会に集まり、いわば、中間支援組織としての役割を担った。ただ、全てが継続的な活動につながっているわけではない[44]。また、「一部の人たちがやっている」という声もあった[45]。そうしたなかで、2007年に小須戸町並み景観まちづくり研究会（以下まちづくり研究会）が発足する。支援協議会は2年間支援した。その後小須戸に大ブレークを起

こし、小須戸に埋もれていた財産を見出していくのだ★46。

3.2.2. 第2期 町並み景観によるまちづくり

　まちづくり研究会が発足したきっかけは、旧新津市に住む公務員加藤健二が2005年に修士論文で歴史的建造物の残存状況や建築特性を調べたことである。加藤は学生時代から小須戸をはじめとした町屋を研究し、大学院修了後まちづくり研究会の活動を開始する★47。とはいえ、「当初は、支援協議会のメンバーも支援はしたものの、『小須戸の古い町並みの何がめずらしいのか』という認識でしか」★48なかった。折しも、新潟市が合併にあたり住民自治組織としてコミュニティ協議会設立を働きかける。旧小須戸町では、支援協議会が受け皿となり、2006年、小須戸小学校区コミュニティ協議会（当時、2015年に小須戸コミュニティ協議会に改称、以下小須戸コミ協）を設立していた★49。その小須戸コミ協が、まちづくり研究会の協力を受け、2007年に町屋めぐり事業を行ったところ、新聞に取り上げられる。その記事を読んだ小須戸中学校が総合学習で町屋めぐりに取り組んだことも、続けて新聞で報じられた★50。こうして新聞を始め外から注目されたことで、「『この町屋を地域の宝物にスポットをあてて、より地域の人たちに伝えるとともに後世に残していこう』という気運が広が」★51る。地元の人が町屋の価値を地域資源として認識することになるのだ。

　一方で、町屋の1つ「薩摩屋酒店」が2005年から空き店舗となっており、その活用が課題となっていた。そこで、「町屋をそのまま見せればよい」と、まちづくり研究会が水と土の芸術祭2009の〈地域プロジェクト〉に応募する。店舗を整備・改修し、芸術祭期間中4か月間公開した★52。ただ、「使いやすい市の補助金だったからで、芸術祭に関心はなかった」★53という。とはいえ、「地域外からの来町者も現れ始め、町屋の価値を広く内外にアピールできるようになってき」★54た。

3.2.3. 第3期 芸術祭との連携
（1）町屋ギャラリー薩摩屋

　水と土の芸術祭2009で4か月間公開したことで、「継続しよう」と住民か

ら声が上がる。2010年から小須戸コミ協が年間借用を開始し[★55]、施設名称を「町屋ギャラリー薩摩屋」とした[★56]。町歩き、イベント開催等で使っていくのだが、人件費が工面できなかったことから、不定期利用にとどまった。

そうしたなか、2011年夏、新潟市文化観光・スポーツ部文化政策課から秋葉区内の他の文化施設との連携の話が浮上する。旧新津市には、石油の世界館・新津美術館・鉄道資料館があるが、旧小須戸町には文化施設が見当たらない。声がかかったのが薩摩屋の取り組みだった。文化政策課より文化施設連携を目的として小須戸コミ協に100万円の補助金が認められた。7割まで人件費に使えたことから、土日・祝日公開する人件費を工面できた。補助金が認められたことを受け、2012年2月に小須戸コミ協では薩摩屋企画委員会を設立し、同年4月から土日・祝日のみ定期開館することにした。店番に入ったのが石田高浩（新潟大学博士前期課程：当時）である。小須戸出身でまちづくり研究会の活動を知り、2009年からその活動に関わる。2010年には、小須戸の歴史的建造物の残存状況及び変化状況を調査していた[★57]。

（2）水と土の芸術祭2012

2012年夏、薩摩屋活用に1つの転機が訪れた。水と土の芸術祭2012で薩摩屋を〈アートプロジェクト〉の会場とすることを、水と土の芸術祭実行委員会事務局から打診を受ける。アーティストが南条嘉毅だった[★58]。南条は「宿泊費を削り、制作に予算を集中させたい」と考えた。制作場所の薩摩屋を当初は1泊ずつ使い、最後の1週間は泊まり込む[★59]。小須戸が舟運で栄えた信濃川を源流から海まで全てを歩き、川周辺の風景を採取し、その場所の土を使い絵画作品を制作した[★60]。

そうしたなか、石田と南条は親交を深める。石田は南条に閉幕後の薩摩屋活用を相談した。文化施設連携による補助金を受けていたものの、他所から展示物を借り薩摩屋で展示していた程度だったからだ[★61]。南条が提案したアイデアが、アーティスト・イン・レジデンスだった。作家が薩摩屋で滞在制作し、展示面で新津美術館と連携をするのだ。薩摩屋で滞在制作ができることは南条自身がすでに示していた。「新しいプロジェクトでも、美術館

との連携があると作家の関心をもちやすい」という妙案だった[62]。

(3) 薩摩屋ARTプロジェクト2013

　このアイデアを薩摩屋企画委員会にもちかけると、「現代アートは間口が狭い、もっと地域の方が関わりやすい企画を考えてはどうか」との意見がでた。それでも他に具体案がなく、とりあえず現代アートをやってみることにした[63]。村井によれば、それまでのまちづくりの活動で石田の企画力を認めていたからだともいう[64]。

　2013年秋に小須戸コミ協主催で薩摩屋ARTプロジェクト2013を開催する[65]。小須戸コミ協という地域の自治組織が、現在に至るまでアーティスト・イン・レジデンスの公募を核とするアートプロジェクトを主催していく。自治組織がアートプロジェクトを展開するという点で全国に例のない形態である。

　資金は、市から小須戸コミ協への文化施設連携の補助金100万円のうち人件費を除く約30万円を充てた。10万円（制作費、交通費、謝礼込）で2人を招聘し、薩摩屋の2階での3〜4週間の滞在制作と新津美術館市民ギャラリーで1週間ずつ展示できることにした。ところが、広報不足もあり応募者がいなかった。結局、南条の紹介で鈴木泰人・橋本直明の2人がそれぞれ3週間ずつ滞在制作を行う。2013年11月から12月にかけて約1か月間展覧会を開催した（写真3-3）。新津美術館でも作家の過去作品等を展示した。計2会場で来場者は約300人を数えた[66]。

　南条もワークショップで参加したが、「現状から考えると、周囲の人とのコミュニケーションを糸口に制作を行うスタイルよりも、場をテーマに制作を展開していくことが得意な作家にお願いした」こともあり、作家と地域との関わりは大きなものではなかったという[67]。

(4) 小須戸ARTプロジェクト2014

　2013年には、それまでのまちづくりの取り組みが功を奏し、町屋を改装した飲食店「あかり庵」「わかば」が2軒オープンする。2014年2月には、町屋ではないが、新しく「カフェ ゲオルク」もオープンした（写真3-4）[68]。

写真3-3 鈴木泰人《町の灯》（2013）町屋ギャラリー薩摩屋 ©風間忠雄

写真3-4 カフェ ゲオルク（2017）

こうしたことから2014年度は、小須戸商店街に広く展開し、名称も小須戸ARTプロジェクト2014に変更して開催することにした。飲食店や商店の協力を得て空きスペースを活用することにしたほか、空き家となった割野屋という町屋で新たに展開した。芸術祭開催年以外にも実施されている〈市民プロジェクト〉に手を挙げ、計55万円でやり繰りする★69。こうして地域の自治組織の主催にくわえて、飲食店や商店の空きスペースを活用し、少額の予算で毎回切り盛りしていくのが、小須戸の展開の特徴となっていく。また、2013年度は地域との関わりが生まれなかったことから、2014年度の公募では、「地域住民との交流」を制作テーマに追加した。蓋を開けると13件の応募がある。南条が専門家としてアドバイスに入りながら、薩摩屋企画委員会と会場提供者、ようは、地域の人たちが作家を選定し、飯沢康輔・荻原貴裕・吉野祥太郎が選ばれた★70。

　小須戸に来た3人は商店街の1軒1軒に挨拶に回る。それまで地域の人たちもアーティストへの関わり方がわからなかったのだが、彼らが来ることに対する慣れもあった。ご飯を差し入れたり、飲みに誘ったり、特定の商店主が制作に協力する。また、アーティストが緩衝材になり、たとえば、飲み会などでもアーティストがいると参加の輪が広がりやすく、地域の人間関係をほぐすような作用がみられた。

　2014年9月から10月にかけ、2週間の展示準備を経て、2週間展覧会を開催する。計6会場10作品を展示し、住民とのコミュニケーションを糸口にしながら、信濃川・舟運・小須戸縞・町屋カフェなど地域資源に着想を得たサイトスペシフィック型の作品が多く見られた。展示準備と公開を併せ、来場者数は延べ1,750人である★71。南条を始め昨年出展した作家の展示やワークショップも行い、2015年の芸術祭での展開の縮図ができたという★72。

(5)小須戸ARTプロジェクト2015

　2015年7月から10月にかけて、水と土の芸術祭2015が開催された。併せて、2013年度からの取り組みの集大成として、小須戸ARTプロジェクト2015を〈市民プロジェクト〉として開催する。過去に芸術祭に参加したアーティストを招待すると助成の上限がなくなることから、南条を招待作家

写真3-5 野原万里絵《夜具地》（2015）小須戸まちづくりセンター ©KOSUDO ART PROJECT

とした。その結果、事業費約95万円を使うことができた★73。公募により、新たにしたてひろこ・野原万里絵の2人を招く。野原の作品の1つは、小須戸縞の夜具地（ふとん地）をモチーフにしたもので、小須戸まちづくりセンターに大型壁画が設置された（写真3-5）。この作品は、商店街からやや距離を置き、誰の目にも触れる形で作品が設置された点で、目新しい展開となった。これまで関わった作家もすべてワークショップなどで参加し、計7会場に16作品を展示した★74。まちづくりに決して関心が高くない商店主も新たに場所を貸してくれた★75。来場者数は、芸術祭開催期間87日間で延べ6,387人を数える★76。

　こうして水と土の芸術祭2015を目標に芸術祭との連携を進め、一定の成果を得ることができた。ただ、このとき村井は「作家さんに来てもらい、作品を飾って（観客が）作品を見るだけでは本来の地域の盛り上がりにはなっていかない。作家さんと地域がどう結びついてみんなで関わるイベントにしていくのか。継続を否定しないが、もう1回フラットに考えてどうしようか考える時期だ」★77と話している。

（6）小須戸ARTプロジェクト2016

　それでも、2016年度以降、ASAHI ART FESTIVALという民間団体の助成を得たことも弾みとなり、2年後に開催予定の水と土の芸術祭2018を目標に、アート活動を継続する。2016年8月22日からの滞在制作を経て、9月17日から10月にかけての計4週間で、小須戸ARTプロジェクト2016を開催する[78]。事業費は計約90万円である。

　公募作家は小出真吾・鮫島弓起雄・渋田薫の3人で、それぞれが川、小須戸縞、米どころなどをテーマにサイトスペシフィック型の作品を制作した（写真3-6；3-7）。これまで小須戸に滞在制作した鈴木泰人・吉野祥太郎・野原万里絵も小作品を展示する。また、彼らのつながりで京都や東京の小スペースやギャラリーでも小須戸展を開く[79]。ちなみに、京都での展覧会を企画したのが前年度の公募作家のしたてひろこである。その展覧会が、のちに南条の「奥能登国際芸術祭」の作品につながっていく（第5章3.1.参照）。

　会場提供に協力した「カフェ ゲオルク」の店主小林からは「アートの意味って何か。（人は、）働く、食べる、寝るだけでないことに気づかせてくれる。アーティストが来ることで、まちの人に何かしら影響を与える。そのやり取りが面白い。来年もやらないのか」[80]との声が聞かれるようになった。

　来場者数は、計7会場で2,002人を数えた[81]。今後について、石田は「そもそも継続するのか、継続するなら、観光客増か住民自身の地域の魅力発見なのか、まちの人たちと意見交換をしながら考えていきたい」[82]と話す。そうした意見交換をねらいとして、専門家や水と土の芸術祭の事務局などを呼び、計3回のトークイベント「小須戸夜話〜私たちは、この町にどんな夢を見るのか〜」を開催した（表3-4）。2回目のトークイベントでは、ASAHI ART FESTIVALの参加団体同士の交流支援プログラムを使い、石幡愛・熊谷薫（国際芸術祭及び地域アートプロジェクトの事業評価検証会）と本間智美（みずつち市民サポーターズ会議代表：当時）をゲストに呼ぶ。テーマを「小須戸から新潟市のアートプロジェクトを掘り下げる」とした[83]。評価の専門家の話を聞いたことで、村井は次のように思ったという[84]。

　アートはお腹いっぱいで、何のためにやるのかとの声もある。それでも、（札幌

写真3-6 小出真吾《川面♯1》(2016) 町屋ギャラリー 薩摩屋 © KOSUDO ART PROJECT

写真3-7 渋田薫《Earth Concerto "GEORG"》(2016) カフェ ゲオルク ©KOSUDO ART PROJECT

表3-4　小須戸夜話〜私たちは、この町にどんな夢を見るのか〜

	月日	内容	ゲスト
第一夜	9月17日	小須戸ARTプロジェクトとみずつち〜市民プロジェクトの可能性〜（京都で小須戸の報告も兼ねて）	小川弘幸（水と土の芸術祭2015総合プロデューサー）大矢りか（水と土の芸術祭2015参加作家）南条嘉毅（水と土の芸術祭2012、薩摩屋ARTプロジェクト、小須戸ARTプロジェクト2014、2015参加作家）したてひろこ（小須戸ARTプロジェクト2015参加作家）小出真吾・鮫島弓起雄・渋田薫（小須戸ARTプロジェクト2016参加作家）
第二夜	10月7日	小須戸から新潟市のアートプロジェクトを掘り下げる	石幡愛・熊谷薫（AAF2016参加団体「国際芸術祭及び地域アートプロジェクトの事業評価検証会運営事務局」）本間智美（みずつち市民サポーターズ会議代表）
第三夜	12月10日	これまで見た夢とこれから見る夢今年の反省と今後の展望（東京で小須戸の報告も兼ねて）	吉野祥太郎・荻原貴裕（小須戸ARTプロジェクト2014、2015参加作家）黒多弘文（銀座奥野ビル306号室プロジェクト代表）

国際芸術祭などを事例としたロジックモデルなどが紹介され（第7章参照）、）こういう評価軸ができていけば皆さんに理解してもらえるとは感じた。アートが地域に根付くとか、（改めて）やることがあるんだ。

　薩摩屋の企画委員や商店街の人たちがメインで、各回15〜25人が参加する。人数は多くなかったが、3回のトークイベントで、その先があることを確認する場となった★85。村井は「薩摩屋を開けたことで、次なる進化が生まれた。それと同じ気持ちで、いろいろ試したい。町屋を開けないことには良さも価値も高まらない。開けていくのがスタートかもしれない。満足したら進歩はない」★86と話す。石田によれば、「これまで（アートで町屋を活用してきた）実績もあるし、新潟市も（芸術祭や補助金の助成など）後押しがあるのでアートを絡めた活動はいろいろとやりやすい」★87のだという。

（7）小須戸ARTプロジェクト2017

　前年のトークイベントで意見交換会を行い、その先を確認したことで、2017年9月23日から11月5日にかけて小須戸ARTプロジェクト2017を開催する★88。来場者数は約1,800人を数えた。
　小須戸はボケが全国生産量の8〜9割を占める。日本ボケ公園があり、

図3-2 小須戸繪図面「散策マップ」

出所：作家配布資料から抜粋

花が咲くときは多くの人出で賑わう。「花と緑」がかつてのまちのキャッチコピーだった。薩摩屋企画委員会の委員から提案があり、「町屋とアート」にくわえて、「花と緑」を新たにテーマとした。町屋・商店街・歴史などテーマ・方向性が固定されてきて、幅を広げたいとの思いもあったからだ[89]。

2017年度も〈市民プロジェクト〉の助成を受けた。2016年9月にアーツカウンシル新潟が設立され、〈市民プロジェクト〉の募集・審査を担い、審査内容、基準が明確になる。事業費は計62万5,000円で、8割負担で50万円の助成を得ることができた。公募作家は、久木田茜と都築崇広の2名で、久木田は鋳造・陶芸で、都築は写真で、いずれも小須戸ARTプロジェクトにとっての新たな表現方法の開拓となる[90]。

久木田は、ボケの枝を素材に鋳造した作品や、家具の飾り等を型取りして、花に見立てた作品を制作した[91]。「花と緑」という新たなテーマの挑戦に久木田が応えたのだ。都築は、まちの土地や家屋の汚れを写真で切り取り、その写真を、まちの歴史をなぞらえた絵に見立てて、まちを歩かせる仕掛けを作った[92]。写真の撮影箇所も図示して散策マップとして紹介することで（図3-2）、町歩きに接続した。これまでと違った角度で地域のつながりを広げている。

都築の作品を幾つか紹介しておくと、《もうひとつの小須戸繪図面》は、

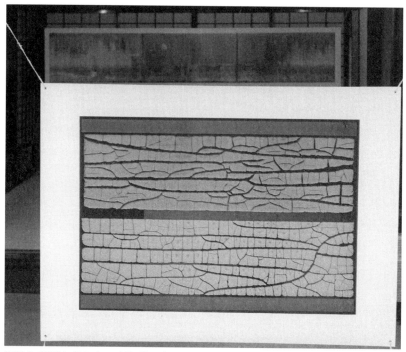

写真3-8　都築崇広《もうひとつの小須戸繪図面》（2017）町屋ギャラリー薩摩屋

閉店したたこ焼き屋のウインドウに貼ってあったシールを撮影したものである。小須戸繪図面を連想することから、そのタイトルが付けられた（写真3-8）。《弥七の川面》は弥七商店の商店主や客が踏み歩いた床を撮影したもので、人や物が往来する川面に見立てた。アーティストが地域に溶け込むことで、商店主の協力を得ることができたのだ[93]。長屋サテライト会場には、町屋ギャラリー薩摩屋から北へ約300メートル、小須戸の某所の汚れを切り取った5枚の写真が並ぶ。そこには、公道か私道かも定かでなく、裏の小路を歩いてたどり着く。途中に、今では珍しい木製の電柱が並ぶ[94]。都築は「この小路を来場者に歩かせたかったのだ」[95]と話す。

　過去のプロジェクト作家の野原も「カフェ ゲオルク」や栄森酒店に作品を展示し[96]、カフェ店主などと交流を深めた[97]。

　「今年もトークイベントやった方がいい」との声が企画委員からあったこと

から、2017年9月23日（土・祝）のオープニングトークを「町屋ギャラリー薩摩屋」で開催する。ゲストは加藤種男（クリエイティブディレクター）、鈴木泰人・久木田・都築3名のアーティストと、筆者である。司会進行は、杉浦幹男（アーツカウンシル新潟プログラムディレクター）が務めた★98。筆者からは、小須戸ARTプロジェクトをあいちトリエンナーレとの比較で紹介し（5.1.後述）、地域自治組織が芸術祭本体と遜色ないプロジェクトを継続している点が異色であることなどを話した。加藤からは、拠点を活用しながら仲間を増やすこと、そして「世界の小須戸に」と士気を鼓舞する話が続けられた。鈴木からは、「制作段階でも、コーディネーターやまちの人たちに作品の意見・感想をフィードバックしてもらいたい」と注文があった★99。

4. 分析

　ここまでで、水と土の芸術祭が小須戸の地域コミュニティ形成に与えた影響を見てきた。以下では、一時的、もしくは個別の変化については提案力・行動力、ネットワークを、継続的、かつ地域全体に広がりがある変化についてはソーシャルキャピタルを用いてそれぞれ分析を行う。

提案力・行動力の向上、ネットワークの広がり

　小須戸では、芸術祭により提案力・行動力の向上、ネットワークの広がりがあったといえるか。

　水と土の芸術祭2012の〈アートプロジェクト〉で、小須戸で作品制作をしたアーティスト南条が、アーティスト・イン・レジデンスのアイデアを地元出身のコーディネーター石田に提案したことが、直接のきっかけとなった。石田が企画し、地域の自治組織である小須戸コミ協主催で、2013年度からアーティスト・イン・レジデンスを毎年開催する。文化施設連携の補助金と芸術祭の〈市民プロジェクト〉への補助金を利用する。芸術祭招待アーティストの提案や芸術祭の補助金の仕組みをきっかけにして、地域の自治組織がアートプロジェクトを開催し、提案力・行動力が一時的に向上した。

　「地域住民との交流」を公募の条件としたこともあり、小須戸ARTプロジェ

クト2014以降、寝食の世話をするなど特定の商店主の協力者が増えた。また、アーティストが緩衝材になり、人間関係をほぐすような作用がみられ、商店街への理解の広がりがみられる。展示場所も、当初は薩摩屋等に限られていたが、地域の飲食店、商店街の外れの公共施設・長屋、まちづくりに関心が高くない店舗の協力も得られるようになった。芸術祭をきっかけに、商店街の不特定多数や地域全体とまではいえないが、ネットワークの個別な広がりがみられる。

　以上から、小須戸では、水と土の芸術祭2012をきっかけにして、小須戸ARTプロジェクトを開催し、提案力・行動力が一時的に向上した。アートプロジェクトを毎年継続開催することで、地域全体とまではいえないが、商店街の多数にネットワークが個別に広がった。

ソーシャルキャピタルの形成

　では、ソーシャルキャピタル（①信頼 ②規範 ③ネットワーク ④自発的な協力 ⑤地域全体への広がり ⑥継続性）は形成されたのだろうか。小須戸では2003年から中間支援組織設立によって自治組織の自発的な協力活動が始まる。町並み景観によるまちづくりなどで町屋の価値を地域資源として認識し、自発的活動が学校をはじめとした地域全体に広がろうとしていた。こうした2003年以降のまちづくりと、2012年以降の芸術祭との連携を含め見ていくことになる。

　地区出身のコーディネーターが企画し、地域の人たちが作家の選定に関与し、コーディネーターは、自治組織から企画力が認められるなど信頼が厚い。特定の商店主の協力者が増え、商店街の理解の広がりが見られるなか、地域の自治組織（ネットワーク）が自発的にアーティスト・イン・レジデンスを開催しており、まちづくりの1つとして自発的なアート活動が認められるようになった。①信頼、②規範、③ネットワークに裏打ちされた、④自発的な協力活動を認めることができる。

　その一方で、⑤地域全体への広がり、⑥継続性についてみると、サイトスペシフィック型の作品展開により、町屋以外に、信濃川・舟運・小須戸縞など地域資源を再認識し、まちの人たちの誇りが取り戻されようとしている。

なかでも、特定の商店主が制作に協力したり、2014年度以降会場や協力者が徐々に増えつつある。制作や展示場所でのアーティストとの交流が、商店街への広がりを生んでいる。

　また、まちづくり活動は15年以上に及ぶ。当初は水と土の芸術祭2015を目標にしたアート活動だったが、2016年度以降も継続されている。プロジェクト継続に不可欠な活動拠点もある。くわえて、〈市民プロジェクト〉の補助金の仕組みもある。

　まちづくりの取り組みと併せると15年以上の継続性はみられる。ただ、2017年の調査時点では、商店街の不特定多数や地域全体の広がりは不十分で、ソーシャルキャピタルが形成されたとまではいえない。

5.「あいちトリエンナーレ 長者町地区」との比較と　　国際展の社会的意義

▶ 5.1.「あいちトリエンナーレ 長者町地区」との比較

　芸術祭の継続により、小須戸では地域コミュニティ形成への寄与が認められた。しかし、芸術祭を開催すれば、どこでも同様の効果が認められるわけではない。ここで、第1章の「あいちトリエンナーレ 長者町地区」の事例と比較しながら、芸術祭は地域コミュニティ形成に影響を与えるのかについて、それぞれの特徴等を整理しておきたい（表3-5）。芸術祭による地域づくりに影響が定量的・定性的に分析されることが少ないなかで、1）アートプロジェクトである、2）エリアが限定された展開となっている、3）まちづくり活動との顕著な結びつきがある、4）コーディネーターの存在、の4つの共通点を有し、地域づくりへの影響を比較しやすいということがあるからだ。むろん、あいちトリエンナーレと水と土の芸術祭は、同じく都市型とはいえ、大都市型と広域中心都市型で開催地の立地環境、性格が異なる。特に、長者町と小須戸では、片や大都市の中心部の繊維問屋街に対して、片や広域中心都市の近郊に位置する在郷町である点で違いがある。そうした差異に留意しつつ整理を行う。

　第1章で詳細に記したが、小須戸との異同に注目しながら長者町地区で

表3-5 小須戸と長者町のそれぞれの展開の比較

	水と土の芸術祭 小須戸ARTプロジェクト	あいちトリエンナーレ 長者町地区
結果	・地域の自治組織がアートプロジェクトを展開 ・商店街への理解の広がりがみられる。	・地域主体のアートイベント等実施 ・まちづくりへの無関心層を巻き込み、参加の広がりを生む。
分析	一時的な提案力・行動力の向上、ネットワークの広がり	橋渡し型ソーシャルキャピタルのプロアクティブ化
プロセス	・第1期 中間支援組織によるまちづくり（2003-2008） ・第2期 町並み景観によるまちづくり（2007-） ・第3期 芸術祭との連繋（2009-） ・第3期では、毎年アートプロジェクトを開催（2013-）。サイトスペシフィック型作品による地域資源の発見	・約10年間のまちづくりの取り組みで橋渡し型ソーシャルキャピタル形成 ・アーティストが事業者らの自発性に働きかける作品を介在させたことを契機にアート活動を継続 ・参加・協働型作品や事務局の自主企画を促す仕組みにより、無関心層や若者らが参加
特徴	・まちづくり活動との顕著な結びつき ・サイトスペシフィック型作品による地域資源の発見 ・アーティストと住民の交流 ・コーディネーターの存在 ・継続的な補助金の仕組み ・芸術祭開催年を問わず、少額予算かつ小規模でアートプロジェクトを継続実施	・まちづくり活動との顕著な結びつき ・参加・協働型作品や事務局の自主企画を促す仕組みによる人々の自発性への働きかけ ・多数のコーディネーターの存在、なかでもリーダーがまちにアートが必要と確信をもっていること ・芸術祭開催年に、多額予算、かつ数ヶ月の大規模な仕掛けが可能
課題	・町屋活用、誇りの回復、観光客誘致につながろうとしている。	・あいちトリエンナーレから自立し、まちづくりと連携した新たなアートの関わりを見つけようとしている。

の地域コミュニティ形成の具体的プロセスを紹介しておく。

　10年間のまちづくりで橋渡し型ソーシャルキャピタルが形成されていた。そうしたところ、あいちトリエンナーレ2010をきっかけにソーシャルキャピタルをより活性化させた。すなわち、KOSUGE1-16が山車を制作し、地域の支えあいを企図して、まちの事業者らの山車の練り歩きを実施する。それを契機として毎年まちづくりやアート活動を継続する。のみならず、あいちトリエンナーレをきっかけに長者町に縁をもった若者らがさまざまなコミュニティをつくり、アートイベントを継続開催する。あいちトリエンナーレ2010でボランティアが「自分たちでイベントを企画したい」との声を受け、事務局がサポーターズクラブを設置した。そうした活動をきっかけに自発的な活動を継続した。これらのアート活動はきっかけづくりや運営にいたるまでコーディネーター的存在のキーパーソンらによってサポートされている。既存の

まちづくりの主要な取り組みとしても位置づけられている。アーティストや事務局から、事業者や若者らへの狙いを定めた働きかけがあったからこそ、長者町で自発性が生じた面がある（第1章参照）。

一方、小須戸の事例を改めてまとめておこう。

2003年からまちづくりを継続し、町屋の価値を再認識し活用していく。ただ、地域全体の広がりの点で、ソーシャルキャピタルが形成されていたとはいえない。それでも、水と土の芸術祭をきっかけに、アート活動をまちづくりの1つと位置づけ継続する。小須戸では、アーティストが人々に働きかけるという手法ではなく、サイトスペシフィック型の作品によって、町屋はむろん、信濃川・舟運・小須戸縞・米どころ等まちの魅力を発見していく。そうしたことが、まちの人たちの誇りを回復し、まちのイメージを向上させ、観光客誘致にもつながろうとしている。町屋を次々と開いていくきっかけとしてもアートを活用しようとしている。実際のところ、さらなる町屋活用・まちの人たちの誇りの回復・観光客誘致の現段階での効果は、期待の部分が大きい。そうした期待が、〈市民プロジェクト〉の補助金など継続的な財政支援があることで、村井・石田などキーパーソンを中心とした自発的活動につながっている。また、公募の条件として「地域住民との交流」を入れたことも一因となり、住民との頻繁な関わりにより、固定された人間関係がほぐれ、アートの面白さを発見する店主も現れている。こうしたこともまちの人同士の信頼関係を再構築したり、ネットワークを新たに広げたり、結果として自発的活動をより強固にすることにつながっている。

2つの地区での地域コミュニティ形成の特徴を整理しておこう。

長者町地区では、①まちづくり活動との顕著な結びつき ②アーティストらや事務局の人々の自発性への働きかけ ③多数のコーディネーターの存在によって、地域コミュニティ形成への影響がみられた。一方、小須戸では、①まちづくり活動との顕著な結びつき ②アート作品による地域資源の発見 ③アーティストと住民の交流 ④コーディネーターの存在 ⑤継続的な補助金の仕組みによって地域コミュニティ形成への影響が見られた。

共通する特徴は、①まちづくり活動との顕著な結びつき ②コーディネーターの存在である。それに対して、長者町では、①アーティストらの人々の

自発性への働きかけ、小須戸では、①サイトスペシフィック型の作品による地域資源の発見 ②アーティストと住民の交流 ③継続的な補助金の仕組みがそれぞれ特徴となっていた。なかでもサイトスペシフィック型作品に、地域住民との交流を組み合わせた点がユニークである。こうした差異が生じたのは、地域資源のうち、都心で人に恵まれた長者町では人的資源に、自然・歴史に恵まれた小須戸では自然・歴史的資源にそれぞれ着目してアーティストが制作した結果とも考えられる。そして、小須戸では、長者町に比べると決して多くない地域住民との交流が自然な形で生まれている。また、長者町でアーティストらが人々の自発性への働きかけができたのは、制作費が各作家数百万円と多く、数か月間、かつ大規模な仕掛けが可能だったということもある。逆にいえば、数十万から百万円程度の少額の予算で、かつ、商店の空きスペース等を使い小規模でも実施できるのが、小須戸の特徴といえる。

　両地区で必要とされるコーディネーターの存在について付言しておくと、アート活動をまちで継続していくには、ビジョンを構想し、プロジェクトに直接関わる人やまちの人たちとそのビジョンを共有していかなければならない。関わる人たちやまちの意見をまとめるなど、リーダーシップ・交渉力・ファシリテーション力が要求される。展覧会を開催するなら、アーティストとのネットワークやアートに関する目利きも必要である。助成申請書類作成、広報等さまざまな事務作業も発生する。

　こうしたコーディネーターの多くはボランティアが無償で、もしくは薄給で担っていることが少なくない。水と土の芸術祭の市民サポーターらでつくる団体「ARTABLE」と新潟市が共催、2016年度「現代アートと演劇をツールとしてコミュニティオーガナイザーを育てる学校」を立ち上げ、人材育成に取り組んだ[100]。キーパーソンは、本間智美（建築家）である。「小須戸ARTプロジェクトのように芸術祭開催年以外にも活動を継続していくことをよその地区でも増やしていきたいのだ」[101]という。本間は南区の味方・臼井・白根でさまざまなプロジェクトを仕掛けてきた。2017年からは、小須戸ARTプロジェクト2015の公募作家だった鈴木泰人とアートユニット「OBI」を組み、水と土の芸術祭2018〈市民プロジェクト〉での月潟アートプロジェ

クトを始め多彩な活動を繰り広げる★¹⁰²。

▶5.2. 芸術祭の社会的意義

　本章の事例から見える芸術祭の社会的意義について言及しておきたい。

　芸術祭の地域活性化への期待が社会的関心を呼んでいるものの、人口増、地場産業の振興、小須戸の事例でいえば町屋の利活用など、中長期的に地域課題の解決につながるかの議論は低調である。各会場・地域の視点からすると、芸術祭が個別の地域のコミュニティ形成に寄与し、地域課題解決に資することが、芸術祭の目的・効果として注目すべきであろう。芸術祭の主催者側からすれば、芸術祭を一定の条件のもとで地域資源を活用しながら着実に根付かせていくもので、芸術祭継続の社会的意義としてより注目すべきではないだろうか。特に、小須戸の事例では、芸術祭の開催年以外にも、地域がアート活動を少額の予算、かつ小規模で継続して実施可能であることを示している。

6.まとめ

　最後に、本章の結論をまとめておこう。

　水と土の芸術祭では、〈市民プロジェクト〉が、市民活動が活発な土地柄を意識したことに端を発してつくられたことから、市民活動やまちづくりとの結びつきが随所にみられる。

　まちづくりとの結びつきが顕著な事例として取り上げた小須戸では、地域コミュニティ形成に関しては、行動力・提案力の一時的な向上とネットワークの一時的な広がりが見られた。ソーシャルキャピタルの形成には至っていないが、ミッションを明確にすることなどで商店街を中心に今後形成される余地がある。そして、あいちトリエンナーレ 長者町地区と比較しながら小須戸の事例を通して、芸術祭が、①まちづくり活動との顕著な結びつき、②コーディネーターの存在など一定の条件のもと、地域コミュニティ形成に寄与することをみた。一方で、長者町では、参加・協働型の作品によるアーティストらの人々の自発性への働きかけ、小須戸では、サイトスペシフィック型の

作品による地域資源の発見と住民との交流がそれぞれ特徴となっていた。これらの事例は、地域からみれば地域資源を活用しながら芸術祭を着実に根付かせていくもので、芸術祭の社会的意義として注目していくべきだと考える。

注及び引用文献：

- ★1　「都市型芸術祭の経営政策―あいちトリエンナーレを事例に」（吉田，前掲論文，2013年）や『トリエンナーレはなにをめざすのか―都市型芸術祭の意義と展望』（吉田，前掲書，2015年）は、地域コミュニティ形成への影響についてほぼ同様の基準を立て、一時的、もしくは個別的な影響について人的協力・ネットワークの活性化という指標・基準を使う。しかし、人的協力・ネットワークという指標をわざわざ立てる必要性がないことから、本書では提案力・行動力の向上、ネットワークの広がりを指標・基準とした。
- ★2　新潟市文化観光・スポーツ部観光政策課『水と土の芸術祭2009総括報告書』、2010年，1ページ．
- ★3　新潟市の人口、合併に関する記述は、「新潟市合併のあゆみ」（新潟市，2018年，http://www.city.niigata.lg.jp/smph/shisei/gaiyo/gaikaku/gappeisiryoukan/index.html（参照2019年5月1日）による。
- ★4　『水と土の新潟　泥に沈んだ美術館』（橋本啓子，アミックス，2012年57ページ）の次の記述による。柏崎市を震源とする中越沖地震が発生し、柏崎刈羽原子力発電所で火災が発生した映像が全国に流れた。（中略）「新潟は危ないから行かん方がいいよと、企業立地含め政令市移行で見込んでいた効果が全部吹っ飛んだ」（市長）「海水浴場さえ誰もいないよ、という雑談の中で北川さんから『新潟でも芸術祭をやれますよ』と提案された」という。
- ★5　橋本、前掲書．
- ★6　五十嵐政人「みずつち2009から2012へ　開催までの経緯と考え方」、2013年．http://mizu-tsuchi-archive.jp/2012/wp-content/uploads/2013/04/154-155.pdf（参照2019年5月1日）．
- ★7　五十嵐政人、前掲資料．
- ★8　新潟市文化観光・スポーツ部観光政策課、前掲報告書、32-33ページ．
- ★9　日本経済新聞「新潟市長に篠田氏3選」（2010年11月15日）、2010年．
- ★10　五十嵐政人、前掲資料．
- ★11　新潟市水と土の芸術祭推進課「水と土の芸術祭2012構想（案）」2011年．
- ★12　五十嵐政人、前掲資料．
- ★13　新潟市文化観光・スポーツ部水と土の文化推進課『水と土の芸術祭2012総括報告書』、2013年，14ページ．
- ★14　新潟市文化観光・スポーツ部水と土の文化推進課、前掲報告書、2013年，17ページ．
- ★15　新潟市議会「平成26年新潟市議会2月定例会本会議録」（3月17日；3月20日）、2014年．
- ★16　新潟日報社、「［2014新潟市長選］BRT撤回、水土中止　吉田氏が公約　中小企業振興に力」『新潟日報』（2014年9月6日朝刊）、2014年a，2総-12版2ページ；［2014新潟市長選］斎藤氏が公約　連接バスや「水土」中止　情報公開を推進」『新潟日報』（2014年9月25日朝刊）、2014年b，2総-12版、2ページ．
- ★17　新潟日報社「［2014新潟市長選　政策を聞く］4　イベント・文化」『新潟日報』（2014年11月5日

朝刊），2014年，4総-10版4ページ．

★18　朝日新聞社「新潟市長選篠田氏4選」『朝日新聞』2014年11月10日夕刊，2014年，4版2ページ．

★19　水と土の芸術祭実行委員会『水と土の芸術祭2015総括報告書』2016年，27ページ．

★20　水と土の芸術祭実行委員会，前掲報告書，2016年，32-33ページ．

★21　水と土の芸術祭「水と土の芸術祭2018骨子（案）に対する市民意見募集／ニュース（2016年9月26日），2016年，http://2018.mizu-tsuchi.jp/news/detail.php?id=183（参照2019年5月1日）．

★22　新潟市議会「平成28年新潟市議会12月定例会会議録」（12月22日），2016年．

★23　水と土の芸術祭「水と土の芸術祭2018実行委員会総会を開催しました／ニュース（2017年5月23日）」，2017年，http://2018.mizu-tsuchi.jp/news/detail.php?id=299（参照2019年5月1日）．

★24　新潟市文化観光・スポーツ部文化政策課『新潟市文化創造都市ビジョン』2012年，36ページ．

★25　新潟日報社「市民プロジェクト、計画下回る85件 新潟「水と土の芸術祭」『新潟日報』（2018年3月20日），2018年．

★26　新潟日報社，前掲記事，2018年．

★27　新潟日報社，前掲記事，2018年．

★28　水と土の芸術祭実行委員会「『水と土の芸術祭2018』市民プロジェクト募集要項」，2018年．

★29　水と土の芸術祭2018実行委員会『水と土の芸術祭実施計画（案）』（平成30年7月6日），2018年，64ページ．

★30　水と土の芸術祭実行委員会，前掲資料，2018年．

★31　『水と土の芸術祭2012総括報告書』に、「前回は「地域プロジェクト」の名称で実施」（新潟市文化観光・スポーツ部水と土の文化推進課，2013年，6ページ）と記載されている。

★32　2015年10月12日小川弘幸（水と土の芸術祭2015総合ディレクター；当時）へのインタビュー。

★33　2015年9月21日，10月13日五十嵐政人（新潟市中央公民館長；当時）へのインタビュー。

★34　本段落に関する記述は、『小須戸町並み巡りマップ』（小須戸小学校区コミュニティ協議会，2008年）；「小須戸縞展（ちらし）」（小須戸小学校区コミュニティ協議会，2013年）の記載を要約したものである。

★35　当該文に関する記述は、『小須戸町並み巡りマップ』（小須戸小学校区コミュニティ協議会，2008年）の記載の一部を要約した。

★36　新潟市「小須戸（新潟市秋葉区）／総合情報誌「日本海政令市 新潟」第10号，2013年．

★37　新潟市秋葉区役所地域課「秋葉区の歴史」，2012年，https://www.city.niigata.lg.jp/akiha/about/rekishi/history.html（参照2019年5月1日）．

★38　新潟市「平成31年住民基本台帳人口（毎月末日現在）町名別」（参照2019年5月1日）．

★39　本段落のここまでの記述は、2015年10月12日村井豊（小須戸コミュニティ協議会事務局長）へのインタビュー。

★40　小須戸まち育て支援協議会；寺尾仁・村井豊共編『小さな町こそ輝る―小須戸まち育て奮闘記』新潟日報事業社，2010年，31ページ．

★41　小須戸まち育て支援協議会ほか，前掲書，36ページ．

★42　小須戸まち育て支援協議会ほか，前掲書，36ページ．

★43　ここまでの「まち育て支援事業」に取り組みに関する記述は、『小さな町こそ輝る―小須戸まち育て奮闘記』（小須戸まち育て支援協議会ほか，前掲書，10-11ページ；30-33ページ；44ページ）の記載を要約した。

★44　当該文について2015年10月12日村井へのインタビュー。

★45　当該文について2015年10月11日相馬真紀子（小須戸コミュニティ協議会事務局員）へのインタビュー。

★46　小須戸町並み景観まちづくり研究会に関する記述は、2015年10月12日村井へのインタビュー。

★47 まちづくり研究会発足の経緯に関する記述は、「町屋の風情残したい 秋葉区小須戸」『新潟日報』（2008年2月14日朝刊）（新潟日報社，2008年，ブロック1，17ページ）の記事の一部を要約した。

★48 小須戸まち育て支援協議会ほか，前掲書，103-104ページ.

★49 コミュニティ協議会設立に関する記述は、2015年10月12日村井へのインタビュー。

★50 新聞報道に関する記述は、『小須戸まち育て奮闘記 小さな町こそ輝る』（前掲書，2010年，103-104ページ）の記載を要約した。

★51 小須戸まち育て支援協議会ほか，前掲書，103-104ページ.

★52 本段落のここまでの記述は、2015年10月12日村井へのインタビュー。

★53 2015年10月11日石田高浩（薩摩屋企画委員会委員／アートコーディネーター）へのインタビュー。

★54 小須戸町並み景観まちづくり研究会「活動紹介」，2012年，http://kosudomachinami.web.fc2.com/（参照2019年5月1日）.

★55 本段落のここまでの記述は、2015年10月12日村井へのインタビュー。

★56 小須戸コミュニティ協議会「町屋ギャラリー薩摩屋」，2018年，http://satsumaya.web.fc2.com/riyou.html（参照2019年5月1日）.

★57 ここまでの秋葉区内の他の文化施設との連携の経緯については、2015年10月11日石田へのインタビューの概要を筆者がまとめたものである。

★58 「水と土の芸術祭2012」で薩摩屋が会場となった経緯については、2015年10月11日石田へのインタビュー。

★59 制作の経緯について、2015年10月11日南条嘉毅（アーティスト）へのインタビュー。

★60 水と土の芸術祭実行委員会『水と土の芸術祭2012 ガイドブック 開港都市にいがた』，2012年，64ページ.

★61 石田が南条に薩摩屋活用を相談した経緯については、2015年10月11日石田へのインタビュー。

★62 アーティスト・イン・レジデンスのアイデアを提案した経緯については、2015年10月11日南条へのインタビュー。

★63 本段落のここまでの記述は2015年10月11日石田へのインタビュー。

★64 当該文について2015年10月12日村井へのインタビュー。

★65 小須戸小学校区コミュニティ協議会「薩摩屋ARTプロジェクト」（ちらし），2013年.

★66 本段落に関する記述は、2015年10月11日石田へのインタビュー結果と2016年5月24日石田からのメールでの回答の概要を筆者がまとめたものである。

★67 2015年10月11日南条へのインタビュー。

★68 本段落に関する記述は、2015年10月12日村井へのインタビュー。

★69 2014年度の展開の経緯に関する記述は、2015年10月11日石田へのインタビュー。

★70 2014年度の公募の経緯・結果については、2015年10月11日南条へのインタビュー。

★71 ここまでの「小須戸ARTプロジェクト2014」の結果等に関する記述は、2015年10月11日石田へのインタビュー結果と2016年5月24日石田からのメールでの回答の概要を筆者がまとめたものである。

★72 2015年10月11日南条へのインタビュー。

★73 当該文について2019年3月2日石田のメールでの回答による。

★74 ここまでの「小須戸ARTプロジェクト2015」の開催経緯やその結果に関する記述は、2015年10月11日石田へのインタビュー結果の概要を筆者がまとめたものである。

★75 当該文について2015年10月11日相馬へのインタビュー。

★76 2016年5月24日石田のメールでの回答による。

★77 2015年10月12日村井へのインタビュー。

★78 当該文について「KOSUDO ART PROJECT 2016」（ちらし）（小須戸コミュニティ協議会，2016年）による。

★79 2016年度の展開に関する記述は、2016年10月10日石田へのインタビュー結果の概要を筆者

がまとめたものである。

★80　2016年10月11日小林みどり（カフェ ゲオルクオーナー）へのインタビュー。

★81　来場者数について2019年3月2日石田のメールでの回答による。

★82　2016年10月10日石田へのインタビュー。

★83　当該文について「KOSUDO ART PROJECT 2016」（ちらし）（小須戸コミュニティ協議会，前掲資料，2016年）による。

★84　2017年9月22日村井へのインタビュー。

★85　2017年9月22日石田へのインタビュー。

★86　2016年10月10日村井へのインタビュー。

★87　2016年10月10日石田へのインタビュー。

★88　小須戸ARTプロジェクト2017の開催に関する記述は、「KOSUDO ART PROJECT 2017」（ちらし）（小須戸コミュニティ協議会，2017年）による。

★89　開催経緯について2017年9月22日石田へのインタビュー。

★90　本段落に関する記述は2017年9月22日石田へのインタビュー。

★91　当該文に関する記述は2017年9月23日筆者の現地視察による。

★92　当該文に関する記述は、2017年9月23日筆者の現地視察による。

★93　当該文について2017年9月22日村井へのインタビュー。

★94　ここまでの都築の作品紹介については、2017年9月23日筆者の現地視察による。

★95　2017年9月23日都築崇広（アーティスト）へのインタビュー。

★96　当該文について、「KOSUDO ART PROJECT 2017」（ちらし）（小須戸コミュニティ協議会，2017年）による。

★97　2017年9月22日小林へのインタビュー。

★98　本段落のここまでの記述は、「KOSUDO ART PROJECT 2017」（ちらし）（小須戸コミュニティ協議会，前掲資料，2017年．）による。

★99　トークイベントに関する記述は、2017年9月23日筆者の現地での見聞による。

★100　ARTABLE・新潟市「現代アートと演劇をツールとしてコミュニティオーガナイザーを育てる学校」（ちらし），2016年．

★101　当該文について2016年5月25日本間智美（市民サポーターズ会議代表／水と土の芸術祭2015実行委員会副実行委員長：当時）へのインタビュー。

★102　本間智美（建築家）の活動に関する記述は、2019年5月7日本間にメールで確認した。

第4章

いちはらアート×ミックス

千葉県市原市

内田・月崎・養老渓谷

ICHIHARA
ART×MIX

1. 長者町・莇平・小須戸の整理

　第1章から第3章で、「あいちトリエンナーレ　長者町地区」「大地の芸術祭　莇平集落」「水と土の芸術祭　小須戸ARTプロジェクト」の3つの事例を取り上げ、個別の会場、プロジェクトごとに芸術祭が地域コミュニティ形成に影響を与えるのか、その具体的プロセスを明らかにしてきた。

　改めて整理すると、長者町地区と莇平集落では、参加・協働型で、かつ作品に自発性への働きかけやコミットがあったことで、長者町地区では2010年以降、莇平集落では2003年以降それぞれに自発的活動が継続された。のみならず、長者町地区では、事務局の自主企画を促す仕組みやコーディネーター的存在が多数いたことで、まちづくりでは巻き込めなかった無関心層への広がりが継続したことが特徴となっている。また、理論面では、長者町では約10年間のまちづくりで橋渡し型ソーシャルキャピタルが形成

表4-1　長者町・莇平・小須戸の整理

	あいちトリエンナーレ 長者町地区	大地の芸術祭 莇平集落	水と土の芸術祭 小須戸 ART プロジェクト
プロセス・特徴	・約10年間のまちづくりの取り組みで橋渡し型ソーシャルキャピタル形成 ・参加・協働型作品、かつ事業者らの自発性への働きかけを契機にアート活動を継続 ・参加・協働型作品による一時的関与や事務局の自主企画を促す仕組みにより、無関心層や若者らが参加 ・多数のコーディネーターの存在、なかでもリーダーがまちにアートが必要と確信をもっていること	・高齢化・過疎化で結束型ソーシャルキャピタルが弱体 ・参加・協働型作品、かつ住民への自発的活動の継続・交流を促す仕掛け ・アーティスト、若者らと集落との交流 ・コーディネーター的資質を有する複数のリーダーの存在	・2003年以降の中間支援組織によるまちづくり、町並み景観によるまちづくりなどとの顕著な結びつき ・サイトスペシフィック型作品による地域資源の発見 ・アーティストと住民の交流 ・コーディネーターの存在 ・継続的な補助金の仕組み
結果	・2010年以降地域主体のアートイベント等実施（自発的活動の継続） ・まちづくりへの無関心層を巻き込み、参加の広がりが継続する。	・2003年以降アーティスト主導とはいえ、地域も相互に影響を与え合いながら集落の行事を復活（自発的活動の継続）	・2013年以降地域の自治組織がアートプロジェクトを展開 ・商店街への理解の広がり ・誇りの回復、町屋活用、観光客誘致につながろうとしている。
分析	橋渡し型ソーシャルキャピタルのプロアクティブ化	結束型にとどまらない外に開かれたソーシャルキャピタル形成	提案力・行動力の一時的な向上、ネットワークの個別的な広がり

されつつも課題を抱えていたところ、芸術祭により活性化されたことから、ソーシャルキャピタルがプロアクティブ化した。それに対して、莇平集落では結束型ソーシャルキャピタルが弱体化していたところ、アーティストらとの交流などにより、結束型にとどまらない外に開かれたソーシャルキャピタルが形成された。

　一方、小須戸ARTプロジェクトは、芸術祭をきっかけに2013年以降自治組織主体で展開していく。サイトスペシフィック型作品に、アーティストと住民の交流を組み合わせたことが特徴で、商店街への理解の広がりとともに、まちの魅力を発見し、町屋の利活用、まちの人たちの誇りの回復などにつながろうとしている。理論面では、今後ソーシャルキャピタルが形成される余地はあるものの、2017年の調査時点では提案力・行動力が一時的に向上、ネットワークが個別的に広がったにとどまる。

　以上をまとめると、3つの事例からはいずれも芸術祭によって地域コミュニティ形成に影響を与えられることを確認できた。そして、長者町と莇平の事例では、参加・協働型、かつ作品に自発性へのコミットがみられたことでソーシャルキャピタル形成への寄与が分析された。一方、小須戸の事例では、サイトスペシフィック型作品に住民の交流を組み合わせたことで、一時的な提案力・行動力の向上、個別的なネットワークの広がりがみられ、町屋の利活用やまちの人たちの誇りの回復などにつながろうとしている（表4-1）。

　第1章から前3章までは、参加・協働型かサイトスペシフィック型か、自発性へのコミットがあるのか、住民との交流が企図されているのか、いわば、作品の性格やアーティストの側から地域コミュニティ形成への影響を見てきた。それに対して、第4章では、地域側の取り組みが芸術祭による地域コミュニティ形成に影響を与えるのかという視点で掘り下げていきたい。すなわち、1）既存の拠点（地域づくり）連携・発展型　2）作品展示継続型　3）新たな拠点形成型の3つである。詳しくは後述していく。

2. いちはらアート×ミックスと地域コミュニティ形成

過疎地・地方型芸術祭の系譜

　過疎地を主な舞台にした芸術祭としては、北川フラムが総合ディレクターとして大地の芸術祭を2000年から内外で初めて展開した。その10年後に、福武總一郎（直島福武美術館財団〈当時〉理事長）が総合プロデューサー、北川が総合ディレクターとなり、瀬戸内国際芸術祭を2010年から開催する[1]。その経緯を次に説明しておく。

　株式会社ベネッセホールディングスと財団法人直島福武美術館財団（当時）は、1992年にベネッセハウスミュージアムを直島に開館したのを手始めに、直島・豊島・犬島・女木島の島々でアート活動を展開する。それが「ベネッセアートサイト直島」である[2]。その一方、「香川県では、古くからイサム・ノグチや丹下健三など優れたアーティスト・建築家を受け入れてきた地域の蓄積を活かそうと、2003年から『アートツーリズム』を推進する取り組みを始めていた。アートによる地域活性化の方策を探る中、2004年に香川県の若手職員グループが、島々を舞台にした国際芸術祭の開催を知事に提言」[3]する。その職員らと、「全国都市再生モデル事業」に応募した直島福武美術館財団が、「瀬戸内アートネットワーク調査」というプランをともにつくり上げることになる。こうした動きが源流としてあるなか、直接のきっかけとなったのが、大地の芸術祭総合プロデューサーを2006年の第3回から引き受けていた福武が、同年秋に北川に芸術祭開催の協力を求めたことだ。これらの積み重ねの結果、2010年に初回の瀬戸内国際芸術祭が開催される[4]。

本章の目的

　こうした大地の芸術祭や瀬戸内国際芸術祭による地域活性化の事例を聞きつけ、市南部の過疎化を課題とした市原市が、北川を招聘し、開催したのが、いちはらアート×ミックスである[5]（その経緯は、3.で詳述）。

　「市原市は、北部は臨海部の工業地帯で働く人々も多く住み首都圏通勤者のベッドタウンとなっている一方、南部の農村地帯では人口減少に伴う学校の統廃合などが起こり、過疎高齢化の進行が課題となってい」[6]た。これ

らの課題を解決すべく地域課題解決型を正面から謳ったことに特色があり、そうした点で、アートプロジェクト的性格を有する（序章4.参照）。解決する地域課題としては、「廃校活用／小湊鐵道・乗り物の活用／豊かな自然と食／アーティストの長期的な活動や異業種からの多様な人々の参加」の4つを掲げる[7]。なかでも、「将来有望な40歳前後のアーティストで、地域の方々を巻き込みながら、長期にわたり市原の活性化にかかわ」（後述）[8]ることが企図された点が、新たな試みだった。これまで計2回開催されたが、こうした地域課題解決の道筋はつけられたのだろうか。

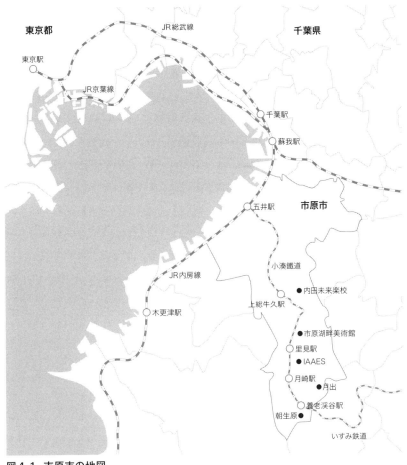

図4-1　市原市の地図

いちはらアート×ミックス2014（以下2014）といちはらアート×ミックス2017（以下2017）では、市南部の上総牛久・内田エリア、高滝エリア、里美・飯給エリア、月出エリア、月崎エリア、白鳥エリア、養老渓谷エリアの7つを展示会場とする（図4-1）★9。そのうち、芸術祭により住民の意識や地域活動に変化が見られる内田・月崎・養老渓谷の3地区を事例に、地域コミュニティ形成への影響について、地域側の取り組みに焦点をあて定性的に分析していきたい。

研究の方法

　行政資料・新聞・団体資料等を含む文献調査と、関係者への聞き取り調査をもとに定性的分析を行う。調査技法は、半構造化インタビューを採用した。なお、本章では、研究倫理の観点からより研究手続きの適正に配慮したことで、調査方法を変更した★10。1つには、インタビューにあたっては、1）研究目的　2）研究手続きの概要（調査時間・調査の同意・録音の了解等）　3）研究結果公表（学術雑誌等に公表する場合の事前同意等）等調査対象者に、明確に説明を行った。説明に当たり、口頭でなく書面を用いた点が、これまでと異なる。2つには、氏名を明らかにする場合は、必ず本人の同意をえることをこれまでもしてきたが、プライバシー保護の観点から、調査対象者の個人名は、公人を除きA、B、C等の匿名を原則とした点が、これまでと異なる。3つには、調査結果を記した本文の注の内容については、調査日・場所のみを明記していたが、調査日時・時間・場所、概略的な質問項目の内容を明記した。

　調査対象者の選定理由を説明しておくと、行政が主催者なので、行政の芸術祭担当者（管理職）Aと、芸術祭を俯瞰する立場の行政幹部（当時）Bを調査対象とした。くわえて、いちはらアート×ミックス開催に協力するのが地域活動団体と小湊鐵道であることから（3.後述）、市南部の地域活動の中心的存在の1人である深山康彦と、小湊鐵道の幹部Cを調査対象とした。また、地域コミュニティ形成への影響については、調査対象とした3地区をつぶさに観察していくため、3地区のキーパーソンと関係者、アーティスト、サポーターを調査対象者とした。3地区以外に補足的に言及した月出は、

行政担当者を除いてアーティストのみである。開催経緯・効果等全体、3地区、3地区以外に調査対象者を整理すると、表4-2のとおりである。

　調査は、3地区の地域活動のキーパーソンを中心としたインタビューにもとづくものとなっている。行政資料・新聞・会報・団体資料等客観的資料で補いながら、全体4名、内田8名、月崎7名、養老渓谷4名、月出2名の延べ25名（実人数19名）を調査対象とし、地域団体関係者はもちろん、行政、民間企業、サポーター等多様かつ多角的な視点を取り入れることで、調査の客観性・網羅性への配慮を行った。

　地域コミュニティ形成への影響についての分析指標は、まちづくり、社会疫学等で、ソーシャルキャピタルが用いられることが少なくない[11]。本書では、ソーシャルキャピタルの要件としておおよそ10年間の継続性と地域全体への広がりを必要と解している（第1章2.参照）。そうだとすれば、開催から

表4-2　調査対象者の整理

全体	行政	担当者（管理職）	A	4名
		幹部	B	
	民間企業	幹部	C	
	地域団体	中心的存在	深山康彦	
3地区（調査対象）	内田	キーパーソン	小出和茂	8名
		朝市参加者	D, E	
		イベント企画者	F, G	
		アーティスト	キジマ真紀	
		サポーター	H	
		行政担当者	A	
	月崎	キーパーソン	田村孝之	7名
			鈴木恒雄	
		地域の参加者	I	
		アーティスト	木村崇人	
		サポーター	H	
		民間企業幹部	C	
		行政担当者	A	
	養老渓谷	キーパーソン	J	4名
		地域の参加者	K	
		JA担当者	L	
		行政担当者	A	
3地区以外	月出	アーティスト	岩間賢	2名
		行政担当者	A	
計（延べ）				25名
計（実質）				19名

数か年で芸術祭によりソーシャルキャピタル形成への寄与が見られるためには、既存の地域活動ですでにソーシャルキャピタルが形成され、かつその地域活動と芸術祭に結びつきが見られる等特段の事情が必要と考えられる★12。ところが、いちはらアート×ミックスでは、そうした事情が顕著には見られない。したがって、本章では、一時的、もしくは場所が限定された住民の意識や地域活動への影響を後述の指標で捉えていく。そして、継続的かつ、地域（もしくは共同体）全体での住民の意識や地域活動への影響については、ソーシャルキャピタル形成の可能性を検討する。

　両者の具体的基準は次のように考える。

　ソーシャルキャピタルについては、前章までと同様に、基準を形成の有無とし、具体的には ①信頼 ②規範 ③ネットワーク ④自発的な協力 ⑤地域全体への広がり ⑥継続性とする。①〜④については、信頼・規範・ネットワークに裏打ちされた自発的な協力があるか否かという観点から分析する。

　一方、一時的、もしくは個別的な影響については、ソーシャルキャピタルの前記要件や地域コミュニティ形成の定義（序章1.参照）を勘案し、提案力・行動力、ネットワークを評価指標とする。そして、評価基準は、前者は向上、後者は広がりである。いずれについても、個別的な影響でも足りるので、特定の仲間やグループでもよい。

　以上をまとめると、地域コミュニティ形成への影響について、一時的、もしくは個別的な変化と継続的、かつ地域に広がりがある変化にわけ分析を行う。前者は提案力・行動力の向上、ネットワークの広がりを、後者はソーシャルキャピタルの形成を評価指標・基準とする（表4-3）。

表4-3 評価指標・基準

	指標	基準	
一時的、もしくは個別的な変化	提案力・行動力	向上	
	ネットワーク	広がり	
継続的、かつ地域全体に広がりがある変化	ソーシャルキャピタル	形成	①信頼 ②規範 ③ネットワーク ④自発的な協力 ⑤地域全体への広がり ⑥継続性

3. いちはらアート×ミックスの開催経緯

　いちはらアート×ミックスによる地域コミュニティ形成への影響を見る前に、地域活動団体や小湊鐵道の関わりや、地域づくりがそもそも開催目的とされているのか、その開催経緯を見ておきたい。

市原市の概要

　1967年市原市と旧南総町、旧加茂村が合併し、現在の市原市の姿となった[★13]。当時の人口は約12万人で、2018年4月現在は約28万人である。市北部は、「昭和32年（1967年）から臨海部は埋め立て造成が行われ、わが国有数の工業地帯となり」[★14]、高度経済成長期に人口が急増した[★15]。一方で、市南部に位置する南総地区（旧南総町）・加茂地区（旧加茂村）には、「緩やかな丘陵や山間地があり」[★16]、「里山や緑豊かな自然が残ってい」[★17]る。人口減少に伴う学校の統廃合などが起こり、過疎化、高齢化が課題となる[★18]。

いちはらアート×ミックスの開催経緯
（1）いちはらアート×ミックス2014

　2005年3月市原市は改訂版市原市総合計画を策定し[★19]、「南部地域を観光交流ゾーンとして位置づけ、観光の観点から地域の活性化に取り組」[★20]む。そうしたなか、深山康彦（文具店代表／南いちはら応援団メンバー）らが中心になり、2007年から「南市原ギャラリーマップ」を年2回発行し[★21]、市南部の公・私設併せ10ギャラリーを取り上げる[★22]。市は、「このような動きを背景に、南部地域の活性化のため、地域活動とアートを結びつけた新たなまちづくりを検討」した[★23]。市のX（商業観光課管理職：当時）はもともと美術館巡りが好きだったという。Xと深山に、芸術祭による地域活性化の事例を紹介したのが、水と彫刻の丘美術館（当時）の嘱託館長のYだった。Yは元小学校の美術教員で、大地の芸術祭やその総合ディレクターを務める北川に関心をもっていた[★24]。

　2009年8月には、経済部職員有志が大地の芸術祭の視察を行い[★25]、Y

も同行した★26。10月19日には経済部が北川と初顔合わせをする。同月30日に北川は市原市を訪問し、南部地域を視察する★27。水と彫刻の丘美術館の改修計画があることが、北川が市原市と芸術祭で組む1つの決め手になった。北川らが美術館の改修にも関与し、芸術祭の基幹施設として活用していく青写真が描かれたのだ。

こうして、行政職員と民間が連携しながら、佐久間隆義市長（当時）に芸術祭開催の提案を行う。市長は、そもそも芸術文化に関心があり、「すぐやろう」となった。また、市南部は地域活動が盛んで、小湊鐵道の沿線でほぼ駅ごとに環境活動を行い、後述の月崎安由美会を始め16団体で、南市原里山連合が作られていた。彼らの協力が取り付けられたことも原動力となる★28。

2011年11月末から12日間で、プレイベント「アート漫遊 いちはら」を開催する。のちに2014に関わる5組の現代アーティストが参加した。いわのあいだ（岩間賢・トンデ空静・大島公司）、木村崇人、長谷川仁、EAT＆ART TARO、KOSUGE1-16で★29、前記地域活動団体に割り振るような形で展開した★30。こうした地域活動団体との協働は、その後もいちはらアート×ミックスの大きな特徴として踏襲される。

2012年1月には市原市アートフェスティバル基本計画が策定され★31、次のようなコンセプトで、芸術祭の名称がいちはらアート×ミックスに決まった。

多様な要素が混在する市原においてアートを媒介とした協働により多様な人々が交流・交感する「首都圏のオアシス」としての市原を広く発信し、さらなる50年に向けた地域づくりの展望を切り開く★32

その後、コンセプトは、「廃校活用／小湊鐵道・乗り物の活用／豊かな自然と食／アーティストの長期的な活動や異業種からの多様な人々の参加」とブラシュアップされる★33。コンセプトの1つに掲げられた小湊鐵道も「首都圏からいろんなお客さんがきて列車やバスに乗り、見てもらえる。移住してくれる人もいるかもしれない」と、交通計画・広報・作品制作などで全面的に協力した★34。

2013年6月の議会で、芸術祭開催のキーパーソンであり、市幹部（当時）となったXは、芸術祭の開催意義を「地域の課題解決型まちづくりプロジェクトであり、日本の郊外都市の新しい地域づくりのモデルとなる取り組みである」「将来有望な40歳前後のアーティストで、地域の方々を巻き込みながら、長期にわたり市原の活性化にかかわっていただける」[35]と答弁する。2013年8月には、市原湖畔美術館をオープンした[36]。北川が代表を務めるアートフロントギャラリーが指定管理者となって美術館の運営を行うこととした[37]。

　2014が、3月21日から52日間の会期で、市南部を主な会場として前記美術館が基幹施設となり開幕する。プレイベントに参加した40歳前後の若手アーティストらが核となり、13か国66組のアーティストが参加する。市、国の負担がそれぞれ約1.5億円、約1.4億円で、事業収入が約0.6億円である。支出は約4億円である[38]。大地の芸術祭の来場者数等を参考にして、来場者数は目標20万人と試算した[39]。

　ところが、蓋を開けると約8万7,000人だった[40]。主な要因は、「準備期間が足りず、広報宣伝、住民参加が不十分であった」[41]からだ。しかも、来場者のうち市民の割合が24％である[42]。決して多くなかったのは、全国向けのPR重視であったことが理由だという[43]。その結果、「開催に約3億8,000万円を投じたことを疑問視する声が市民や市役所内部からもあがった」[44]。議会からも、「市内の芸術家を初め（ママ）、多くの市民が行政に対する不満を募らせる結果になってしまった」[45]などと言われ、市長の責任を問う声もあった[46]。ただ、議会では開催継続自体に反対する声はなかったという[47]。

（2）いちはらアート×ミックス2017

　2015年6月に市長選が行われる。後継候補の小出譲治が当選した[48]。小出は6月議会で次回開催を示唆する[49]。2015年から2016年にかけ小規模イベント「アートいちはら2015春、秋、2016春」をそれぞれ開催し、2017開催に向け準備を進める[50]。だが、市と北川で幾度も話し合ったものの、開催規模で折り合わない。2016年9月に北川がディレクターを降り

ることで合意した。市としては、財政事情や民意などを勘案し、2回目は3分の1の規模で開催せざるをえないという政治判断だった。市は、北川がディレクターを降りたことを、地元の地域活動団体「南市原里山連合」に報告した。その際、「北川さんがいなくたって、俺たちがやるから」など、団体の多くが市の判断を受け入れたという★51。

　かくして2017は4月8日から5月14日まで開催された。市、国の負担が約8,900万円、約1,100万円で、事業収入が約2,400万円である。支出は前回の3分の1の約1.5億円で、そのうち、作品制作費等を見ると、約2億8,500万円から約5,900万円に減じた。その結果、作家数は66組から31組となる。それでも、木村、岩間、EAT & ART TARO、キジマ真紀など前回の芸術祭や継続イベント等で実績があるアーティストを中心に選定することで、長期に若手アーティストに市原の活性化に関わってもらおうという企図が活かされたものとした。会期は約2週間短縮し37日間とする。来場者数は前回実績約8万7,000人を超えることを目標としたところ、約10万人となる。来場者のうち市民の割合は、前回の24％から40.6％に増加した★52。

表4-4　いちはらアート×ミックス2014と2017の決算、来場者数等の比較

	作家数	決算		来場者数		市民の割合
いちはらアート×ミックス2014	66組	支出計	4億円	目標	目標20万人	24%
		内訳	市1.5億円 国1.4億円 事業収入0.6億円	実績	8万7,000人	
いちはらアート×ミックス2017	31組	支出計	1.5億円	目標	前回実績超え	40.6%
		内訳	市8,900万円 国1,100万円 事業収入2,400万円	実績	10万人	

表4-5　各芸術祭の来場者のうち市民が占める割合

	過疎地・地方型			大都市・広域中心都市型	
	いちはらアート×ミックス	大地の芸術祭	奥能登国際芸術祭	あいちトリエンナーレ	水と土の芸術祭
開催年	2017	2015	2017	2016	2015
開催地の市民（県民・町民）が占める割合	市内40.6% （24%：2014）	十日町市、津南町計10%	市内14%	県内36% 名古屋市内30%	市内56%

来場者数、市民参加の点で見ると、健闘した結果となった（表4-4）。

　ちなみに、第1章から第5章まででとりあげる芸術祭の来場者のなかで開催地の市民（県民・町民）が占める割合をまとめたのが表4-5である[53]。同じく過疎地を開催地とする芸術祭である大地の芸術祭や奥能登国際芸術祭に比べると、いちはらアート×ミックスは、2014、2017を通して市民の割合が相当高い。それでも、特に初回開催時に市民らの反発が起きた。芸術祭を開催した南部では、高齢化・過疎化の課題を抱える一方、北部は、工業地帯で多くの人が住み、いわば関東の典型的な郊外都市としての顔をもつ。こうした市原市の事情を汲んだ戦略が求められているのだろう。

4. 地域コミュニティ形成への影響

　3.で記したとおり、いちはらアート×ミックスが計2回開催されたが、本章の目的に照らして、地域コミュニティ形成への影響に着目していきたい。7つに分かれる開催エリアで、南総地区（旧南総町）は内田に、加茂地区（旧加茂村）は、高滝、里見、月出、月崎、白鳥、養老渓谷に展示エリアが点在する[54]。そのなかで、いちはらアート×ミックスにより住民の意識や地域活動への影響が比較的顕著に見られる内田・月崎・養老渓谷の3地区を取り上げ、地区ごとに分析を行う。

▶ 4.1. 内田
　1つ目に、南総地区で、2017で唯一作品が展示されたのが内田である[55]。ちなみに、南総地区は、旧町村の区割りに対応し、牛久・鶴舞・戸田・内田・平三（へいさん）の5つからなる[56]。

4.1.1. 取り組み
　2019年4月末現在、内田は13町会からなり、1,127世帯2,623人が住む[57]。1914年、かつての陣屋に、「これからの時代は教育だ」との地域の思いのもと内田小学校が町の1つである宿（しゅく）に設立された。子どもが増え、1928年には大校舎の裏手に現存する校舎を建て増しした。1950年代半ば

には300名近くの子どもが学んだという。その後、子どもの数が減り、1965年には内田中学校が牛久中学校と合併し場所を変えた。それに伴い、同小学校が内田中学校跡に移転する。校舎は民間に売却されモーター工場となったが、1969年火災で大校舎は消失した。残った1棟が工務店の作業場として使われていたが、廃業により2012年末に売りに出された。

それがきっかけとなり、「先人たちが思いを込めた校舎がここまで残った。そうした思いを次に伝えたい」と同小学校の卒業生ら7名が話し合う。中心メンバーが元市職員の小出和茂である。土地所有者と交渉し、1,300万円だった価格も900万円まで下げてもらう。自分たちで資金を調達し、5年間で返済する契約で買い取ることを決めた。

2013年5月には、卒業生を中心に約40名が集まり、報徳の会を立ち上げた★58。報徳と名付けたのは、二宮尊徳の報徳の教えに倣い、内田でも勤労奉仕や資材提供等で地域住民が学校の整備を行ってきた歴史があるからだ★59。学校には内田未来楽校という名前を付けた。まずは月1回程度イベントを始める。「地域の足元を見て、何があるだろう。都会の人から見れば何もないのがいいんだ。足元を見直そう」と、「めだかの学校」や史跡見学会などを開催していく。

そうしたところに、いちはらアート×ミックスの開催が決まり、廃校活用が謳われた。市内で現存する木造校舎はここしかない。市から「会場にしたい」と声がかかった。会としても「学校の名前がでて、知名度があがれば関わってくれる人が増える」との期待もあり、芸術祭に関わることとした。2014では、大成哲雄が《内田百鬼夜行》を、瀧澤潔が《内田のためのインスタレーション—赤、黄、青、白、緑、桃の調和》をそれぞれ展示した。前者は「地区で使われなくなったものを集め、(中略)忘れられた『もの』たちが妖怪(付喪神)と化し行進するさまを現代絵巻物として表現した」★60。後者は、「ワイヤーハンガーによるハンガーウォールと樹脂で固めた古着のTシャツのランプシェードによるインスタレーション」★61である。瀧澤は1月から泊まり込みで滞在し、地域と親交を深める。「校舎正面の雨除けを支える鉄骨を黄色に塗った方が良い」「来場者へのおもてなしとしてのカフェコーナーを設けた方が良い」などアーティストならではのアドバイスが役立ったという。累計

入場者数は6,299人（1日当たり121人）である[62]。

　また、おもてなしとして校舎の一部を使い、会期中カフェをオープンし、200万円の売り上げがあった。好評だったので、芸術祭閉幕後もカフェを継続し、第3土日に店を開けた。障害者支援施設「第2クローバー学園」がパン・クッキー等を提供し、売り上げの10％を寄付してもらう。ただ、カフェだけでは人が集まらない。自分たちだけでイベントを開催してきたが、企画力の限界もあった。そこで、企画自体を募る「おもしろ展示会」を2015年3月から併催した。そうすると、「ここだと趣味を気軽に展示できる」と使う人がいたり、30代、40代の地区外の女性作家グループが、イベントで不定期に利用したりした。

　2015年6月からは、新たな資金確保として毎週3日間「内田の友 朝市」を始める。地域で野菜をつくっているが、自家消費だと野菜が余ることに目をつけたのだ。出店者は地区の高齢者らを中心に10名くらいで、毎回20名程度の買い物客が来る[63]。売り上げの10％の協力金収入が入る仕組みで資金確保が目的だが、それ以上に副次的な効果が生じている。Eは、「1日おきに朝市に気楽に来て、コミュニティみたいな雑談をする機会があるのがよい。それがストレス解消になる」[64]という。小出も「そこに関わってくれた地域の人たちが野菜づくりに意欲がでて、自分が地域に貢献しているという自己肯定につながり、さらにコミュニティが復活する。小さな波紋が地域に広がるのが大事だ」と話す[65]。

　こうして地域の拠点としての活動が軌道に乗るなかで、2017が開催され、再度会場となることが決まった。作家が2014後の継続イベントで関わっていたキジマである[66]。内田未来楽校の話を聞く中で、「地域の交流の場として大事にされている場所なので、皆でつくったものを形にしたい」「市原を訪れた際、蝶々が飛ぶ景色によく遭遇した。昔から『再生の象徴』と言い伝えられている蝶々は、今回の展示のモチーフとしてぴったりだ」と、彼女は《蝶々と内田のものがたり》の展示を構想する。「蝶々づくりの活動を通して、内田の活動を地域の他の人にも知ってもらいたい」と、千羽鶴になぞらえ1,000頭を制作する目標を立てる。会期前年の5月から、毎月ワークショップを開催し、家に眠っている布を使い、幅約20センチの蝶々を制作する。

写真4-1 キジマ真紀《蝶々と内田のものがたり》(2017) 内田未来楽校

その結果、市内外の中学生や地域の人たちから約1,300頭の蝶々が集まった。それを教室いっぱいに展示した（写真4-1）[67]。2月には、こうした展示作業を「菜の花プレーヤーズ」[68]のサポーターが手伝う[69]。累計入場者数は5,632人（1日当たり152人）である[70]。カフェは「内田未来カフェ」として展示作品の1つに位置づけられ、今回は250万円の売り上げがあった。

　一方で、先に紹介した女性作家グループのイベントが発展し、2017年秋には、「伊丹陣屋」を2日間開催し約800人の集客がある。市原市在住の女性作家F、Gが中心となり、木造校舎と調和し、魅力的で個性あふれる千葉県内の人気あるつくり手に声がけをし、古道具屋、雑貨、お花、飲食など約20店が出店した[71]。内田未来楽校はかつて伊丹氏の陣屋があり、この界隈に商店が集まっていたことから、その賑わいを再現したのだ[72]。2018年春には、出店者を2倍に増やし、Gは企画に専念する[73]。「伊丹陣屋」と「アートいちはら2018春」[74]と組み合わせ、「伊丹陣屋」の2日間で約1,500人、4日間の会期中計約2,000人を集めた。「伊丹陣屋」を「アートいちはら2018春」の一企画として組み込み、賑わいの相乗効果をもたらした。また、

写真4-2 「伊丹陣屋＆アートいちはら 2018秋」（2018）内田未来楽校

彼女たちが加わることで、「内田未来楽校があか抜けた」という評価を地域から生む。Ｆは、「建物の雰囲気や出店条件がよいこともあるが、すてきな人間関係があるのが魅力で、長く続けたい」[75]と話す（写真4-2）。

　2018年1月にはNPO法人報徳の会・内田未来楽校が立ち上がる[76]。同月これまでの取り組みが、地方新聞46紙と共同通信が設けた地域再生大賞優秀賞を受賞する[77]。市担当者のＡは、「内田は常に進化し続けていて、市が引っ張られている。春のイベントでも楽しそうな会場となり、内田は地域活性のモデルになっている。芸術祭による住民の主体的な取り組みでは、報徳の会が一番だ」[78]と話す。

　報徳の会の現在会員数は約50名である。卒業生や地元の人々で多くは60代、70代である。若年層は少数にとどまる。それでも、女性作家がイベントを企画したり、「めだかの学校」などに来てくれる家族連れがリピーターになったりと、支持者が増えつつある。

　小出は、「（楽校がある）宿の町会長さんは理解してくれてやってくれる。（そうした協力を）少しずつ広げていきたい」と話す。芸術祭については、地域

活動に活用していくことを次のように強調する★79。

　芸術祭は花火的なところが多い。大事なのは、開催年と次回開催年までの期間、そこをどう埋めていくか。芸術祭となると作家が入り、観客が足を運んでくれるのは大きい。芸術祭をいかに僕らのものにしていくか、利用できるかだ。

4.1.2. 分析

　ここで内田での地域活動や芸術祭をきっかけとした取り組みについて、提案力・行動力とネットワーク、ソーシャルキャピタルの指標等で分析を行う（2.参照）。

　内田未来楽校を拠点とした地域活動が軸足となっている。おもしろ展示会の開催により30代、40代の女性作家らがイベントを企画し、地区内の住民と地区外の作家が混じり合いながら人と人がつながっている。また、朝市の開催により、野菜づくりに意欲が出て、交流の場ができる。よって、地区外の女性作家らがイベントを企画したり、地区の高齢者らが朝市を開催したり、特定のグループの一時的な提案力・行動力の向上やネットワークの広がりが見られる。それに対して、芸術祭自体は、カフェ運営の継続のきっかけとなったり、アートイベントが女性作家らの取り組みを後押ししたり、報徳の会・内田未来楽校も含む複数の特定のグループの一時的な提案力・行動力の向上に影響した。

　一方で、内田では地区外の住民・アーティストなど外部者との交流が展開されていることから、異質な人や組織の結びつきである橋渡し型ソーシャルキャピタル形成の可能性を検討しておきたい。

　13町会で構成される内田は、約2,700人が住み、人口規模も大きい。報徳の会が発足して5年と若い組織である。町会をはじめとした協力の地区全体への広がりはこれからである。2018年の調査時点（以下現時点）では橋渡し型ソーシャルキャピタル形成には至っていない。そうはいっても、地域活動がネットワークの広がりなどで着実な成果をあげていることから、それに軸足を置きながら、芸術祭やアートイベントをスポット的に活用することで、今後橋渡し型ソーシャルキャピタルが形成される可能性がある。2018

年1月にNPO法人を立ち上げ、今後はより組織的な動きとなり、かつ住民の信頼が高まることが期待される。ただ、芸術祭については、打ち上げ花火的に捉えられ、むしろ、知名度の向上や、資金源の確保など芸術祭を地域活動に活用していくことが強調されている。

▶ 4.2. 月崎

2つ目に、加茂地区白鳥の月崎である。加茂地区でも、旧町村の区割りに対応し、白鳥・富山・高滝・里見の4つに分かれる[80]。白鳥では、月崎・白鳥・養老渓谷[81]が2014に続き2017でも会場となった[82]。そのうち月崎の取り組みについて紹介したい。

4.2.1. 取り組み

月崎は白鳥の町会の1つで、2019年4月末時点で83世帯184人である[83]。月崎で地域活動を担ってきたのが、月崎安由美会である。1993年に米づくりを協働で担う農事組合として4名で発足した。2006年からは地区にある「いちはらクオードの森」の指定管理者となり、約120ヘクタールの森の整備・管理を行う。年末のイルミネーションが恒例行事となっており、毎年1万3,000人が来場する[84]。会員数は2018年12月時点で15名である[85]。

2011年プレイベント「アート漫遊 いちはら」の開催が決まると（3.前述）、アーティスト木村崇人は、この月崎安由美会の協力を得た。木村は「いちはらクオードの森」で「木もれ陽プロジェクト〜星の回廊〜」を開催し、星形ライトを使い地面に星の木もれ陽を出現させた[86]。引き続き2014でも月崎を展示会場に選ぶ。開催前年の10月から月崎駅そばにあった線路保線員の旧詰所小屋で制作に入る。月崎安由美会から山野草などの提供を受けたほか、月崎の地域の人々や、ボランティアの協力を得た[87]。小屋の外観を苔と山野草で覆い、近隣の森にマイクを仕掛け、ライブ音が建物内のラジオで聞くことができるようにする。詰所小屋を森に見立て、人を導く「森ラジオ ステーション」を完成させた[88]。

会期中に3,263名が訪れる[89]。会期終了の少し前に、関わった地域の

方が「是非、残したい」との声をあげた★90。ところが、市に相談するも回答がなく、「壊してしまう」との噂が広まったこともあった★91。閉幕日の翌日「作家さんを労う会」を月崎公民館で開催した。その際、改めて「森ラジオ ステーション」の存続を申し出る★92。それに対して、ようやく市から「責任をもって管理運営することを条件に存続を認める」との回答が示された★93。小湊鐵道も、「芸術祭は3年ごとに開催する。元に戻して廃屋になるより、作品そのものが残るのはよいことだ。月崎駅自体が無人駅で、そこに地元の人たちが出入りしながら、多少なりとも駅がにぎやかになる」★94と賛同した。

リーダー的存在だった芹澤郁夫（故人）を中心に話し合い、芹澤やその妻が植物に長けていたことから自分たちで保守管理ができると判断し、存続が決まった（写真4-3）★95。

木村は、次のように述懐する★96。

誰かこの作品を続けたいという人が現れたらいいなという思いがあり、次の開催までの3年間はもつような素材を使い、地域の人にも関わってもらって制作した。その1人に維持管理することになる芹澤さんという本当によい出会いがあった。

2014年6月29日当初メンバー6名で、発起人会を開催する。名称は木村に相談したところ、「森遊会」と名付けられた★97。「無理をしない。楽しい範囲で関わってほしい」との思いが込められた★98。活動内容は、第3日曜に定例会を開催し、草刈り、建物内の清掃を行う。週に数日トロッコ列車が走るときには、田村孝之会長（小湊鐵道OB）が駅員の1人として常駐し、開館する★99。観光コースに組み込まれ、大型バスで乗りつける光景も見られ、1日300人以上が訪れることもある。桜や菜の花が咲くときは「花祭り」を主催し、観光客に無料で豚汁を振る舞う★100。市も、観光パンフレットに掲載したり、トイレ整備を計画したり、観光資源として活用する★101。2017会期前には、「小湊鐵道から、森遊会が頑張っているから（自転車を置く程度で活用されていなかった）駅舎のスペースを使ってよい」と話があった。それを受けて、森遊会は、駅舎を「きれいにしよう」と白ペンキで塗り直し、新たに会議スペースをつくった★102。まちの活動拠点が自ずとできたのだ。

写真4-3 木村崇人「森ラジオ ステーション」（2018）月崎

　2017が開催されると、森遊会とともにつくってきたことから、木村は「森ラジオ ステーション×森遊会」と会の名前を作品名に加えた★103。来場者数は7,261名で、前回より2倍以上増加した★104。「地元を巻き込み、無償で維持管理しているのは、いちはらアート×ミックスのレガシーである」として、市は2017年度後半から芸術祭の会期以外の作家活動に対して財政支援を行う★105。

　鈴木恒雄事務局長は、芸術祭と地域の関わりについて次のように話す★106。

　よその人と地元のよさをお話ししたり、自分にないものとか、情報だとかお話が聞けたり、非常に楽しい。いろんな人がつながって、交流が深まる。新しいことを受け入れるとか人との交流は、ほかには負けていない。

　メンバーの数は、2017年5月現在約50名に増えた。そのうち月崎町内が16名である。もちろん会員でなくても、町内から手伝いに来てくれる人も少なくない。月崎安由美会のメンバーとも重なる。年齢層は、50歳より上が中心だが、20代、30代のサポーターが加わり、会報発行などを手伝う。

こうしたサポーターの加入をきっかけに、ここ数年は町会以外の会員が増えている[107]。サポーターHは、「サポーターというカテゴライズが生まれることにより、地元の人がよその人を受け入れやすくなった。市北部の人間が南部に行って、地元の人たちと何かをやる。市の南北の交流のきっかけとなっている」と話す。「菜の花プレーヤーズ」が組織として活動を呼びかけるだけでなく、サポーターが個々に地域に手伝いに行くのが月崎の特徴だという[108]。こうしたサポーターが継続して関わっているのは、アーティストが継続的に関わっているからだと考えられる。

　A（市担当者）は、「内田のようにイベントを元気にやるというより、手入れしながら作品を守るという地道な感じで、それを見に来たお客さんと楽しんでいる。若い人も交じって一緒にやっている」[109]という。一方で、近隣から通う男性Iは、「地元の若い人が来てくれるといいが、勤めに（市北部の）五井まで行って（図4-1参照）、夜帰ってくるので、地元に関心がない」[110]とも話す。

4.2.2. 分析

　月崎の取り組みについて分析しておこう。

　作家は作品が設置継続されたらとの思いがあり、一定期間維持・管理できる作品とし、制作の際地域の人に関わってもらっていた。作品制作に協力したのが、地域活動を担う月崎安由美会などである。こうした地域活動と地続きで作品制作の協力が行われたこともあり、地域の人たちが、作品設置の継続のために森遊会を立ち上げる。普段なら知り合えない人との出会いが、意欲の向上をもたらしている。「花祭り」を主催したり、駅舎に新たな拠点をつくったり、地域活動に結びついており、提案力・行動力の一時的な向上が見られる。また、町内会の4分の1程度が会員となり、会員以外でも顔を出す人々が少なくない。よその人を受け入れやすくなり、サポーターを始め他地域の方も加わり、ネットワークの一時的な広がりが見られる。よって、外部との交流で刺激を得ながら、月崎地区全体に広がる形で、芸術祭による提案力・行動力の向上やネットワークの広がりが一時的に認められる。作品制作の設置継続に、植物の世話を始めたとした建物の保守管理、草刈な

ど地域の協力が必要なことが、地域コミュニティ形成につながっているのだ。

　一方で、ソーシャルキャピタルについてみると、月崎は1町会で約200人弱と構成単位や人口規模が小さいこともあり、月崎安由美会が、農作業、自然公園の管理、毎冬のイルミネーション等自発的な地域活動を行う。芸術祭の開催前から、結束型ソーシャルキャピタルが形成されていたと考えられる。一般に結束型ソーシャルキャピタルは、人や組織が同質のため、結束が容易であり自発的活動が促進されやすいのに対して、結束の度合いが強いと地域内外の人たちとの継続的な地域づくりにつながらないことも少なくない（第1章2.参照）。ところが、月崎では、イルミネーション等で観光客を呼び込むことに着眼し、外にも目を向けた地域活動につながっていた。そうした地域活動と地続きで作品制作の協力が行われたからこそ、作品設置の継続に結びついたという側面がある。

　そして、芸術祭をきっかけにアーティスト・ボランティアなど外部者との交流が生まれており、しかも、地区全体に広がる展開をみせている。しかし、活動期間が3年に過ぎないこと、地元の若い人たちを取り込めないとの課題があることから、現時点で橋渡し型のソーシャルキャピタルが形成されたとまではいえない。それでも、地域の人々だけでなく、アーティストはむろん、サポーターや地域外の人を巻き込み、新しいことを受け入れたことで、「人の交流は他地区に負けない」との自負も生まれている。「花祭り」などを主催し、新たな地域の拠点が駅舎につくられた。市も観光資源として活用する。アーティストやサポーターなど異質な人や組織が結び付いた点で、外向きや開放性が高く、内向きの壁を乗り越えて、今後活動が地域により開かれ、橋渡し型ソーシャルキャピタルが形成される余地がある。

▶ 4.3. 養老渓谷

　3つめに、月崎と同じく加茂地区白鳥にある養老渓谷での取り組みを紹介する。

4.3.1. 取り組み

　養老渓谷は県内有数の観光地で、2014、2017で会場が設置されたのが、

写真4-4 「おもいでの家」（2017）養老渓谷

朝生原町会である★111。その町会には、2019年4月末時点で136世帯278人が住む★112。市の観光協会が築100年の古民家を改修し、2010年に「アートハウスあそうばらの谷」（ギャラリー）を開く★113。その建物を利用して、2014では大巻伸嗣（おおまきしんじ）が展示を行う★114。その隣に、レストラン「なっぱすごろく／山覚俵家（さんかくたわらや）」がオープンし、季節のまぜご飯を来場客にふるまった★115。遠山正道はスープ専門店「Soup Stock Tokyo」を全国に展開する。その遠山が主宰するスマイルズ生活価値拡充研究所がプロデュースした★116。現場で働いたのが、市全域から集まったJA市原市女性組織・約20名である。

　ところが、「私たちが食べてるものと、味付けも違う。接客も違うし、田舎のやり方と違うと、皆から不満が出て。次からは自分たちでやらせてもらいたい」となった。彼女らは、「会期が終わっても続けたい」とJA市原市を通じて市に要望を出す★117。議員から「新たな財産をどう生かしていくのか」「効果や課題」を問われるなかで、市としても「空き家を活用したレストラン運営という新たなビジネスモデル」★118と期待した。市は場所を無償提供することで支援した★119。

　春には桜、秋には紅葉と、養老渓谷の美しい景観を目当てにした観光客

で賑わう。2014年11月下旬から期間限定でカフェ「おもいでの家」の営業を開始する[120]。JA市原市白鳥支部と隣の里見支部に声をかけ、約10名が集まる。新たな拠点ができたことで、女性組織のなかで「おもいでの家」という新たなグループ活動を始める。JA市原市は、市内産の食材の調達や供給などのほか、チラシの作成や、市や観光協会との広報の連携等を支援した[121]。

　2015年春には、食事メニュー「山菜の混ぜご飯」を提供し、レストランを開店した[122]。「それまでは、約1時間かかる市原市の町場に本所があるので、地域的なことができなかった。それじゃいけない」と、春だけでなく秋にも店を開けていく。メニューの開発、経理を始め運営をすべて彼女らが担う点が[123]、他の芸術祭に比しても画期的である。

　それ以外でも自分たちが不定期に地域活動をしていくことが定着していく[124]。

　味噌や伝統食の草餅を手づくりするなど、ここを拠点として使っている。昨年（2016年）末は初めての試みで、この拠点がある朝生原の町会に独居老人が多いことから、そういう方たちをお招きして食事を提供した。子どもたちを対象に年間を通して、食を教えてあげたいということで、昨年からJA市原市がキッズファームをやり始めた。その子どもたちを呼んで、12月に交流会をやり、お飾り、太巻きずしをつくった。子どもたちも喜び、「お店で売れるほど素敵だ」と若いお母さんが感激していた。

　キッズファームは2017年度も実施され、市全体の子育て世代の交流に彼女らが一役買う[125]。

　2017でも農家レストラン「おもいでの家」をオープンする（写真4-4）。たけのこ等旬の食材にこだわり、訪れた人の「おもいで」に残るようにと真心を込めた食事を提供した[126]。2018年現在は約20名が関わり、その多くが朝生原に住み、歩いて通う。代表のJは、活動の成果を次のように話す。

　実際はボランティア。地域のために、自分たちのためでもある。お金にはならな

い。仲間意識ができる。最初の芸術祭のときは、地域が参加できなかった。「何やっているの」と言われ、やっている人たちにしかわからなかった。この頃男性がすごく協力してくれる。夫たちが、食材を採りにいってくれたり、庭木の剪定、草刈りとか。それをやることで、男の人も理解してくれるようになった[127]。

JA市原市の職員も、こうした草刈りや簡易な修繕などを手伝うという[128]。

JはメンバーからのＪ信頼も厚い。メンバーの1人Kは、「彼女がやめたらやめるよ。リーダーの性格、やる気。彼女の丈夫な体と、心がある。私たちは、彼女がやっている限りはついていく」[129]と話す。

Jは改めて振り返る[130]。

（北川さんらが）あのまま関わり続けると、言われたことをやるだけ。ただ、芸術祭がきっかけで、その指導があったからそれに倣って私たちもできた。だんだん私たちも成長しまして、お客さんを待たせないで、効率的になった。（北川さんに）関わってもらったことはよかった。もちろん、市原市やJAの方で応援があり、それがないと私たちはできなかった。大事なのは、私たちのやる気です。やる気があるから応援をもらった。

芸術祭開催中は来場者が訪れるほか、地元だけでなく、他県からの来客も増加し、リピーターも多いという。JA市原市の担当者Lは、「（彼女らは、）地域活動はもちろん、JA、地域の時代を担うキッズファームの活動に協力したり、梨・大根・豚肉・自然薯等、地域特産のブランド農畜産物の活用・PRに積極的に取り組み、自らの活動を通じ、地域経済の活性化に貢献したいとの意識が高い」と話す[131]。A（市担当者）は、「内田のように地域づくりの面で進化・脱皮ということはないが、毎年春と秋に食堂を運営してくれて、お客さんも定着して迎えられている。継続が力となっている」[132]という。

4.3.2. 分析

養老渓谷・朝生原について分析する。

2014で北川らが養老渓谷に食の拠点をプロデュースしたことがきっかけ

となった。JA市原市女性組織が食堂を手伝ったことで、閉幕後自分たちで行楽シーズンにレストランをやりたいと立ち上がる。開催年の秋には期間限定でカフェをオープンする。それ以降も春と秋にレストランを開店する。拠点ができたことで、味噌や伝統食をつくるなど地域活動を不定期に開催できるようになった。

2017では、自分たちで農家レストランを運営した。メニューの開発、経理をはじめ全て運営を彼女らが担う点が、他の芸術祭に比して画期的である。リーダーを中心にモチベーションが高く、約20名の特定のグループの提案力・行動力が一時的に向上した。地域にとって適切なタイミングで北川らが離れたことが、地域の自発性を促進した面がある。ほかにも、養老渓谷の展示会場がある朝生原の独居老人を食事会に誘ったり、市全体の子育て世代を巻き込んだりで、ネットワークの広がりも一時的に見られる。よって、特定のグループの提案力・行動力の向上、ネットワークの地区内外への広がりが、それぞれ一時的に認められる。

朝生原は、月崎と同様の小規模で、1町会に約300人が住む。彼女らの取り組みは、JA市原市女性組織の活動にとどまっている点で、結束型ソーシャルキャピタルの性格が濃い。芸術祭をきっかけにした新たな拠点での活動は、リーダーに対する女性らの信頼は厚く、男性の協力も得られるようになっている。しかし、朝生原町会全体でみれば、当該女性組織の活動にとどまり、活動を始めて数か年にしか過ぎない。したがって、現時点で地域全体の橋渡し型ソーシャルキャピタル★133 は形成されていない。運営に関わる女性の多くは朝生原に住むが、現時点では内田・月崎のような既存の地域活動との結びつきも見られない。橋渡し型ソーシャルキャピタル形成に結びつけていくのかが将来的な課題である。

5. まとめと考察

第4節では、3地区（内田・月崎・養老渓谷）で芸術祭により提案力・行動力の向上や、ネットワークの広がりが生まれていることを分析したが、これまでの結論をまとめつつ、地域側の取り組みの視点で比較考察しておきたい。

3地区以外の状況にも言及する。

▶ 5.1. 3地区のまとめ・比較考察と3地区以外の状況

内田では、内田未来楽校を拠点として地域活動を行っていたところ、芸術祭をきっかけにカフェ運営を継続したり、女性作家らのイベント開催を後押ししたり、複数の特定のグループが一時的に提案力・行動力を向上させた。これまでの地域活動を展開・発展させるために、芸術祭と連携し、資金源等でうまく活用しようとしている。いわば、既存の拠点（地域づくり）連携・発展型である。

月崎は、芸術祭開催以前から地域活動が盛んだった。だからこそ、作品展示の継続に結びついた面がある。そして、作品展示の継続により、外部と交流することが意欲の向上をもたらし、新たな地域の拠点が駅舎につくられ、春祭りなど地域活動とも結びつき、地区全体にネットワークの広がりも生む。すでに大型バスの観光コースに組み込まれており、観光資源としてのポテンシャルも高く行政も関心を示す。今後も地区全体の地域活動により開かれていく可能性が高い。いわば、作品展示継続型である。

養老渓谷は、2014でJA市原市女性組織が食堂を手伝ったことがきっかけとなり、地域活動の新たな拠点がつくられた。飲食等経済活動について当初は見よう見まねだったが、北川らが離れたことが、地域の自発性を促進させ、特定のグループが一時的に提案力・行動力を向上させた。いわば、新たな拠点形成型である。

内田の既存の拠点（地域）づくり連携・発展型、月崎の作品展示継続型、養老の新たな拠点形成型は、芸術祭により短中期的に地域コミュニティ形成に影響を与える地域側の受け入れ態勢を示している。こうした3パターンが典型といえるのか、他の芸術祭でも当てはまるのかの検討は、今後の研究課題としたい。

こうした自発的活動が芸術祭により次々と生じていくのが望ましい。ここで他地区を見ておきたい。

里見・飯給地区では、旧里見小学校（2013年閉校）を活用して、2014を契機としてIAAES（Ichihara Art / athlete Etc. school）がつくられ、2017で

も展示があり、会期以外も地域が活用していくことが期待されている★134。ただ、教員OB等リーダー的人材がいるが、内田・月崎・養老渓谷に比べるとやや校舎の規模が大きく行政が前に出ざるをえない面がある。2017閉幕後、行政と地域が協働で草刈りをすることから始めたいということだった★135。

　また、月出地区では、2011年のプレイベントに参加した岩間が、旧月出小学校（2007年閉校）を拠点に2014から継続して関わる。彼のディレクションで旧校舎のリノベーションを行い、「月出工舎」というファクトリー（工房）ともいえる場所をつくってきた★136。2015年には総務省の「公共施設オープン・リノベーション マッチングコンペティション」にも採択され、約3,000万円で厨房・食品加工室などを整備した。「月出工舎」をつくった動機を岩間は次のように話す。

　中国に5年間ほど留学していたときに、アートシーンの中で、ファクトリーとかレジデンスとか大きな制作場所が非常に大事な意味を成すと思った。東京は情報発信するにはいいけど、制作する場所としては、スケールが限られる。そういう場所が首都圏からも近く、2拠点生活もできる市原に誕生したらいい。

　「『遊・学・匠・食』をテーマに人の営みを通して、新たな世界観と知によって、地域を創生することを目指し継続している」★137。その大きな特徴が、市が呼びかけたサポーター約40名が中心となり関わってきたことである。「サポーターさんがこんなに関わっているのは珍しい。ある意味人材が豊かである。彼らがいたからこそ、ここまでのことができた」と岩間はいう。また、2017より月出町会が受付等に協力したことで、アーティストと地域のコミュニケーションが円滑となり、アートいちはら2018春では地域の方々がカフェで配膳等を手伝った。2018年度には、市が岩間に委託し「アーティスト・イン・レジデンス」と「ワーク・イン・レジデンス」の事業を始めた★138。レジデンス事業を1つの核として、今後は少しずつ恒常的な活動を軌道に乗せようとしている★139。

　市南部ではそれぞれに地域活動が盛んで、本章で取り上げた3地区以外でも、芸術祭を媒介に月出をはじめ地域活動が発展していく潜在的可能性

は高いと考えられる。

▶ 5.2. いちはらアート×ミックスの課題

　最後に、3地区の分析、開催経緯を踏まえ、地域コミュニティ形成への影響に関わるいちはらアート×ミックスの課題を整理しておきたい。

　1つには、廃校等拠点の継続的活用に関わる行政の丁寧なサポートの重要性である。

　内田・月崎・養老渓谷では、芸術祭による一時的な提案力・行動力の向上、もしくは一時的なネットワークの広がりが確認できた。地域活動が盛んな内田では、資金源確保、知名度向上など芸術祭を利用しようとする姿勢が顕著である。今後の展開次第では、特に内田・月崎などで橋渡し型ソーシャルキャピタルが形成される可能性が高い。その一方で、潜在的可能性は高いものの、他地区で提案力・行動力の向上、ネットワークの広がりが次々と見られる状況にはない。

　芸術祭による地域活性化への期待は高く、特にいちはらアート×ミックスは地域課題解決を真正面に掲げてきた。芸術祭により地域に変化が起きた3地区と、現時点で変化が大きくない里見地区を比較すると、既存の拠点を活用するにしろ、新たな拠点をつくるにしろ、地域に変化が起きる適度なサイズ感が必要だと考えられる。拠点の規模が大きく、行政が前に出ざるを得なくなると、地域の自発性を阻害する要因となることもあるからだ。その一方で、小規模でも行政支援がないと、自発性の芽すら摘まれかねない。そうした点からも、月崎の作家活動への財政支援や月出のアーティスト・イン・レジデンス事業は、評価できる。ようは、適切なタイミングでの臨機応変な行政支援が求められるということである。

　2つには、評価手法の確立である。

　行政がサポートしていくためにも、地域政策の面で入場者数や経済波及効果以外の評価が欠かせない。本章では、主に自発的な地域活動に注目してきた。地域づくりを担ってきた深山は、「移住による人口増をすぐにというのは現実的でない。あきらめないきっかけになればいい。小湊鐵道や田んぼ・里山などに価値があることを芸術祭が教えてくれた」[140]と話す。こう

した主観面も含めた住民の意識や地域活動への影響について把握すること
は、第三者による詳細な調査や、評価軸構築のための専門的知見が必要
となろう。

　さらには、個別のアーティストの育成と、美学・美術史の発展という両面
の理由から、芸術面での評価も必要となってくる。市幹部Ｂは「月崎などは
外部との交流が地域の人たちの生きがいになり、月出ではアーティスト・イ
ン・レジデンスが始まる。芸術祭による地域づくりのかたちが見えてきた。
一方で、アートとしてクオリティが低いと、県外から人は来ない」★141と、小
湊鐵道幹部Ｃは「地元の人が知らない芸術家がいてこその芸術祭だ。それ
に地元の方がどう活動していくのか、そのバランスが難しい。よそからの芸
術家を招かないと、学芸会になる」★142とそれぞれ話す。美学・美術史的ア
プローチからの個別の作品はむろん、芸術祭全体の評価は欠かせない。他
の芸術祭でも決して十分ではないが、専門家を活用し、当該芸術祭の意義
を確認し、後世のために残しておく必要がある。

　以上をまとめると、全地区を見渡すと地域課題解決に資する状況とまで
はいえないが、研究対象とした３地区については芸術祭開催により地域コ
ミュニティ形成に影響を与えていた。くわえて、短中期的に地域に変化が
生まれる地域側の３つの受け入れ態勢を示した上で、いちはらアート×ミッ
クスの課題を２つあげた。

注及び引用文献:

★1 　北川フラム・瀬戸内国際芸術祭実行委員会監修『瀬戸内国際芸術祭2010作品記録集』美術出版社，2011年，6ページ．

★2 　「ベネッセアートサイト直島」に関する記述は，『直島から瀬戸内国際芸術祭へ──美術が地球を変えた』(福武總一郎＋北川フラム, 現代企画室，2016年，8ページ．

★3 　北川フラムほか，前掲書，2011年，251ページ．

★4 　ここまでの瀬戸内国際芸術祭のきっかけに関する記述は，『直島から瀬戸内国際芸術祭へ──美術が地球を変えた』(前掲書，2016年，46-48ページ）の記載の一部を要約した。

★5 　北川フラム・中房総国際芸術祭いちはらアート×ミックス実行委員会監修『中房総国際芸術祭いちはらアート×ミックス2014』，現代企画室，2014年，2ページ。

★6 　北川ほか，前掲書，2014年，8ページ。

★7 　いちはらアート×ミックス実行委員会事務局「ICHIHARA ART×MIX／アート×ミックス2014／コンセプト」，2013年，http://ichihara-artmix.jp/2014/ (参照2019年5月1日)．

★8 　市原市議会事務局「会議録／平成25年6月定例会 (第2回) 6月28日‐06号」，2013年．

★9 　北川ほか，前掲書，2014年；いちはらアート×ミックス実行委員会監修『いちはらアート×ミックス2017』，美術出版社，2017年 c．

★10 　本章は，『アートマネジメント研究』第19号の掲載された原稿を大幅に書き直したものであるが，2018年8月の査読審査で，昨今の研究をめぐる状況に鑑み研究倫理に配慮するよう求められたことに対応した。

★11 　小長谷一之・福山直寿・五嶋俊彦・本松豊太『地域活性化戦略』晃洋書房，2012年；稲葉陽二・吉野諒三『ソーシャル・キャピタルの世界』ミネルヴァ書房，2016年，91-92ページ．

★12 　吉田，前掲論文，2013年；前掲書，2015年．

★13 　市原市「市政情報／市原市のプロフィール／市の概要」，2019年 a，https://www.city.ichihara.chiba.jp/joho/profile/sigaiyou.html (参照2019年5月1日)．

★14 　市原市，前掲 Web ページ，2019年 a．

★15 　当該段落のここまでの人口に関する記述は，「市政情報／統計情報／人口統計」(市原市，2019年 b，https://www.city.ichihara.chiba.jp/joho/toukei/jinkou-top/index.html 〈参照2019年5月1日〉．) にもとづく。

★16 　北川ほか，前掲書，2014年，8ページ．

★17 　いちはらアート×ミックス実行委員会監修「いちはらアート×ミックス2017 公式ガイドブック」『美術手帖』2017年4月号増刊，美術出版社，2017年 a，2ページ．

★18 　北川ほか，前掲書，2014年，8ページ．

★19 　市原市「市政情報／政策・計画・取り組み／市原市総合計画／これまでの総合計画」，2014年，https://www.city.ichihara.chiba.jp/joho/keikaku/keikaku_menu/past.html (参照2019年5月1日)

★20 　北川ほか，前掲書，2014年，108ページ．

★21 　市原市経済部観光振興室「南市原ギャラリーマップ」，2007年．

★22 　「南市原ギャラリーマップ」に関する記述は，2018年9月30日14時から2時間程度深山文具店 (市原市上総牛久) で行った深山康彦 (文具店代表／南いちはら応援団メンバー) へのインタビュー。概略的な質問項目は，いちはらアート×ミックスの開催経緯，いちはらアートミックスによる住民の意識や地域活動への影響等である。深山らは，地域の立場から市南部の観光まちづくりに関わり，1994年から南いちはら応援団新聞「伝心柱」を毎月発行してきた。「伝心柱」の発行部数は1万5,500部である (2018年9月現在)。

★23 　北川ほか，前掲書，2014年，108ページ．

★24 　本段落のここまでの記述は，2017年5月22日10時から1時間半程度市原市役所南総支所で

行った市原市経済部芸術祭推進課（いちはらアート×ミックス実行委員会）Aへのインタビュー。概略的な質問項目は、いちはらアート×ミックスの開催経緯、内田・月崎・養老渓谷等での芸術祭による住民の意識や地域活動への影響等である。

★25　北川ほか、前掲書、2014年、108ページ．
★26　当該文について2018年9月30日深山へのインタビュー。
★27　北川ほか、前掲書、2014年、108ページ．
★28　ここまでの芸術祭の開催経緯に関する記述は、2017年5月22日Aへのインタビュー。
★29　市原市経済部観光振興課「アート漫遊 いちはらの開催について」（2011年10月4日記者発表資料）、2011年．
★30　当該文について2017年5月22日Aへのインタビュー。
★31　北川ほか、前掲書、2014年、108ページ．
★32　中房総国際芸術祭いちはらアート×ミックス実行委員会「市原市アートフェスティバル（仮称）市原アート×ミックス 事業計画書」2012年、1ページ．
★33　いちはらアート×ミックス実行委員会事務局、前掲Webページ、2013年．
★34　当該文について、2018年10月1日15時半から小湊鐵道株式会社（市原市）で1時間程度行った小湊鐵道幹部Cへのインタビュー。概略的な質問項目は、小湊鐵道といちはらアート×ミックスとの関わり、月崎の取り組みの支援内容等である。
★35　市原市議会事務局「会議録／平成25年6月定例会（第2回）6月28日-06号」、2013年．
★36　北川ほか、前掲書、2014年、109ページ．
★37　ART FRONT GALLARY「会社概要」、2019年、http://www.artfront.co.jp/jp/about/（参照2019年3月1日）．
★38　中房総国際芸術祭いちはらアート×ミックス実行委員会『中房総国際芸術祭 いちはらアート×ミックス 総括報告書』、2014年、17-21ページ．
★39　市原市『市原市アートフェスティバル（仮称）市原アート×ミックス事業計画書』、2012年、16ページ．
★40　中房総国際芸術祭いちはらアート×ミックス実行委員会、前掲報告書、9-11ページ．
★41　中房総国際芸術祭いちはらアート×ミックス実行委員会、前掲報告書、40ページ．
★42　中房総国際芸術祭いちはらアート×ミックス実行委員会、前掲報告書（参考資料）、43ページ．
★43　当該文について2017年5月22日Aへのインタビュー。
★44　朝日新聞社「北川フラムさん、総合ディレクター外れる」（2016年9月15日）『朝日新聞』、2016年．
★45　市原市議会事務局「会議録／平成26年12月定例会（第4回）12月17日-06号／小沢美佳議員」、2014年 c．
★46　市原市議会事務局「会議録／平成26年6月定例会（第2回）6月23日-04号／大矢仁議員」、2014年 b．
★47　2014年度、2015年度の市原市議会会議録をすべてあたり、確認した。
★48　千葉日報社「小出氏が初当選 12年ぶり新リーダー誕生」（2015年6月7日）『千葉日報』、2015年、https://www.chibanippo.co.jp/news/politics/260535（参照2019年5月1日）．
★49　市原市議会事務局「会議録／平成27年6月定例会（第2回）7月9日-03号／小出譲治市長」2015年 a．
★50　いちはらアート×ミックス実行委員会事務局「ICHIHARA ART×MIX／ニュース／イベント情報」、2015-2016年、https://ichihara-artmix.jp/news/category/event/（参照2019年5月1日）．
★51　本段落で北川がディレクターを降りた経緯に関する記述は、2017年5月22日Aへのインタビュー。
★52　本段落のここまでの記述は、『中房総国際芸術祭いちはらアート×ミックス総括報告書』（中房総国際芸術祭いちはらアート×ミックス実行委員会、前掲報告書）；『いちはらアート×ミックス2017事業報告書』（いちはらアート×ミックス実行委員会、2017 b.）による。

★53 芸術祭の各報告書による.

★54 いちはらアート×ミックス実行委員会, 前掲書, 2017年a.

★55 いちはらアート×ミックス実行委員会, 前掲書, 2017年a, 18-19ページ.

★56 市原市議会事務局『平成27年度版 市原市政概要』, 2015年b, 5ページ.

★57 市原市, 前掲Webページ, 2019年b.

★58 ここまでの、現校舎の経緯や、報徳の会の立ち上げの経緯に関する記述は、2017年5月14日14時から1時間程度内田未来楽校で行った小出和茂(内田未来楽校〈報徳の会〉事務局長)へのインタビュー。概略的な質問項目は次のとおりである。内田小学校、内田未来楽校のそれぞれの設立経緯、いちはらアート×ミックス2014、2017それぞれの関わり、いちはらアート×ミックスが内田の住民意識や内田未来楽校の活動に及ぼした影響等。

★59 報徳の会(2013)「報徳の会」(資料), 2013年.

★60 北川ほか, 前掲書, 2014年, 17ページ.

★61 北川ほか, 前掲書, 2014年, 16ページ.

★62 中房総国際芸術祭いちはらアート×ミックス実行委員会, 前掲報告書, 9ページ.

★63 当該文について、2018年9月29日8時半から20分程度内田未来楽校でDへのインタビュー。概略的な質問項目は、朝市開催の経緯、地域活動による内田の変化等である。

★64 2018年9月29日8時50分から20分程度内田未来楽校でEへのインタビュー。概略的な質問項目は、朝市開催の経緯、地域活動による内田の変化等である。

★65 ここまでの内田未来学校の活動、2014との関わりに関する記述は、2017年5月14日小出へのインタビュー。

★66 いちはらアート×ミックス実行委員会, 前掲書, 2017年a, 19ページ.

★67 本段落で《蝶々と内田のものがたり》の展示に関する記述は、2017年5月14日15時から20分程度行ったキジマ真紀(アーティスト)へのインタビュー。概略的な質問項目は、展示の経緯、2017、特に自らの作品・プロジェクトの地域活動への影響等である。

★68 いちはらアート×ミックスのボランティアサポーター組織を「菜の花プレーヤーズ」という(菜の花プレーヤーズ「菜の花プレーヤーズとは」, 2019年, http://ichihara-artmix.jp/supporter/(参照2019年5月1日).

★69 当該文について、2018年9月29日14時からイトーヨーカドー アリオ市原店で1時間程度行ったサポーターHへのインタビュー。概略的な質問項目は、サポーター「菜の花プレーヤーズ」の活動内容、サポーターと地域との関わり等である。

★70 いちはらアート×ミックス実行委員会, 前掲報告書, 2017年b, 5ページ.

★71 当該文について、2018年9月29日10時から30分程度内田未来楽校でFへのインタビュー。概略的な質問項目は、「伊丹陣屋」開催の経緯、いちはらアート×ミックスの地域活動への影響等である。

★72 内田未来楽校「伊丹陣屋 Vol.1」(ちらし), 2017年.

★73 当該文について、2018年9月29日10時から30分程度内田未来楽校でGへのインタビュー。概略的な質問項目は、「伊丹陣屋」開催の経緯、いちはらアート×ミックスの地域活動への影響等である。

★74 2014以降と同様、2017以降も小規模イベント「アートいちはら2018春、秋、2019春」を開催する。

★75 2018年9月29日Fへのインタビュー。

★76 報徳の会・内田未来楽校『内田未来楽校』, 2019年, https://uchidamirai.jimdo.com/(参照2019年5月1日).

★77 千葉日報社「地域再生大賞」(2018年1月29日)『千葉日報』, 2018年.

★78 2018年10月1日市原市役所で行ったスポーツ国際交流部芸術祭推進課(いちはらアート×ミックス実行委員会)Aへのインタビュー。Aには、2017年5月22日と2018年10月1日の2回インタ

ビューを実施し、2回目は芸術祭による住民の意識や地域活動への影響に重きを置いて調査を行った。2018年4月1日の組織再編により2017年5月22日の調査の際は経済部だったが、スポーツ国際交流部に所属が変更されている。

★79　ここまでのカフェの売り上げ、会員の状況、報徳の会の今後、芸術祭に関する記述は、2017年5月14日小出へのインタビュー。

★80　市原市議会事務局『平成27年度版 市原市政概要』、2015年b、5ページ.

★81　月崎では月崎駅、クオードの森、白鳥では旧白鳥小学校・白鳥公民館、養老渓谷ではアートハウスあそうばらの谷（ギャラリー）がそれぞれ会場となった（いちはらアート×ミックス実行委員会事務局、前掲書、2017年a、78-99ページ）

★82　中房総国際芸術祭いちはらアート×ミックス実行委員会、前掲報告書、2014年、54-74ページ；いちはらアート×ミックス実行委員会事務局、前掲書、2017年a、78-99ページ.

★83　市原市、前掲Webページ、2019年b.

★84　月崎安由美会に関する記述は、「森林浴、米作り、もてなしの心　加茂地区から『癒し』を発信」（2016年2月26日、市原版）（シティライフ株式会社、2016年、https://www.cl-shop.com/citylife/ichihara/2016/02/26/14364/〈参照2019年5月1日〉.）の記事を要約した。

★85　当該文について、2018年12月12日10時30分から15分程度電話で行った鈴木恒雄（森遊会事務局長）へのインタビュー。鈴木には2017年5月15日と2回インタビューを実施し、2回目は1年後の会員数等を確認した。

★86　市原市経済部観光振興課、前掲資料.

★87　本段落で「森ラジオ ステーション」の制作経緯に関わる記述は、2018年5月15日10時から30分程度月崎駅舎会議スペースで行った木村崇人（アーティスト）へのインタビュー。概略的な質問項目は次のとおりである。森遊会の設立経緯、プレイベント、2014、2017それぞれの関わり、いちはらアート×ミックス、特に自らの作品、プロジェクトが月崎に与えた影響等。

★88　「森ラジオ ステーション」の作品概要に関する記述は、『中房総国際芸術祭いちはらアート×ミックス』（北川フラムほか、前掲書、2014年、54ページ.）の記載を要約した。

★89　中房総国際芸術祭いちはらアート×ミックス実行委員会、前掲報告書、2014年、9ページ.

★90　当該文について、2017年5月15日10時30分から30分程度月崎駅で行った鈴木（森遊会事務局長）へのインタビュー。概略的な質問項目は次のとおりである。月崎安由美会、森遊会のそれぞれの設立経緯、いちはらアート×ミックスが月崎に与えた影響等。

★91　当該文について2017年5月15日木村へのインタビュー。

★92　森遊会「議事録」（2014年5月12日）、2014年.

★93　当該文について2017年5月15日木村へのインタビュー。

★94　2018年10月1日小湊鐵道幹部Cへのインタビュー。

★95　当該文について2017年5月15日鈴木へのインタビュー。

★96　当該文について2017年5月15日木村へのインタビュー。

★97　森遊会「議事録」（2014年6月29日）、2014年.

★98　当該文について2017年5月15日木村へのインタビュー。

★99　ここまでの「森遊会」の活動内容に関する記述は、2018年12月12日10時30分から15分程度電話で行った鈴木へのインタビュー。

★100　ここまでの「森遊会」の活動内容に関する記述は、2017年5月15日鈴木へのインタビュー。

★101　当該文について2018年10月1日Aへのインタビュー。

★102　本段落で駅舎スペース活用に関する記述は、2017年5月15日木村へのインタビュー。

★103　当該文について2017年5月15日木村へのインタビュー。

★104　いちはらアート×ミックス実行委員会、前掲報告書、2017年b、5ページ.

★105　当該文について2018年10月1日Aへのインタビュー。

★106　2017年5月15日鈴木へのインタビュー。

★107 本段落のここまでの記述について2017年5月15日11時から30分程度月崎駅で行った田村孝之（森遊会会長）へのインタビュー。概略的な質問項目は次のとおりである。月崎安由美会、森遊会のそれぞれの設立経緯、いちはらアート×ミックスが月崎に与えた影響等。

★108 月崎でのサポーターの活動内容に関する記述は、2018年9月29日Hへのインタビュー。

★109 2018年10月1日Aへのインタビュー。

★110 2017年4月19日12時から30分程度月崎駅で行ったIへのインタビュー。概略的な質問項目は次のとおりである。森遊会の設立経緯、いちはらアート×ミックスが月崎に与えた影響等。

★111 北川ほか，前掲書，2014年，72-74ページ；いちはらアート×ミックス実行委員会，前掲書，2017年a，52ページ．

★112 市原市，前掲Webページ，2019年b．

★113 市原市観光協会「養老渓谷観光協会」，2019年，http://www.yuroukeikoku.com/spot/asohbara/（参照2019年5月1日）．

★114 北川ほか，前掲書，2014年，73ページ．

★115 北川ほか，前掲書，2014年，89ページ．

★116 スマイルズ生活価値拡充研究所「これまでの仕事／市原アート×ミックス」，2014年，http://smkn.smiles.co.jp/works_ichihara.php（参照2018年12月1日）．2019年5月1日時点では、削除されている。

★117 ここまでのJA市原女性組織に関わる記述について、2017年4月19日14時半から30分程度「おもいでの家」で行ったJへのインタビュー。概略的な質問項目は次のとおりである。「おもいでの家」の設立経緯、いちはらアート×ミックス2014、2017それぞれの関わり、いちはらアート×ミックスが養老渓谷に与えた影響等。

★118 2014年6月19日定例会（第2回）で菊岡多鶴子議員が「効果と課題」を問うたのに対して、清宮宏之経済部長（当時）が答弁した（市原市議会事務局「会議録／平成26年6月定例会（第2回）6月19日-02号／清宮宏之経済部長」，2014年a）。

★119 当該文について2018年10月1日Aへのインタビュー。

★120 いちはらアート×ミックス実行委員会事務局「ICHIHARA ART×MIX／ニュース／お知らせ／アートハウスあそうばらの谷にカフェがオープン」，2014年，http://ichihara-artmix.jp/news/news/2014/11/19/304/（参照2019年5月1日）．

★121 「おもいでの家」の活動やJA市原市の支援に関する記述について2018年9月18日16時から1時間程度JA市原市経済部（三和支店）で行った担当者Lへのインタビュー。概略的な質問項目は次の通りである。「おもいでの家」の立ち上げの経緯、JA市原市の支援の内容、JA市原市の評価等。

★122 JA市原市女性組織「おもいでの家」（ちらし），2015年．

★123 ここまでの2014閉幕後の活動に関する記述は、2017年5月22日Jへのインタビュー。

★124 2017年5月22日Jへのインタビュー。

★125 当該文について2018年9月18日Lへのインタビュー。

★126 いちはらアート×ミックス実行委員会監修，前掲書，美術出版社，2017年c，97ページ．

★127 ここまでの「おもいでの家」の活動の成果に関する記述は、2017年4月19日Jへのインタビュー。

★128 当該文について2018年9月18日Lへのインタビュー。

★129 2017年4月19日14時半から30分程度「おもいでの家」で行ったKへのインタビュー。概略的な質問項目は次のとおりである。「おもいでの家」の設立経緯、いちはらアート×ミックス2014、2017それぞれの関わり、いちはらアート×ミックスが養老渓谷に与えた影響等。

★130 2017年4月19日Jへのインタビュー。

★131 本段落のここまでの記述について2018年9月18日Lへのインタビュー。

★132 2018年10月1日Aへのインタビュー。

★133 養老渓谷では、JA市原市女性組織の活動にとどまっている点は、やや結束型ソーシャルキャピタ

ルの性格が濃い。とはいえ、市全体の子育て世代や地域の独居老人など外部との交流も数か年継続して見られることから橋渡し型ソーシャルキャピタル形成の可能性を検討した。

★134 北川ほか, 前掲書, 2014年, 36ページ.

★135 当該段落のここまでの記述について2017年5月22日Aへのインタビュー。

★136 いちはらアート×ミックス実行委員会事務局, 前掲書, 2017年a, 36-41ページ.

★137 いちはらアート×ミックス実行委員会, 前掲書, 2017年c, 58ページ.

★138 当該文について2017年10月1日Aへのインタビュー。

★139 ここまでの月出工舎に関する記述について2017年5月14日15時から20分程度旧月出小学校で行った岩間賢（アーティスト）へのインタビュー。概略的な質問項目は次の通りである。いちはらアート×ミックス2014、2017それぞれの関わり、いちはらアート×ミックス、特に自らの作品、プロジェクトが月出に与えた影響等。

★140 2018年9月30日深山へのインタビュー。

★141 2018年10月1日13時から1時間半程度市原市市役所で行った市幹部Bへのインタビュー。概略的な質問項目は、いちはらアート×ミックスによる内田・月崎・養老渓谷等での住民の意識や地域活動への影響等である。

★142 2018年10月1日小湊鐵道幹部Cへのインタビュー。

第5章

奥能登国際芸術祭
石川県珠洲市

飯田・正院・若山（上黒丸）

OKU-NOTO
TRIENNALE

過疎地域などを主な舞台として、2016年度から2018年度にかけ大地の芸術祭（2000年〜）をはじめとする7つの芸術祭が開催されている。7つの芸術祭のうち5つ、すなわち、大地の芸術祭・瀬戸内国際芸術祭・いちはらアート×ミックス・北アルプス国際芸術祭と、本章で取り上げる奥能登国際芸術祭に、北川フラムがディレクターとして関わってきた。これらの芸術祭は、高齢化・少子化・人口減少など深刻な課題を抱える地域で開催されることから、当該地域の活性化などを目的とする（表5-1）★¹。

1. 奥能登国際芸術祭と内発的発展論

　前章までで、長者町、莇平（あざみひら）、小須戸（こすど）、内田・月崎（つきざき）・養老渓谷といった個別の地区、集落、プロジェクトごとに見ることで、芸術祭が短中期的に地域や住民に影響を与えていることやその具体的プロセスを明らかにしてきた。作品の性格やアーティストの側から見たのが第1章〜第3章で、地域の取り組みの側から掘り下げたのが第4章である。その一方で、あいちトリエンナーレやいちはらアート×ミックスの前記以外の他地区では、それぞれの調査の段階では、地域づくりに影響が顕著に見られないことにも言及した（第1章2.：第4章5.参照）。

　それでは、これまで取り上げた地区、集落、プロジェクト以外でも、今後地域づくりにつなげていくことはできるのだろうか。地域づくりにつなげられないとすれば、その要因は何なのか。本章で取り上げる奥能登国際芸術祭の開催地である珠洲市（すず）では、1970年代から約30年間、「外来型開発」の原発誘致に揺れた。自治体財政の身の丈を超える規模で、しかも、民間会社に企画等を大幅に委託するやり方が原発誘致の発想に回帰したとの地元の声がある。改めて芸術祭が地域づくりにつながるのかを考えてみたい。

　以上から、第5章では、第1章から第4章までの分析の枠組みを参照しつつ、芸術祭による効果だけでなく、むしろ地域づくりのための必要条件、もしくは地域づくりにつながらないとすれば、その要因を検討する。かつ、第4章までは、都市型、過疎地・地方型を問わず議論してきたが、それぞれに開催目的・立地環境等が違えば地域づくりにつながる条件、もしくは、

表5-1 過疎地・地方型芸術祭の開催目的等一覧

	事業費 1億円以上の 芸術祭	開催地	初回 開催年	ディレクター・ キュレーター	開催目的等
過疎地・地方型芸術祭	大地の芸術祭	新潟県 十日町市・ 津南町	2000	2006～ 総合プロデューサー 福武總一郎 総合ディレクター 北川フラム	[開催目的] ・交流人口の増加 ・地域の情報発信 ・地域の活性化
	瀬戸内国際 芸術祭	香川県・ 岡山県 島嶼部	2010	総合ディレクター 北川フラム	[テーマ] 海の復権
	いちはらアート ×ミックス	千葉県 市原市	2014	2014 総合ディレクター 北川フラム 2017 総合ディレクター なし	[コンセプト] ・廃校活用 ・小湊鐵道・乗り物の活用 ・豊かな自然と食 ・アーティストの長期的な活動や異業種からの多様な人々の参加
	茨城県北 芸術祭	茨城県	2016	2016 総合ディレクター 南條史生	[開催目的] ・地域文化の振興と創造性の育成 ・茨城県北地域のブランディングと交流人口の拡大 ・地域の産業・経済の活性化
	北アルプス 国際芸術祭	長野県 大町市	2017	2017 総合ディレクター 北川フラム	[開催目的] ・現代アートの力を借りて大町市の魅力を国内外に発信する。 ・観光誘客により人々の流動・交流を起し、地域を交流の場とする。 ・市民の参加を地域づくりに取り組む原動力とする。 ・地域の消費を拡大し、地域を元気にする手がかりとする。
	奥能登国際 芸術祭	石川県 珠洲市	2017	2017 総合ディレクター 北川フラム	[開催目的] ・地元に対する誇りの醸成 ・交流人口の拡大 ・地元の雇用拡大
	リボーンアート・ フェスティバル	宮城県 石巻市	2017	2017 アートキュレーター 和多利恵津子 和多利浩一 2019キュレーター 島袋道浩／名和晃平 豊嶋秀樹／有馬かおる 和多利恵津子 和多利浩一 中沢新一／小林武史	[コンセプト] Reborn-Art＝「人が生きる術」

つながらない要因も異なってくると考えられるので、本章では過疎地・地方型芸術祭に焦点をあてていきたい。

内発的発展論の援用

　地域再生・地域づくりに関する議論としては、内発的発展論があり、これまで多様な学問領域、かつさまざまな分野で議論されてきた。その中心的論者である宮本は、「外来型開発」を「内発的発展」と対峙させ、それぞれ次のように定義する。すなわち、前者を「外来の資本 (国の補助金を含む)、技術や理論に依存して開発する方法」[★2] であるとし、後者を「地域の企業・労働組合・協同組合・NPO・住民組織などの団体や個人が自発的な学習により計画を立て、自主的な技術開発をもとにして、地域の環境を保全しつつ資源を合理的に利用し、その文化に根差した経済発展をしながら、地方自治体の手で住民福祉を向上させていくような地域開発」[★3] と定義する。

　そして、内発的発展の原則として4つを示している。「第1は、地域開発が大企業や政府の事業としてでなく、地元の技術・産業・文化を土台にして、地域内の市場を主な対象として地域の住民が学習し、経営するものであること」「第2は、環境保全の枠の中で開発を考え、自然の保全や美しい街並みをつくるというアメニティを中心の目的とし、福祉や文化が向上するような、なによりも地元住民の人権の確立をもとめる総合目的を持っていること」「第3は、産業開発を特定業種に限定せず複雑な産業部門にわたるようにして、付加価値がある段階で地元に帰属するような地域産業関連をはかること」「第4は、住民参加の制度をつくり、自治体が住民の意思を体して、その計画に乗るように資本や土地利用を規制しうる自治権をもつことである」[★4]。

　こうした内発的発展論を名乗る多くの議論に対して、小田切は「総論賛成・各論不在」だと指摘する[★5]。そこで、バブル経済下で語られた「地域活性化」に代わる用語として、バブル経済以降に多用される「地域づくり」の文脈で、昨今は小田切始め内発的発展論を具体化する試みがなされている[★6]。たとえば、若林は、宮本の議論が自治体を念頭に産業論が強く意識されていることに対し、近時内発的発展論は先進国の農村研究に適用が拡大されており、産業的要素を弱めたり、地域コミュニティに着目したりすることがで

きるとする。そのうえで、前述の宮本の4原則を、1）地域　2）地域資源を利用　3）地域経済のみならず社会、福祉、文化、環境をも考慮　4）地域住民による自主的発展をめざす、に要約し、農村の広域地域組織に内発的発展論を援用する[7]。

　こうしたことから、本章でも、内発的発展論を芸術祭の地域づくりに援用していきたい。ただ、芸術祭開催には、高度な専門的技術が必要とされるから、外部資源へのアクセスがポイントとなる。宮本も「外来の資本や技術をまったく否定するものではない」[8]とする。以上から、若林の議論を参照しつつ、外部資源へのアクセスを考慮して宮本の掲げる4原則を援用する。すなわち、過疎地・地方型芸術祭開催を短中期的に地域づくりにつなげるための必要条件を、1）外部資源へのアクセス　2）地域資源の活用　3）環境・福祉・文化・人権等総合目的　4）地域の主体的な戦略、の4つの観点からより具体的に検討することを本章の目的とする。前述の宮本の定義や芸術祭の地域づくりの文脈に照らして、ここで「外部資源」とは、先進地の資本・技術・理論であり、「地域側の主体性」とは地域コミュニティがビジョンをもち、地域づくりを計画・決定していくことと解する[9]。

　こうした議論の前提として芸術祭による地域づくりへの影響を分析する。ここで地域づくりとは、バブル経済の崩壊以降多用されるようになった文脈を意識しつつ、延藤安弘のまち育て（づくり）の定義（序章1.参照）に依拠し、「地域の人々の自発性・協働性が育まれること」と解する。

　事例としては、「内発的発展」か否かが地元で問われた奥能登国際芸術祭を取り上げる。石川県珠洲市では、1970年代半ばから約30年間原発誘致、1）いわゆる外来の資本・技術に依存した、2）大規模開発に頼る「外来型開発」に揺れた。2006年以降は珠洲市長の泉谷満寿裕市政のもと、1）地域の「食」を活用し、2）地域コミュニティが主体となり持続可能な「内発的発展」への政策転換がはかられる。時を経て、芸術祭が開催されるのだが、自治体財政の身の丈を超えた規模で、しかも、民間会社に企画等を大幅に委託するやり方が、「原発誘致」と同じ発想に回帰したのではないかとの地元の声があるのだ。これらの経緯については、2.で詳述する。

効果の調査・分析方法

　本章では、芸術祭を地域づくりにつなげる条件、もしくは、つながらない要因を検討する前提として、まずは効果を明らかにしていく。効果については、行政資料・新聞等を含む文献調査、関係者へのインタビューをもとに、定性的分析を行う。インタビュー技法は、あらかじめ概略的な質問を決め、会話の流れでアレンジする半構造化インタビューを採用した。

　地域づくりへの影響についての分析指標は、まちづくり、社会疫学等で、ソーシャルキャピタルが用いられることが少なくない★10。しかし、開催から数か年で芸術祭によりソーシャルキャピタル形成に寄与するには、既存の地域活動と芸術祭に結びつきが見られる等特段の事情が必要と考えられる★11。ところが、奥能登国際芸術祭ではそうした事情が顕著には見られない。そこで、一時的、もしくは場所が限定された影響に着目し丁寧に捉えていきたい。前章までと同様に、指標は、提案力・行動力、もしくはネットワークとし、具体的基準は次のように考える。地域住民らの ①提案力・行動力が一時的に向上すること、もしくは、②ネットワークが一時的に広がることをいう。かつ、個別的な影響でも足りるので、特定の仲間やグループでもよい。一時的、もしくは個別な変化が積み重なることで継続的かつ地域全体への変化につながり、その端緒を捉える社会的意義があるし、端緒を捉えた定性的分析は多くなく、学術的意義も認めることができよう。

　また、第1章の「あいちトリエンナーレ 長者町地区」、第2章の「大地の

表5-2　芸術祭による地域づくりへの影響の整理

				地域コミュニティ形成への影響（短中期）
作品の性格	サイトスペシフィック型	その場所の特性を活かした作品	地域住民との交流	一時的な提案力・行動力の向上、ネットワークの広がり（小須戸ARTプロジェクト）
	参加・協働型	さまざまな属性の人々が関わるコラボレーションと、それを誘発するコミュニケーションを特徴とする作品（熊倉ほか2014）	自発性にコミット	ソーシャルキャピタル形成への寄与（大地の芸術祭 莇平集落、あいちトリエンナーレ長者町地区）
地域の受け入れ態勢	既存の拠点（地域づくり）連携・発展型			一時的な提案力・行動力の向上、ネットワークの広がり（いちはらアート×ミックス 内田・月崎・養老渓谷）
	作品展示継続型			
	新たな拠点形成型			

芸術祭　莇平集落」の事例では、参加・協働型で、アーティストが住民らの自発性にコミットすることで短中期的にソーシャルキャピタル形成に寄与していた。第3章の「水と土の芸術祭　小須戸ARTプロジェクト」の事例では、サイトスペシフィック型で、地域住民との交流を企図することで、地域づくりへの影響が短中期的にみられた。いずれも作品やアーティストの側から分析を加えた。それに対して、第4章の「いちはらアート×ミックス　内田・月崎・養老渓谷」の事例では、地域の受け入れ態勢の側から分析を行い、①既存の拠点（地域づくり）連携・発展型　②作品展示継続型　③新たな拠点形成型の3つの分類に言及した。前4章でのこれまでの分析の枠組みを参照しつつ、「奥能登国際芸術祭」では、作品の性格やアーティストの側と、地域の受け入れ態勢の両者の側から整理を行う（表5-2）。

2. 開催経緯

　奥能登国際芸術祭の地域づくりへの影響を見る前に、その開催経緯を説明しておこう。

▶ 2.1. 珠洲市の概要
　第2次大戦後、昭和の大合併により1954年宝立・飯田・正院（ほうりゅう）（しょういん）の3町及び上戸・若山・直・蛸島・三崎・西海（うえど）（ただ）（たこじま）（さいかい）の6村が合併し、面積約247キロ平方メートルの現在の姿となる。市の当時の人口は3万8,157人で★12、2019年4月末現在1万4,259人である★13。
　珠洲市は鎌の形をした能登半島の先端部に位置する（図5-1）。
　地図を逆さにして、日本海を中心に日本列島を見てみたい。「日本海側に突き出た最も大きな半島、能登半島は、大陸への玄関口として機能し」「古代から近世まで（中略）日本海交通の最前線で海を通じて大陸とつなが」る★14。12世紀中頃になると（平安時代末）、能登最大の荘園だった若山荘の経済振興のため陶工が招かれたことで珠洲焼が始まる。甕、壺、すり鉢（かめ）などの民間雑器を焼いた。海上交通により、「13世紀（鎌倉時代）には越前から東北地方の日本海側に流通した。14世紀（室町時代）には北海道南部ま

で広がり、日本列島の4分の1を商圏とするほど栄えたが、15世紀後半には急速に衰え、まもなく廃絶した」[15]。江戸時代後半から明治時代にかけては、大阪（大坂）と北海道を往復し各港で物を売り買いする北前船が活躍する[16]。「珠洲でも、岸田三郎衛門（正院）、泉谷官兵衛（飯田）などの海商が活躍し」[17]た。江戸時代以前から、能登半島西側の外浦では、平地が限られたことから、海水を汲み上げて製塩を行う揚げ浜式塩田が栄えた[18]。この地では、数多くの祭礼が行われ、その白眉が江戸時代から続くキリコ祭りと総称される灯篭神事である。夏から秋にかけて、珠洲市を含む能登半島の約200地区で行われている[19]。

▶ 2.2. 原発誘致からの政策転換

こうして珠洲市を含む能登半島は、日本海文化の交流拠点として独自の文化を育んできたが、陸上交通の発達とともに人口減少が進む。そうしたところ、1975年には市議会主導での原発誘致が表面化した[20]。原発誘致の背景を、原発反対運動のリーダー的存在であった北野進（珠洲市会議員：2018年3月インタビュー当時）は次のように指摘する。

戦後は、主たる産業は1次産業に、冬場の出稼ぎ、高度経済成長期には若年人口の大半が流出するという典型的な過疎地だった。市政の課題として若者の雇用の場の確保、企業誘致が叫ばれ続けてきたが、半島先端という地理的ハンディもあり企業誘致は思うに任せず、過疎脱却に歯止めがかからない。こうしたなか、1970年前後から水面下で動き始めたのが原発誘致構想である[21]。

2003年に関西電力・中部電力・北陸電力の3社が原発計画を断念するが、それまでの約30年間珠洲は原発の賛否に揺れる[22]。

それでも、原発撤退が決まったことで、原発に替わる活性化策を行政も民間も模索を始める。2006年5月には原発を推進した貝蔵治市長が健康上の理由により辞職した。6月に「若さと清新さを全面に打ち出した」泉谷が市長となる[23]。泉谷は、「強みである食を中心に、交流人口の拡大と農林水産業を組み合わせて活性化を図」[24]る。1999年から金沢大学が角間キャ

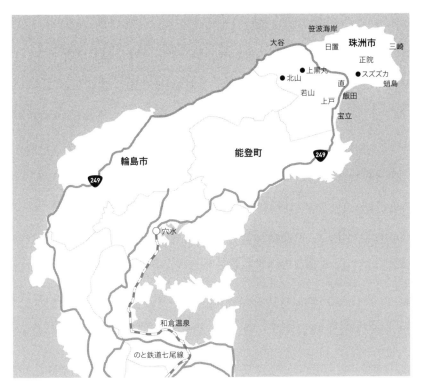

図5-1 能登半島と珠洲市

ンパス（金沢市）で地域連携型里山プロジェクトに取り組んでいた[25]。2006
年7月に三井物産環境基金から3年間2,600万円の助成が決まると、10月
には旧小泊小学校舎（珠洲市）を活用し、能登半島里山里海自然学校を設
立する[26]。翌2007年10月からは、同校に金沢大学能登学舎を開校し、「能
登里山里海マイスター」を養成するプログラムを開講した。「『能登の里山
里海』を世界に発信し、同時に課題解決に取り組む人材を養成する」[27]と
いう。2期目の2011年には、「能登の里山里海」が国内で初めて佐渡の
里山とともに、国際連合食糧農業機関（FAO）の世界農業遺産（GIAHS）
に認定された[28]。

　先の北野は、泉谷市政について次のように話す[29]。

珠洲市政は長年「珠洲には自慢できるものがない。外から大きなお金をもってきて産業基盤を整備し企業誘致を進め、若い人が帰って来られる地域にしないといけない」という固定観念に縛られてきた。それに対して「珠洲の魅力は食だ。地域にあるものを活かしてやっていこう」と発想の転換を訴えた泉谷市長の誕生を多くの市民は新鮮に受けとめた。

　「外来型開発」から食を活用した地域コミュニティ主体の「内発的発展」に政策転換したことを評価する。

▶ 2.3. 開催経緯

　泉谷は、3期目となる2016年2月、珠洲市まちづくり総合指針、珠洲市まち・ひと・しごと創生総合戦略を策定する。移住・定住促進の施策として、前述の大学連携による人材育成事業に加え芸術祭が位置づけられた★30。どのような経緯で芸術祭の開催が決まったのだろうか。奥能登国際芸術祭に関わる事項等を表5-3で年表にまとめた。適宜参照されたい。

　原発撤退後、行政は地域資源を活用した取り組みを進めた。それに対して、民間ではランプの宿を営む刀禰秀一が、珠洲市で2003年8月第1回日本カジノ創設サミットを開催し、カジノ誘致の旗を振る★31。そうしたなか、商工会議所は道路空間の有効活用等で地域活性化を図る「日本風景街道」に取り組む。2009年に第4回北陸風景街道交流会議が十日町市で開催され、芸術祭を用いた地域づくりを風景街道の取り組みに位置づけていた★32。こうしたこともあり、「アートツーリズム（芸術観光）は不便な土地でやっても来客も伸びている」★33ことに関心をもつ。2012年商工会議所副会頭と県会議員を含めた7〜8人が、大地の芸術祭総合ディレクター北川に珠洲市での芸術祭開催の直談判を行う。

　北川は、金沢美術工芸大学での講義の機会に現地見学に行くことになった。夕刻金沢を出て、真っ暗な夜道に街道筋の集落を通った。家並みがしっかりとしている感想をもつ★34。能登では黒瓦の屋根と下見板張りの伝統的な住居が多い★35。「珠洲には巨大な灯籠（とうろう）が集落を練り歩く『キリコ祭り』や、民家で客をごちそうでもてなす『ヨバレ』の習慣が残る」。「同

表5-3　奥能登国際芸術祭に関わる事項等年表

年		奥能登国際芸術祭に関わる事項等	市長
2003	8月 12月	第1回日本カジノ創設サミット開催 関西電力・中部電力・北陸電力が原発計画を断念 珠洲市地域振興基金設置	貝蔵治第1-3期 (1996.7 -)
2004			
2005			
2006	10月	能登半島里山里海自然学校開校	泉谷満寿裕第1期 (2006.6 -)
2007	10月	金沢大学能登学舎開校	
2008			
2009			
2010			泉谷第2期 (2010.6 -)
2011		「能登の里山里海」が世界農業遺産に認定	
2012		商工会議所副会頭と県会議員を含めた7〜8人が北川に芸術祭開催を直談判	
2013	10月	上黒丸2013開催	
2014	2月 6月 10月	奥能登里山里海国際芸術祭実行委員会発足 金沢美術工芸大学と「アート」をキーワードにしたまちづくりに関する連携協力協定締結 上黒丸2014開催	泉谷第3期 (2014.6 -)
2015	4月 5月 10月	奥能登国際芸術祭開催準備室設置 奥能登国際芸術祭実行委員会に改編 上黒丸アートプロジェクト2015開催	
2016	2月 4月 -	珠洲市まちづくり総合指針、珠洲市まち・ひと・しごと創生総合戦略を策定、芸術祭明記 上黒丸アートプロジェクト2016開催 [スズプロ]活動開始、10月にチーム名[スズプロ]決定	
2017	4月 9-10月	奥能登国際芸術祭推進室設置 奥能登国際芸術祭2017開催	
2018	1月 - 2月	《さいはての『キャバレー準備中』》の貸館開始 「スズズカ」ワークショップ開催	泉谷第4期 (2018.6 -)

様の要望は全国各地からあり」、「断ろうとしたというが、現地を訪れて考えを翻した」★36という。

　その一方で、芸術祭とは別の動きとして、金沢美術工芸大学の真鍋淳朗・坂本英之・中瀬康志が、奥能登でのアートプロジェクト実施を検討し、珠洲市に決める。中瀬が選んだのが、約300人が住む里山山麓の若山町上黒丸地区だ★37。「プロジェクトをやるときは、一番大変なところを選ぶ。1人ひとりのつきあいから始める」と中瀬は話す★38。2012年から準備を始め、

2013年10月に「上黒丸2013―奥能登 秘められた場所から始まるひとつひとつの物語―」を開催し、旧上黒丸小中学校（中学校は2003年、小学校は2006年に閉校）で円形舞台《上黒丸劇場－を映す花舞台－》の制作等を行う。石川県企画振興部の大学・地域連携研究プロジェクト支援事業の助成を受けた★39。その後も、中瀬は坂巻正美・竹川大介に声を掛け、活動を継続する。坂巻は、海と山の交流の史実にもとづき、上黒丸北山で《鯨談義》を始める。人類学者の竹川は若山一縁で、集落で集めた写真をもとに《巡回むかしがたり幻燈会》を開催する。これらは福武財団の助成等を受けた★40。こうした成果を受け、2014年6月、珠洲市は金沢美術工芸大学と「アート」をキーワードにしたまちづくりに関する連携協力協定を結んだ★41。これらの活動が、のちに奥能登国際芸術祭での飯田・若山（上黒丸）の持続可能な展開につながっていく（3.2.2.(3)後述）。

　2014年2月には、奥能登里山里海国際芸術祭実行委員会が発足する。珠洲商工会議所はじめ市内関係団体が連携して取り組みを進める★42。北川が代表を務める株式会社アートフロントギャラリーに、ディレクション、広報、作品制作をはじめとした企画業務を委託した★43。ただ、市長を始め職員は、当初は半信半疑だった。「北川フラム」という名前も、専門誌はともかくメディアには出ないし、知られていないからだ。転機の1つとなったのが、2014年3月、議会の全員協議会で北川が説明をしたことだ。「過疎が続くなかで、打開する節目をどこかでつくっていかないといけない」と議会の了解がえられた★44。泉谷市長は「規模の小さい珠洲市での開催は財源や人手の確保に不安があったが、歯止めの利かない人口減少や閉塞感に対して危機感があるから思い切ったこともできた」★45と当時を振り返る。

　キーパーソンの1人金田直之企画財政課長は次のように話す★46。

（2003年12月に）★47電力3社からの寄付金に珠洲市が自己財源1億円をのせ、計28億円の地域振興基金がスタートした。ケーブルテレビの整備などに使ってきた。今17億円ぐらいになっている。当時から将来の活性化になる大きなものに投資しようという総意があった。商工会議所・行政・議会皆OKを出した。芸術祭に投資しましょうというのが最初のざっくりした整理だった。

2014年6月には第2回実行委員会を開催し、2014年度予算やスケジュール案等を決定した。2014年度中に基本計画を策定し、名称を奥能登国際芸術祭とする[48]。

　2015年4月、企画財政課の下に奥能登国際芸術祭開催準備室が設置され、金田企画財政課長が室長を兼ねた[49]。2015年5月実行委員会が改編され、奥能登国際芸術祭実行委員会を立ち上げる[50]。2015年度は実施計画を策定する[51]。行政上の目的として、1）地元に対する誇りの醸成　2）交流人口の拡大　3）地元の雇用拡大が掲げられ、珠洲市全域が会場とされた[52]。こうした地域課題解決を目的する点や、美術館等専用施設以外を会場とする点から、奥能登国際芸術祭はアートプロジェクト的性格を有する（序章4.参照）。2016年度は、実施計画にもとづき、アーティストの選定や公募、専用ホームページやSNSの立ち上げなどを行う[53]。2017年4月からは、前記準備室が奥能登国際芸術祭推進室となった。

　2017年9月から10月にかけて会期50日間で開催する。会期を市内一円で行われる「秋祭り」に併せ、「さいはての芸術祭、美術の最先端」というコンセプトを前面に押し出す。11か国・地域から39組の作家が参加した[54]。来場者数は、目標人数の3万人を超え[55]、約7万人だった[56]。事業費は4億3,000万円、そのうちアートフロントギャラリーへの委託費は約3億円である[57]。国の補助金等を活用した結果、市の実質負担額は約3億円となる[58]。

　経済波及効果は、5.23億円である[59]。対事業費の1.2倍に留まっており、事業費4.3億円を差し引くと、効果は約1億円である。これは来場者数が10万人以下であったこと、珠洲市内、石川県内の日帰りが約7割を占めたことによると考えられる。このことからは、来場者数が10万人以下で、来場者数の主なターゲットを同一県内にすると、芸術祭は経済的効果がそれほど見込めないことが見えてくる[60]。

3. 芸術祭の効果

▶ 3.1. 美学・美術史的評価

　こうして奥能登国際芸術祭が開催された。美術評論家の福住廉は、サイトスペシフィックな点を高く評価する。

　北川フラムによる芸術祭のひとつだが、(中略) これらのなかでもひときわ鮮烈に輝く芸術祭だと思う。美しい風景をフレーミングしたり、その土地の記憶を掘り起こしたり、越後妻有や瀬戸内で繰り返されてきた作品の態様とさほど変わらない。けれども本展の作品は、その土地の特性を十分に活かすかたちで関係づけられている★61。

　出展作家の南条嘉毅も「ベテランの作家が多く、かつ見ごたえのあるものが多かった。サイトスペシフィックアートというか、場をうまく使っていく作家をピックアップしたのが顕著な展覧会だった」★62と話す。

　そうしたサイトスペシフィック型作品のうち、深澤孝史の作品を主に写真で、南条の作品をストーリーで、それぞれ紹介したい。

　深澤の作品が《神話の続き》である (写真5-1)。「珠洲には古来より、日本海を介して大陸から多くの漂流物が流れ着き、さまざまな漂着神 (寄神) が今も寺社や祭礼で祀られている。しかし現在、ここに漂着するものの多くは廃棄物である。作家はこれらの漂着物の変化から作品を構想し」★63「中国や朝鮮からの珠洲の海岸へと流れ着くプラスチックの漂流物を使って、環波神社という神社を建立」★64した。

　南条の作品は《シアターシュメール》である。その経緯を紹介しておくと、第3章3.2.3 (6) で紹介した小須戸ARTプロジェクト2016の共催企画である「京都で小須戸」展に遡る。小須戸ARTプロジェクト2015出展作家となった縁で、したてひろこがその展覧会を企画した。南条は、平安京の正門だった羅城門と、門の現在地にある滑り台を対置させ、その場所で採取した土を使った絵画作品《羅城門》を制作する。翌2017年には、アートフロントギャラリーで個展の話がある。京都での制作の際、足元2メートルの

写真5-1 深澤孝史 《神話の続き》（2017）珠洲市大谷笹波海岸

深さに平安京の地層があることを知ったことから、その降り積もる土と同じ
速度でさらに現在の地層をつくるイメージで土を積もらせ、時間を可視化す
るようなインスタレーションを提案した。その提案が、珠洲市で廃業した映
画館「飯田スメル館」での展示に結びついたのだ。

　その映画館に、飯田の町で使われてきた看板だったり、家の中にあるテー
ブルライトなど人の気配するものを配置し、それらが「上映開始のブザーと
ともに、真っ暗な空間の中スポットライトによって次々と照らし出され」てい
く★65。そこに、南条は能登半島で数千万年かけて形成された珪藻土が降り
積もる仕掛けを考えた。人が長く関わった場所で、埃のうえにさらに時間
が積み重なり、それが次の時代に移り変わりいくために、土を重ねて時間
が過ぎ去っていくイメージを表現した。

　実際、（かつての賑わいがなくなったことを）ネガティブに思えていたところもあ
るけど、時間が経って今フタを開けたら、それもあって今もあるしでやっていくみ
たいな感じで地元の方が切り替わっていくのが非常に面白かったし、何かの記

憶につながり、涙を流す観客も少なくなかった。

　作品タイトル《シアターシュメール》は、スメル館という名前がシュメール
文明と関わりがあるのではと南条が考えたことからつけられた。シュメール
文明自体が土に埋もれ、人々の記憶から失われていたが、フランス軍が
100年前に偶然発見し、砂漠の中にあった文明やすごく懐かしい景色が
出てきたという。南条は、スメル館でも同じことが起きると考えたのだ[66]。

▶ 3.2. 地域づくりへの影響

　さて、本研究の目的に照らし、芸術祭開催が地域づくりにつながったのか
に着目していきたい。地域づくりへの評価は、美術的評価とは別に存在する
ものだからだ。

　この点、市長は、メディア掲載が約400件に及んだことから[67]、「連日メディ
アで取り上げられ、50日間ほめられっぱなしだった。市民の皆さんが自信を
持った」ことを、大きな成果と受けとめる[68]。金田課長も次のように話す[69]。

　（メディアから）お褒めの言葉をいただく日々が続くと明るくなるし、自信ももてる。
あとは具体的な動きにどうつながっていくのか。気持ちのところは、かなり刺激
を受けて活性化している。

　こうした主観的な部分も含めて、珠洲市が定点観測し追跡していくという。
ちなみに、閉幕直後11月の住民アンケートによれば、次回も開催を「望む」
が51％、「望まない」が6％、「どちらともいえない」が43％だった[70]。
　一方で、北野の冷静な声がある[71]。

　芸術祭はまさにお祭りだ。今は誰も歩いていない飯田の町、商店街だが、開
催期間中は次から次へ人が行き交う。そのときはみんなびっくりするが、「閉幕後
の閑散とした商店街を開催前より寂れた」と指摘する商店街関係者もいる。多額
の公費を投入する以上、一時的な高揚感に酔うことなく客観的な数字を市民の
前に明らかにすべきだ。来場者数はカウント方法を変えて当初目標の2倍を超え

たとする一方で、実質的な開催費は約6億円と計画公表時の約2倍となっているが、明らかにしていない。年間を通じた市内宿泊者数も前年割れだ。当然ながらまちづくりは芸術祭だけで完結するものではない。ここ数年の芸術祭最優先の行政の中で取り残された行政課題も含め、市全体でどうだったのか見ていく必要がある。

ここからは、地域づくりへの影響について、前述のとおり作品の性格やアーティストの側と、地域の受け入れ態勢の側の両者に着目して整理していきたい（表5-2参照）。

3.2.1. 作品の性格やアーティスト

サイトスペシフィックな作品が多く、美術的評価も高い。作品制作に地域の協力を求めた例もある。しかし、作品制作等に地域の人たちがさまざまな形で関わることが、概して多くなかったように思われる。言い換えれば、参加・協働型作品に、地域住民にコミットする仕掛けがあったり、サイトスペシフィック型の作品の中でも、地域住民との交流の企図が図られたりということが多くなかったのだ[72]。この点、出展アーティストのEAT&ART TAROが、後述の《さいはての『キャバレー準備中』》を構想するにあたり「全体のラインナップを見て移動する作品が多いイメージだった。1、2時間入れる場所があってもいい。芸術祭の間をつなぐ場所、次回につながるような作品を考えた」[73]（3.2.2.(3)後述）と話している。

3.2.2. 地域の受け入れ態勢

それでも、閉幕後新たな拠点がつくられるなど、今後につながる動きも見られる。地域づくりに影響を与えるための地域の受け入れ態勢として、1)既存の拠点（地域づくり）連携・発展型　2)作品展示継続型　3)新たな拠点形成型の3つがある。順に見ていきたい。

(1) 既存の拠点（地域づくり）連携・発展型

珠洲市では、原発の賛否に関わる運動を経て、泉谷市長のもと食の活用、

大学連携による人材育成など地域づくりに取り組んできた。参加・協働型
等地域住民と関わる作品が多くなかったこともあり、奥能登国際芸術祭
2017閉幕後に、必ずしもこれらの活動と芸術祭とが結びついて展開され
た訳ではない。

　一方で、前述のとおり、大学連携による人材育成は、2007年から金沢大
学と連携し、2015年度までに128名の「能登里山里海マイスター」を輩出
した[74]。こうした取り組みと芸術祭との連携について金田課長は次のよう
に話す[75]。

　過疎自治体で大学連携にお金を入れ、具体的な取り組みをするところはあま
りなく先行する。人材育成だけでなく、行政も民間も人がつながりだす。Iターン
する子もいる。一方で、芸術祭は、学生もたくさんいるし、若い人が担う。将来
インターンシップも含め帰ってきてもらう可能性がある。うまくかみ合わせたい。

（2）作品展示継続型

　2018年3月時点で公共施設や、のと鉄道廃線跡地に設置された作品を
中心に7作品を継続して利活用することにした[76]。前章で紹介したいちはら
アート×ミックスの月崎の事例では、作品制作の際の地域の協力が作品設置
の継続につながり、設置後の地域の協力の必要性が地域づくりにつながっ
ていた。参加・協働型の作品を展示継続につなげたのだ。しかしながら、
2018年度の取り組みとしては、これらの作品と地域との接点がさほど見ら
れないことから、作品展示継続が地域づくりに影響を与えていない。むしろ、
常設型の作品を増やすことで、非開催期間中の交流人口の拡大や珠洲の
魅力を伝えるなどの効果やきっかけづくりが期待されている[77]。

（3）新たな拠点形成型

　市は、芸術祭をきっかけにした2つの活動拠点で市民主体の自然発生的
な動きが起きることを期待している。

　1つには、2018年1月から《さいはての『キャバレー準備中』》の貸館を
開始したことにある。

写真5-2　EAT&ART TARO《さいはての『キャバレー準備中』》(2017)　珠洲市飯田

　アーティストのEAT&ART TAROは、定期船の待合室だった建物で《さいはての『キャバレー準備中』》という作品を展開した。19世紀末にパリで発祥したキャバレーは、文化を発信する「大人の社交場」だったことから、日中は「カフェ」、夜はお酒と料理を楽しむことができる「キャバレー」をオープンしたのだ★78（写真5-2）。キャバレーを開店するには風営法の許可が必要となるから、準備中とした。また、キャバレーの雰囲気を残しつつ、たえず準備中で、幻のようにキャバレーをやる日があるようなことを考えたという★79。

　大地の芸術祭では、（上郷）クローブ座に関わった（第2章1.2.参照）。奥能登国際芸術祭2017でも、今回だけでなく長く使える場所をつくろうと思った。アートセンターや飲食店は厳しいが、貸しスペースでイベントに不定期に使っていくとか、次回につながる何かにならないかと思っていた。

EAT＆ART TAROのそうした思いも受け、2018年1月から貸館が始められた。2月に「食祭　珠洲まるかじり」の関連イベントとして「珠洲まるかじりバルウィーク」が開催される★80。その際は、芸術祭に関わった女性が中心になり「またあそこでやりたい」とさいはての「Bar営業中」（スペイン風居酒屋）を2月17日（土）から3月3日（土）の週末に計7日間営業した★81。

　2つには、正院の「スズズカ」（旧飯塚保育所）である。会期中、ひびのこづえが、「スズズカ」を展示した。珠洲の海から発想を得た衣装のインスタレーション《重力と無重力の間》を設置し（写真5-3）、週末にはパフォーマンスを上演した★82。

　この「スズズカ」で、芸術祭閉幕後の2018年2月にワークショップを開催する。市原湖畔美術館（千葉県市原市）で開催される「60（rokujuu）ひびのこづえ展」のダンスパフォーマンス公演で、「スズズカ」で行われたパフォーマンスの再演が決定され、衣装のメンテナンスでひびのが「スズズカ」を訪問するのに併せて実施したのだ。午前と午後の2回で、いずれも40名の定員が地元の人で満杯となる。金田課長は、「人の動きを活かしたい施設なので、ワークショップをやっていきたい。若いお母さんたちが何かやろうという話が出るかもしれない。期待している」★83と話す。

　また、前述の2つの拠点とは別に、大学主体の活動も見られる。金沢美術工芸大学では、上黒丸などで2012年からアートプロジェクトを展開してきた（2.3.前述）。芸術祭では、中瀬が旧上黒丸小中学校校庭で、《アートキャラバンKAMIKURO》で、「仮設テントと多数の白い梯子状構造により校庭に劇的空間をつくり、様々なワークショップやパフォーマンスを行った」。坂巻は、2014年からの《鯨談義》を発展させ、《上黒丸　北山　鯨組2017》を展開する。「沿岸部から運び上げた木造伝馬船3艘を宝船に見立て水を引いた休耕田に浮かべ」「隣接の山林から切り出した杉丸太で巨大なボラまち櫓を設置し、70旗の大漁旗を掲げ、里海と里山の交流の場を再生した」★84（写真5-4）。閉幕後も地元から存続の声が上がり、地元で櫓の維持管理を行う★85。竹川は、「伝統食である『こんかイワシ』を積んだリヤカーを引き、

写真5-3（上）　ひびのこづえ《重力と無重力の間》／「スズズカ」（2017）珠洲市正院
写真5-4（下）　坂巻正美《上黒丸　北山　鯨組 2017》（2017）珠洲市上黒丸北山

輪島海士町から上黒丸の村々まで物々交換をしながら歩」[★86]き、「在郷まわりを再生した」[★87]。中瀬は「作品を（形として）残すことをしない。住民と密接な関係の中で（地域に残っていくものは）徐々に出来上がっていく」[★88]と話す。

　その一方で、真鍋淳朗ら教員6名、非常勤研究員1名と学生35名の混合チームが、芸術祭への参加をめざし2016年に［スズプロ］を結成する。芸術祭後の活動も見据えたものだった。コーディネーターを担ったのが、2016年度卒業生の中島大河（なかじまたいが）（非常勤研究員）である。まず、学生らは、市の中心街の飯田町でフィールドワーク等を行う。芸術祭では、古民家八木邸を使い、住民から聞き取った話などを盛り込み、空家の敷地内の蔵の中に巨大壁画「奥能登曼荼羅」などを展示した[★89]（写真5-5）。芸術祭終了後も学生と商店街との交流が続く。2018年2月の「食祭 珠洲まるかじり」では、商店街関係者から依頼を受け、学生が顔出しパネルを制作し、合同でパネルを使ったスタンプラリーを行う[★90]。2018年9月、学生は珠洲市に新たな活動拠点をつくる[★91]。残された八木邸の展示は、芸術祭の他の作品と併せ、2018年9月下旬から10月中旬の土日に計8日間公開された[★92]。珠洲市は、こうした活動を金沢美術工芸大学との連携協力協定（2.3.前述）の括りで整理し、発展させていきたいという[★93]。

3.2.3. 今後の展開等

　金田課長は、芸術祭の今後の展開と課題についてそれぞれ次のように話す[★94]。

　半島の先端を全面に出すのが北川ディレクターの思いで、里海会場が多かった。内陸に魅力的な里山がある。ため池が沢山あり、世界農業遺産を活かす点でも、次回はそちらに光を当てたい。

　移動については、既存の路線バスがないことや「印象がガラッと変わるとするとこれしかない」と、「スズバス」というバスツアーの仕組みをつくった。ガイドは地元の方が担い、最低限の作品解説を依頼し、得意分野を話してもらった。「うちの売りになるし、あの仕組みは次回もしっかりと対応したい」。また「数日で見

写真5-5　金沢美術工芸大学アートプロジェクトチーム［スズプロ］《静かな海流をめぐって》「奥能登曼荼羅」（2017）
珠洲市飯田

られる規模のコンパクトな展開で、来場者の満足感が高かった」と話す。

　一方で、飲食、宿泊は、新しい仕掛けができなかった。商工会議所の担当分野で、連携して取り組む。宿泊は、空き家を使った宿泊施設を考えたい。「丹波篠山の円山集落を見にいった。資源が沢山あるので、仕組みが大事だ」という。

　将来の課題については、芸術祭開催によって、住民が誇りを醸成し、具体的な活動につなげていきたい。最終目標は、人口減少が止まるとか、スピードダウンしていくことである。そのためには継続開催しなければならない。継続開催するには、経済効果も出さなければならない。観光にも力を入れ、雇用の場が生まれたり、成果も出るだろう。

　一方で、北野は次のように指摘する★95。

　地域の中で暮らしの中で、身近なところにアートがあるのは悪いことではない。アートの力に可能性も感じるし、期待もしたい。しかし、全国ではいろんなやり方の芸術祭があるなかで、奥能登国際芸術祭のように財政的には行政が中心と

なり、民間会社にコンセプトや開催目的を含め企画全般を委託するようなやり方がはたしていいのか。

　開催を認めた後で開催費用がなし崩しに拡大する、「日本の祭りと食文化の源流を探る」というコンセプトがいつの間にか「さいはての芸術祭、美術の最先端」に変わる、開催目的も文書が出るたびにご都合主義的に変化する。そもそも5億も6億もの巨額の開催費を投じたイベントを開催しないと市民の地域に対する誇りは醸成されないのか。実行委員会方式をとるため、議会での議論は隔靴掻痒、一方、実行委員会でも踏み込んだ議論は聞かれない。

　過疎が進んで大変だ、時間がない、人口減少対策の即効薬がほしい。こうして危機感が煽られる中、人口規模、財政規模からして自治体の身の丈を大きく超えるイベントが市政のど真ん中に位置づけられ、しかも市民は蚊帳の外に置かれている。市民自治のない外部依存、僕から見ると原発誘致と同じ発想に戻ったように感じる。

▶ 3.3. 分析

　では、地域づくりへの影響を前記指標で分析をしておきたい。

　《さいはての『キャバレー準備中』》の貸館を開始し、新たな拠点を作ったことで、地域のイベントに併せ、芸術祭に関わった女性が「さいはてのバル」という飲食店を期間限定で営業した。よって、行動力の一時的な向上が見られる。

　金沢美術工芸大学は、上黒丸でアートプロジェクトを展開し、今後も活動を継続するほか、地元が作品の一部を維持管理する。また、学生らが中心となり飯田町の八木邸で［スズプロ］を展開した。芸術祭閉幕後も学生と商店街の交流が続き、食のイベントではパネルを制作し合同でスタンプラリーを行う。2018年度も飯田町に新たな拠点をつくり活動を継続する。したがって、行動力の一時的な向上やネットワークの一時的な広がりが見られる。ただ、金沢美術工芸大学の継続的活動は、芸術祭開催が1つの契機となっているが、当初から活動の継続が企図されていたことから、芸術祭との因果性はそれほど強くない。

　以上から、奥能登国際芸術祭でも行動力の向上やネットワークの広がり

が見られるものの、大地の芸術祭莇平集落、いちはらアート×ミックスなどで、初回開催時に、継続性が見込まれ、かつソーシャルキャピタル形成につながる活動が見られたのに比べると、2018年度の調査の時点（以下現時点）では、奥能登国際芸術祭は、地域づくりへの影響が概して大きくはない。

4. 芸術祭が地域づくりにつながらない要因の多角的検討

そこで、地域づくりへの影響がなぜ大きくなかったのか、その要因・条件を、研究目的に照らし　1）外部資源へのアクセス　2）地域資源の活用　3）環境・福祉・文化・人権等総合目的　4）地域の主体的な戦略、という4つの観点から多角的に検討していきたい。

まずは、1）から見ると、外部資源とは、外部の資金、技術と解する（1.前述）。資金については、国の補助金等を活用しているが、事業費4.3億円のうち市の実質負担額は3億円で、資本の面で外部資源に依存したとまではいえない。ただ、電力会社からの寄付金をもとにした地域振興基金があったからこそ開催できた点は慎重に見ておく必要があり、その点は　4）で後述する。むしろ、外部資源として重要になってくるのは、ディレクション（作家選定等）、制作サポートなど芸術祭開催の専門的な技術である。奥能登国際芸術祭についていえば、北川が代表を務めるアートフロントギャラリーという民間会社に企画を委託したからこそ、岩崎貴宏、塩田千春等実績ある作家や、南条嘉毅、深澤孝史等若手の力がある作家が肩を並べ、全体として美術的評価の高い芸術祭となった面がある。彼らの全国への発信力が、7万人の来場者数にもつながった。過疎地で1億円以上の大規模な芸術祭の初開催となると、ディレクション、制作サポート等開催ノウハウと、そうした技術をもつ人材を有する民間会社・団体に大幅に企画等を委ねるのはやむを得ない面がある。いわば、ディレクション、制作サポート等開催ノウハウを有する外部人材の活用である。ただ、手間もかかるし、リスクもあるが、行政、もしくは実行委員会が、外部人材を個別に雇用するやり方も今後はありうる。

次に、2）を見ると、サイトスペシフィック型の作品が多く、地域資源を活用したといえるが、地域との接点が少なく、現時点では地域づくりに顕著な影響が見られない。こうした点からは、サイトスペシフィック型の作品展開で地域住民との交流を図り、既存の地域活動につなげていくことが望まれる。いわば、人的資源を含む地域資源の活用である（後述①）。

　さらに、3）を見ると、芸術祭による地域づくりは、そもそも文化に重きを置くものである。のみならず、開催地珠洲市では、原発の賛否に係る運動、食の活用、大学連携による人材育成、世界農業遺産などさまざまな地域活動が展開されてきた。現時点では、そうした地域活動と芸術祭が必ずしも結びついていないが、今後は連携させたいということだ。文化やアートによって、地域づくりが環境・福祉・人権等総合的に取り組まれる媒介となることも求められるだろう（後述③）。

　最後に、4）の視点を見ておきたい。地域側の主体性とは、地域コミュニティがビジョンをもち、地域づくりを計画・決定していくことである（1.前述）。しかしながら、奥能登国際芸術祭では、参加・協働型の作品でアーティストが住民の自発性にコミットしたり、サイトスペシフィック型の作品で地域住民との交流を企図したりということが多く見られなかった。また、前記のとおり既存の地域活動とのつながりも強くなかった。むろん、上黒丸アートプロジェクトや《さいはての『キャバレー準備中』》は、地域住民との交流や持続可能性が意識されている。ただ、前者は、芸術祭の中でも大学のプロジェクトの性格が強い。後者は、芸術祭で次につながる作品が見られないことから、作家が機転を利かせて展開したものだ。これらの作品を除くと、他の芸術祭で地域づくりにつながった事例に比べ、地域の人々の自発性にコミットする部分が多くなかったのではないだろうか。だとすれば、参加・協働型の作品でアーティストが住民の自発性にコミットするなど地域コミュニティの主体性をより打ち出していくことができたと考えられる（後述②）。

　とはいうものの、次回以降、大学連携による人材育成等地域活動との結びつきが企図され、行政が自発的な活動が起きるような仕掛けとして、《さいはての『キャバレー準備中』》の貸館等新たな拠点を整備する。芸術祭開催を住民の誇りの醸成や具体的な活動につなげるための持続可能な戦略

が明確な点は、他の芸術祭に比しても優れている。民間会社に企画を大幅に委ねるにしても、こうした持続可能な戦略をもつことが地域づくりにつながると考えられる（後述③）。

　資金面で付言しておくと、事業規模が4億円だからこそ、相当の制作費で個々の作品のクオリティを高め、作家が力を発揮できた部分もあっただろう。約17億円の地域振興基金があったから開催できた点も無視できない。とはいえ、基金も有限なので、持続可能な事業規模を今後検討する必要がある。

　また、来場者数が10万人以下で、主なターゲットを県内にするならば、芸術祭は経済波及効果がそれほど見込めないことにも言及した（2.3.前述）。芸術祭開催の短中期的な目標を、住民の誇りの醸成や具体的な活動につなげることとし、経済波及効果は継続のための説得材料の1つと位置づけるのがよいのではないだろうか。

　以上から、奥能登国際芸術祭2017の地域づくりへの影響が、他の芸術祭に比してなぜ概して大きくなかったのかについて、その要因を前記1)〜4)の4つの観点から多角的に検討した結果をまとめておきたい。

　1)の観点からは、外部人材を活用することは、開催ノウハウの提供などで芸術祭の地域づくりにつながる面があった。しかしながら、2)〜4)の観点からは、次の3要因が足りなかったことで、地域づくりへの影響が大きくなかったのではないか。3要因とは、①サイトスペシフィック型の作品展開で地域住民との交流を図るなど地域資源（なかでも人的資源）を活用すること、②参加・協働型の作品でアーティストが住民の自発性にコミットするなど地域コミュニティの主体性を重視すること、③地域活動との結びつきを企図したり、新たな拠点を整備したり、持続可能な戦略をもつこと、である。

　①、②の条件は、第1章から第3章までで明らかにした芸術祭による地域コミュニティ形成の具体的プロセスに対応している。作品の性格やアーティストの側からの視点である。それに対して、③の条件は、地域の取り組みの視点で捉えており、第4章で明らかにした地域コミュニティ形成に影響を与えた3パターンにほぼ対応している。

　さて、奥能登国際芸術祭2017は、閉幕後地域づくりへの影響が、他の芸術祭に比してなぜ概して大きくなかったのか、前記条件に照らして改め

て見ておきたい。

　もちろん、初回開催で時間的余裕がなかったことなどの事情もあるだろうが、その実践から何が汲み取れるのか。

　自治体財政の身の丈を超える規模で、民間会社に企画等を大幅に委託する芸術祭の手法が、内発的発展といえるのかという問題意識で分析してきた。端的にいえば、地域資源の活用、持続可能な地域の主体的な戦略という条件が整えば、そうした手法も内発的発展ということができる。芸術祭の規模が大きく、行政、民間会社主導だと、地域のみならず、作家も振り回される危惧があることも否定できない。行政が地域コミュニティの理解を得ながら、ときには地域コミュニティが主体となり、企画会社に参加・協働型の作品を提案したり、既存の拠点（地域づくり）との結びつきを考えたり、地域コミュニティの視点で持続可能性を探ることが必要だ。そうしたことで、地域が芸術祭を活用し、芸術が地域の場で活動し、ウィンウィンの関係を築くことができよう。

　食をはじめとした内発的発展的な地域政策と、参加・協働型のみならずサイトスペシフィックな作品を含めて、人的資源を含む地域資源を活用できる芸術祭は本来なじみがよいはずである。珠洲市は、歴史に育まれた地域・文化資源が豊かで、環境・農業・教育・人権などさまざまな分野での地域活動の実績がある点で、地域づくりの潜在力が高い。そうした地域資源・活動と芸術祭との融合により、住民の誇りの醸成や具体的な活動につなげる戦略が次回以降練られようとしている点は評価したい。奥能登国際芸術祭の今後に期待したい。

　なお、本章では、内発的発展論を地域コミュニティという土俵で議論してきた。しかし、そもそも宮本の内発的発展論は自治体を念頭に住民参加の制度や自治権を強調している。そうした観点からは「実行委員会方式をとるため、議会での議論は隔靴掻痒」「市民は蚊帳の外に置かれている」との北野の指摘に配慮した議論の場があることが、望まれる。

5. まとめ

　芸術祭が流行するなか、地域づくりにつながるのかが問われている。本章は、内発的発展論の議論を参照し、1）外部資源へのアクセス　2）地域資源の活用　3）環境・福祉・文化・人権等総合目的　4）地域の主体的な戦略、の4つの観点から、過疎地・地方型芸術祭が短中期的に地域づくりには必ずしもつながらない要因を多角的に検討した。

　開催地の珠洲市はかつて原発誘致で揺れ、まさに芸術祭が「内発的発展」型か否かが問われたことから、奥能登国際芸術祭を取り上げた。その開催経緯を踏まえ、地域づくりに与える影響を分析したところ、奥能登国際芸術祭は、現時点では他の芸術祭に比べ提案力・行動力の向上やネットワークの広がりが見られたものの、概して大きくなかった。そこで、地域づくりへの影響がなぜ大きくなかったのか、その要因を検討した。その結果、1）の観点からは、外部人材の活用は、芸術祭の地域づくりにつながる面があった。しかし2）～4）の観点からは、次の3要因が足りていなかったのではないか。その3要因とは、①サイトスペシフィック型の作品展開で地域住民との交流を図るなど地域資源（なかでも人的資源）を活用すること　②参加・協働型の作品でアーティストが住民の自発性にコミットするなど地域コミュニティの主体性を重視すること　③地域活動との結びつきを企図したり、新たな拠点を整備したり、持続可能な戦略をもつこと、である。また、これらの要因は、第4章までで明らかにしてきた芸術祭による地域コミュティ形成の具体的プロセスや、地域側の受け入れ態勢の分析に概ね沿うものでもあった。

注及び引用文献:

★1 芸術祭の事業費、開催年、開催目的等は各報告書等による。

★2 宮本憲一『環境経済学 新版』岩波書店，2007年，310ページ．

★3 宮本，前掲書，316-317ページ．

★4 宮本，前掲書，318-323ページ．

★5 小田切徳美「[コラム]ネオ内発的発展論」『町村週報』第2778号（2011年10月31日），2011年．

★6 宮本への批判、「地域づくり」に関する記述は、「農村ビジョンと内発的発展論―本書の課題」（小田切徳美，小田切徳美・橋口卓也編著『内発的農村発展論 理論と実践』農林統計出版，2018年，10-17ページ）を引用したものである。

★7 若林剛志「内発的発展論からみる農村の広域地域組織」『農林金融』2016年12月号，2016年，40-58ページ．

★8 宮本，前掲書，317ページ．

★9 「外部資源」「地域側の主体性」の定義については、宮本の「外来型開発」「内発的発展論」の定義（前掲書，310；316-317ページ）や「私の提唱する内発的発展論は、（中略）地域の企業・労組・協同組合などの組織・個人・自治体を主体とし、その自主的な決定と努力の上であれば、先進地域の資本や技術を補完的に導入することを拒否するものではない」（前掲書，317ページ）とする記載を参照した。

★10 稲葉・吉野，前掲書．

★11 吉田，前掲論文，2013年：前掲書，2015年．

★12 珠洲市「珠洲市／沿革」，2019年 a，http://www.city.suzu.ishikawa.jp/city-history.html/（参照2019年5月1日）．

★13 珠洲市「珠洲市／住民基本台帳人口」，2019年 b，https://www.city.suzu.lg.jp/index.html（参照2019年5月1日）．

★14 北川フラム・奥能登国際芸術祭実行委員会監修『奥能登国際芸術祭2017公式ガイドブック』現代企画室，2017年，4-5ページ；84ページ．

★15 ここまでの珠洲焼に関わる記述は、「珠洲焼館」（石川県珠洲市蛸島町）の展示資料の解説文を要約し記載した。なお、「　」内は直接引用した。

★16 「北前船の里資料館」（リーフレット）（北前船の里資料館，2017年）の記載を要約した。

★17 北川ほか，前掲書，2017年，84ページ．

★18 「能登の里山里海」世界農業遺産活用実行委員会「世界農業遺産『能登の里山里海』ライブラリー」，2019年，http://www.pref.ishikawa.jp/satoyama/noto-giahs/lib_top.html〈参照2019年5月1日〉．）．

★19 日本遺産「灯り舞う半島 能登〜熱狂のキリコ祭り〜」活性化協議会「灯り舞う半島 能登熱狂のキリコ祭り」（パンフレット），2016年．

★20 当該文について、『珠洲原発阻止へのあゆみ―選挙を闘いぬいて』（北野進，2005年，七つ森書館，37-42ページ．）による。

★21 北野進「能登の土地・海を守り選挙を闘いぬく―珠洲原発阻止から志賀原発廃炉への闘いへ」中嶌哲演＋土井淑平編『大飯原発再稼働と脱原発列島』，批評社，2013年，54-55ページ．

★22 当該文について、『珠洲原発阻止へのあゆみ―選挙を闘いぬいて』（北野進，前掲書，2005年．）による。

★23 当該文について、「子や孫が戻る市に」（北國新聞社，『北國新聞』〈2006年6月12日〉，2006年．）を一部引用、要約した。

★24 珠洲市議会「市議会議事録」（2017年2月27日／泉谷満寿裕市長），2017年 a．

★25 中村浩二「能登半島にトキを呼び戻す」2017年，https://www.adm.kanazawa-u.ac.jp/satoyama/

satoyamaschool/lab/houkoku/houkoku2007/0502kouenroku/kouen_10.pdf（参照2019年5月1日）．

★26 三井物産環境基金，「国立大学法人 金沢大学 地域連携推進センター 里山プロジェクト（三井物産北陸支店が参画）『能登半島・里山里海自然学校』の設立」，2019年，http://www.mitsui.com/jp/ja/sustainability/contribution/environment/fund/results/1210690_7119.html（参照2019年5月1日）．

★27 金沢大学「能登里山里海マイスター育成プログラム」（パンフレット），2018年．

★28 「能登の里山里海」世界農業遺産活用実行委員会，前掲Web．

★29 2018年3月8日14時15分から2時間半程度珠洲市役所での北野進（珠洲市会議員：当時）へのインタビュー．

★30 珠洲市『珠洲市まちづくり総合指針』2016年a，；『珠洲市まち・ひと・しごと創生総合戦略』2016年b．

★31 能登にラスベガスを創る研究会「能登にラスベガスを創る研究会」，2019年，http://www.suzu.co.jp/yeg/lasken/index.htm（参照2019年5月1日）．

★32 北陸風景街道協議会，「北陸の風景街道」，2019年，http://www.hrr.mlit.go.jp/road/hokuriku-fukeikaidou/index.html（参照2019年5月1日）．

★33 朝日新聞社「原発断念の街でアート祭典 半島の最先端で見つけた魅力」『朝日新聞』（2017年8月27日），2017年．

★34 ここまでの北川と珠洲との出合いの経緯に関する記述は，『奥能登国際芸術祭2017』（北川フラム・奥能登国際芸術祭実行委員会監修，現代企画室，2018年，10ページ）の記載を要約したものである．

★35 「能登の里山里海」世界農業遺産活用実行委員会，前掲Web．

★36 朝日新聞社，前掲記事，2017年．

★37 上黒丸地区の人口について，「珠洲市／住民基本台帳人口・オープンデータ」（珠洲市，前掲Web，2019年b）による．

★38 奥能登や珠洲市若間町上黒丸でアートプロジェクトを展開する経緯について，2018年11月1日10時30分から1時間半程度金沢美術工芸大学で中瀬康志（金沢美術工芸大学教授）へのインタビュー．

★39 上黒丸アートプロジェクト「上黒丸アートプロジェクト」2019年，http://okunoto-art.chu.jp/kamikuro/（参照2019年5月1日）．

★40 2014年以降の活動に関する記述は，福武財団への「成果報告書／助成実績」（福武財団，「成果報告書／助成実績」，2015年；2016年，https://fukutake-foundation.jp/archive_art_search〈参照2019年5月1日〉）の記載を，2019年11月1日中瀬へのインタビューで補足して記載した．

★41 珠洲市「珠洲市／市長の近況」（平成26年6月16日），2014年，http://www.city.suzu.ishikawa.jp/soumu/recent.html（参照2019年5月1日）．

★42 珠洲市議会「市議会議事録」（2014年3月3日／泉谷満寿裕市長），2014年a．

★43 珠洲市議会，前掲議事録（2017年3月6日／金田直之奥能登国際芸術祭推進室長），2017年c．

★44 本段落半ばからここまでの記述について2018年3月8日10時から1時間半程度珠洲市役所での金田直之（珠洲市企画財政課長：当時）へのインタビュー．

★45 「芸術祭で住民に誇りと一体感＝泉谷満寿裕・石川県珠洲市長」（2018年11月1日）（JIJI.COM（時事ドットコムニュース），2018年，https://www.jiji.com/〈参照2019年5月1日〉．）の記事を要約して記載した．2019年5月1日時点では削除されている．

★46 2018年3月8日金田へのインタビュー．

★47 珠洲市地域振興基金条例により2003年12月25日珠洲市地域振興基金が設置された．

★48 珠洲市議会，前掲議事録（2014年12月2日／泉谷満寿裕市長），2014年b．

★49 当該文について2018年3月8日金田へのインタビュー．

★50 当該文について、「市議会議事録」(2015年6月19日/泉谷満寿裕市長) (珠洲市議会, 2015年) による.

★51 珠洲市議会, 前掲議事録 (2016年12月13日/泉谷満寿裕市長), 2016年.

★52 奥能登国際芸術祭実行委員会「奥能登国際芸術祭実施計画」, 2016年, 3ページ.

★53 珠洲市議会, 前掲議事録 (2016年12月13日/泉谷満寿裕市長), 2016年.

★54 北川ほか, 前掲書, 2017年, 表紙; 9ページ.

★55 奥能登国際芸術祭実行委員会, 前掲資料, 2016年, 3ページ.

★56 北川ほか, 前掲書, 2018年, 114ページ.

★57 珠洲市議会, 前掲議事録 (2017年3月6日/金田直之奥能登国際芸術祭推進室長), 2017年c.

★58 珠洲市議会, 前掲議事録 (2017年3月6日/泉谷満寿裕市長), 2017年b.

★59 奥能登国際芸術祭実行委員会「奥能登国際芸術祭実行委員会総会資料 (2018年2月23日)」, 2018年a.

★60 本段落に関する記述は「奥能登国際芸術祭実行委員会総会資料」(奥能登国際芸術祭実行委員会, 2018a) にもとづく筆者の見解である.

★61 福住廉,「奥能登国際芸術祭2017 その1」『artscape』(2017年10月1日号), 2017年, http://artscape.jp/report/review/10139697_1735.html (参照2019年5月1日).

★62 2018年3月25日20時30分から1時間程度京都市内の飲食店で南条嘉毅 (アーティスト) へのインタビュー.

★63 北川ほか, 前掲書, 2018年, 26ページ.

★64 北川ほか, 前掲書, 2018年, 27ページ.

★65 北川ほか, 前掲書, 2018年, 65ページ.

★66 ここまでの《シアターシュメール》に関する記述は2018年3月25日南条へのインタビュー.

★67 奥能登国際芸術祭実行委員会, 前掲資料, 2018年a.

★68 「芸術祭で住民に誇りと一体感=泉谷満寿裕・石川県珠洲市長」(2018年8月27日) (JIJI.COM (時事ドットコムニュース), 2018年, https://www.jiji.com/〈参照2018年11月1日〉.) の記事を要約して記載した. 2019年5月1日時点では削除されている.

★69 2018年3月8日金田へのインタビュー.

★70 北陸先端科学技術大学院大学敷田麻美研究室「住民アンケート集計結果 奥能登国際芸術祭2017」(2018年1月30日), 2018年.

★71 2018年3月8日北野へのインタビュー.

★72 本段落のここまでの記述は、2017年10月1日〜4日に現地視察した際の筆者の見聞による.

★73 本段落に関する記述は、2018年9月14日15時から30分程度越後妻有里山現代美術館 [キナーレ] (新潟県十日町市) での EAT & ART TARO (アーティスト) へのインタビュー.

★74 金沢大学能登学舎「能登里山マイスター育成プログラム」(パンフレット), 2018年.

★75 2018年3月8日金田へのインタビュー.

★76 奥能登国際芸術祭実行委員会, 前掲資料, 2018年a.

★77 当該文について2018年3月8日金田へのインタビュー.

★78 本段落のここまでの記述は、『奥能登国際芸術祭2017』(北川フラム・奥能登国際芸術祭実行委員会監修, 現代企画室, 2018年, 6ページ.) を要約して記載した.

★79 本段落のここまでの記述、次の会話文について2018年9月14日 EAT&ART TARO (アーティスト) へのインタビュー.

★80 北國新聞社「最多1万3千人来場 珠洲まるかじり 山海の幸求め」『北國新聞』(2018年2月26日) 2018年.

★81 段落について2018年3月8日金田へのインタビュー.

★82 本段落に関する記述は、『奥能登国際芸術祭2017公式ガイドブック』(北川フラム・奥能登国際芸術祭実行委員会監修, 前掲書, 現代企画室, 2017年, 65-66ページ) の記載の一部を要約した.

★83 本段落について2018年3月8日金田へのインタビュー。

★84 2017年度の中瀬と坂巻のプロジェクトに関する記述は、『奥能登国際芸術祭2017』(北川フラム・奥能登国際芸術祭実行委員会監修, 前掲書, 2018年, 80-81ページ.)を要約し、記載した。なお、「　」内は直接引用した。

★85 当該文について2018年11月1日中瀬へのインタビュー。

★86 北川ほか, 前掲書, 2018年, 82ページ.

★87 北川ほか, 前掲書, 2018年, 82ページ.

★88 2018年11月1日中瀬へのインタビュー。

★89 本段落のここまでの記述は、『静かな海流をめぐって 金沢美術工芸大学アートプロジェクトチーム[スズプロ]2016-2017年度 活動報告誌』(稲垣健志・高橋治希・百歩陽子編, 2018年)の記載の一部を要約した。

★90 「最多1万3千人来場 珠洲まるかじり 山海の幸求め」『北國新聞』(2018年2月26日)(北國新聞社, 前掲記事, 2018年)の記事の一部を要約した。

★91 2019年11月1日17時から1時間程度珠洲市内で中島大河(元金沢美術工芸大学非常勤研究員)へのインタビュー。

★92 奥能登国際芸術祭実行委員会「お知らせ/奥能登国際芸術祭」(2018年8月30日), 2018年 c, http://oku-noto.jp/news/ (参照2019年5月1日).

★93 本段落について2018年3月8日金田へのインタビュー。

★94 2018年3月8日金田へのインタビュー。

★95 2018年3月8日北野へのインタビュー。

第6章

リボーンアート・フェスティバル

宮城県石巻市

はまさいさい・石巻のキワマリ荘

REBORN
ART FESTIVAL

前章では、過疎地・地方型芸術祭が短中期的に地域づくりにつながらない要因、ひいてはつながる条件を検討したものの、その要因・条件は、芸術祭や地域の事情に応じて個別化・具体化していく必要がある。他方で、芸術文化は主催者が企図しないような予測不可能なことが起きるところに面白さがある。

　本章では、そうした観点から、過疎地・地方型芸術祭のうち、2017年夏東日本大震災で被災した宮城県石巻市市街地、牡鹿半島を会場に開催されたリボーンアート・フェスティバルを取り上げる。その最大の特色は、国内外の芸術祭で前例がない震災復興を目的としたことである。くわえて、小林武史ら民間主体で資金等をマネジメントしている点でも異色である。音楽畑の小林が関わったことからも、アート・音楽・食の総合祭を謳い（1.後述）、その活動内容は多岐にわたるが、本章では、芸術祭の地域づくりというテーマに即し、持続可能な場づくりという仕掛けがいくつかつくられた点に注目していきたい。その1つが、浜の食堂「はまさいさい」で、女性たちの仕事づくりという明確な企図のもと、新たな拠点がつくられた。もう1つが、多目的スペース「石巻のキワマリ荘」で、前者ほど初めからその企図は明確ではなかったが、芸術祭閉幕後もアーティスト育成にフォーカスした拠点として存続する。

　なお、本章に関しては、芸術祭による地域の変化を分析していくには経過観察が必要だと考えており、かつ、現時点で筆者のリサーチも十分といえないことから、事例紹介にとどまっている。理論的な分析は今後の研究課題としたい。

1. 開催経緯

　リボーンアート・フェスティバルによる地域づくりへの影響を見る前に、地域団体との関わりや、そもそも地域づくりが開催目的とされているのか、その開催経緯を見ておきたい。

　小林武史は、1980年代から日本を代表する数多くのアーティストのプロデュースを手がけ、2003年に ap bank を立ち上げる[★1]。ap bank は、小林、

Mr.Chirdrenの櫻井和寿、坂本龍一の3名が拠出した資金をもとに2003年環境プロジェクトに融資を行う非営利組織として設立された。2005年から毎年屋外音楽イベント ap bank fes を開催する★2。

　そうしたときに、2011年に東日本大震災が起きた。当時の様子を小林は、「2009年（原文ママ）の新潟の震災で〈ap bank〉が炊き出しに行き」「その時のチームやノウハウが〈ap bank〉や〈kurkku〉★3にあったから、2011年の311の直後、1週間も経ってないうちにとにかく石巻に入った」「石巻専修大学がグラウンドを開放してくれたので、ピースボートと組んで支援をし」た。「僕らはそこで100人くらいでテントを張って、何か月間か東京からバスを出して、ボランティア活動を支えていたりしていた」★4と話す。こうしたボランティア活動をきっかけに、ap bank は東北復興支援活動「ap bank Fund for Japan」をスタートした。募金活動だけでなく、被災地での炊き出し、災害復興ボランティアの派遣をはじめ、さまざまな復興支援活動を継続した★5。その一方で、ap bank fes は、2012年に3か所で開催したのを最後に当面の休催を決定する。当時のWebには次のメッセージが掲載された。

　私たちap bankの活動を支援してくれたみなさんからいただいた資金を有効に活用するためにも、今はすべての力を被災地の現場に注ぐべきだという判断に至りました★6。

　そうしたタイミングで、「自分たちに何かできないかと考えていた時に、地域おこしに芸術祭が有効だと知った」と小林は振り返る。その理由として、音楽イベントは開催が数日なので、瞬間風速になるが、芸術祭なら、より長期間地域で活動でき、もっと多くの人に参加してもらえること、くわえてアートディレクター北川フラムの影響をあげる。震災後、北川が手がける「大地の芸術祭 越後妻有アートトリエンナーレ」（新潟県十日町市など）を小林は初めて見に行った。「地元の人と外から来たボランティアが混ざり合って生き生きと活動し、すばらしいと思った」。また、「多様な問題を照射する現代アートは被災地の現状を知り、考えるために役立つと考えるようにな」る★7。

　「東北コットンプロジェクト」に取り組んでいたkurkkuの江良慶介が★8、

ap bankの復興支援担当を兼務していた。江良も当時の状況を次のように話す★9。

　東北復興支援活動のために集まったお金が9億円弱あり、それをどう使っていくかが僕の仕事だった。最初は、行政に義捐金を寄贈する。それだけでは、どこにどう使われるかわからない。僕たちも、コンサートに来てもらった人たちに対して、被災地がどうなっていて、どういう支援に困っていて、自分たちで支援事業をやることで実感をもって伝えていくことが、大事ではないか。ある段階から自主事業、（すなわち）自分たちの力で支援する方向に変わっていった。そういうタイミングだった。芸術祭やりたいというよりも、復興の何かをやりたいというのが一番最初にある。地域の表現をしていくのが、復興に有効じゃないかと考えた。

　2012年秋には、具体的に動き始める。小林は、人類学者の中沢新一や、美術部門のディレクターを依頼したワタリウム美術館の和多利恵津子館長と和多利浩一代表CEOとともにアイデアを練り、宮城県や石巻市に開催を働きかけた。北川が顧問となる★10。こうした小林や江良の思いを、地域側から受け止めたのがISHINOMAKI 2.0である。
　ISHINOMAKI 2.0を立ち上げたのが、地元の松村豪太と阿部久利らである。松村は総合型地域スポーツクラブという形態のNPO法人の運営に関わっていた。阿部は14代続く旅館の経営者だったが、震災の1年前から飲食店に業態変更していた。彼らが中心になりながら、「震災の前の街に戻すのではなく、石巻をバージョンアップしたい、新しい未来をつくりたい」と関東から建築家、研究者、デザイン専門家ら平均年齢30代半ばの約10名が集まる★11。2011年7月23日（土）から8月1日（月）まで、「STAND UP WEEK」という手づくりのイベントを開催し、2012年2月には、一般社団法人ISHINOMAKI 2.0を旗揚げする。併せて、復興BAR、フリーペーパー『石巻VOIC』第1号、「街歩きマップ」第1版をつくった。2011年12月には「IRORI石巻」をオープンさせた（写真6-1）★12。
　小林が芸術祭開催に向けて動き始めた頃、ISHINOMAKI 2.0は、「いしのまき学校」という高校生が社会のフィールドで学ぶプログラムを具体化

写真6-1 「IRORI石巻」(2018) 石巻市

しようとしていた。一方で、松村と、先に紹介した江良が知己となり、ISHINOMAKI 2.0とap bank 一緒に何かできないかと模索を始める★13。
　当時の思いを松村は次のように話す★14。

　世代的にサザンで思春期を過ごした。(小林が音楽を担当した)『スワロウテイル』みたいな映画やサブカルチャー好きな若者の1人で、江良さんを通じて小林さんに会えるまでワクワクする体験だった。

　一方で、江良らは、芸術祭の開催経験がなく半ば手探り状態ではあった。当時のことを江良は次のように語った。

　誰のための芸術祭かというと、僕たちのためというより、地域で震災で困っている、そういう人たちのための芸術祭、いずれにしても僕たちは支援する立場で、核が必要になる。地元の人たち、それが誰なんだというのは、重いテーマ(だった)。
　そのなかで、石巻は、最初にボランティアで入っていった。受け入れてくれた。石巻は専修大学があり、災害のときに受け入れてくれる。貸してくれる。テント

を張って、キャンプして。そこから炊き出し、泥かきをやった。そういう縁があって、そういったことをやっていたからか、何百人クラスで石巻に残っている。今でも100人弱いる。いろんな団体が残っており、ap bankとか、ピースボート。変なコミュニティがある。ISHINOMAKI 2.0は、そのなかでいうと、地元の人がやっている変な団体である。

　エコ・レゾナンスという言葉をつくって。もともと環境に対する意識が、共振、共鳴していくはずだというコンセプトでap bank fesをやっていた。いろんなところで、化学反応が起こることが好ましい。若くてやる気がある、面白かったりする。まちの規模とか、そういうところも含めて石巻がいい。地域の人でまちづくりをしたいと思っている。そういう人と一緒にやるのがいい。ISHINOMAKI 2.0とap bankで最初はコラボすることから始めた★15。

　2013年6月ISHINOMAKI 2.0が、「いしのまき学校」高校生ゼミをスタートすると、小林武史が先生となる。さらに、まちの人を巻き込み、一緒に何か楽しい関わりができないかと考え、ISHINOMAKI 2.0が「世界で一番面白い街を作ろう」というキャッチフレーズを言い始めた時期でもあった。そこで、2013年11月にap bankと共同で「世界で一番面白い街を作ろう実行委員会」を発足させた。それから、毎月1回、計5回のワークショップを実施する。面白い街を作るためにどういうつながりがあるのか、どんな素材があるのかを街の若手から年配の方まで議論した。ゲストは小林・和多利浩一・和多利恵津子・中沢などである。こうしたワークショップの成果が、結果として石巻での芸術祭開催につながる大きな転機となった。最終案として、ap bankとの「STAND UP WEEK 2014」の共同実施とともに、芸術祭の開催が提案された。提案を受けた「STAND UP WEEK 2014」では、津波の被害を受けた空きビルで、ライゾマティクス（代表取締役社長／齋藤精一）によるインスタレーションとともに、小林とSalyuがライブパフォーマンスをした★16。

　こうしてISHINOMAKI 2.0の方からap bankを巻き込んでいったのだが、ISHINOMAKI 2.0や芸術祭への当初の思いについて、松村は次のように語る★17。

ISHINOMAKI 2.0が立ち上がったときから、「人の誘致」を掲げていた。人口を増やすには、工場をつくったり、大企業の支店を呼ぶという手法もあるだろうが、そうじゃないだろうと2011年にISHINOMAKI 2.0を立ち上げた頃から思っていた。工場をつくって来る人は、言ってみれば仕事のために仕方なく来させられる人である。そういう人はこんな町に来たくなかったのにと石巻のアンチになってしまうかもしれない。それじゃ幸せになれない。「人の誘致」の「人」には「面白い」という形容詞が付くべきで、「面白い人」に"石巻を選びたい"と思ってもらいたい手法を考えてきたのだと思う。「面白い人」という言葉にはいろいろな捉え方があるだろうが、クリエイティブな職をもった人という捉え方もできる。「面白い人」から選ばれるためには、イケてるバーやオシャレなカフェが必要だ。バックパッカーが泊まるゲストハウスなんかも。そういう場所をつくり、展開する。「面白い人」の典型が"アーティスト"。つまり、合理性だけで動かない。金融機関とは真逆で、そういう人がこのまちを選んだらいいと初めから思っていた。そういう意味でも、芸術祭はアーティスト・イン・レジデンスの手法も含めてあったらいいなと思っていた。そういうこともあって、芸術祭の企画に共感し、お手伝いしたいと思っていた。

2014年9月には、実行委員会の前段階の集まりを松島町で開催した。松村らの思いも受けながら、石巻が主会場と決まっていく。ところが、石巻市は当初及び腰だった[18]。小林は「耕す 木更津農場」(千葉県木更津市)で、太陽光発電の設備が設置され、廃油をリサイクルしてトラクターを動かすといった循環型を意識した有機農業の取り組みをしている[19]。そうした視察を経て、「木更津であったものが、牡鹿半島にあったら」と亀山紘市長と小林は意気投合していく[20]。2015年7月には実行委員会が立ちあがった。事務局を一般社団法人リボーンアート・フェスティバルが務め、松村が事務局長となる[21]。

2015年7月に石巻市とap bankが設立発起人となり、Reborn-Art Festival 実行委員会を発足させた[22]。コンセプトは、"Reborn-Art＝「人が生きる術」"とした。Artとは「人が生きる術」全てを指す。ところが、震災以降「人の生きる術」が失われかかっていることを、認識するようになった。

図6-1 リボーン・アートフェスティバル2017会場

今もっとも必要な「人が生きる術」を蘇らせ取り戻したいと自分たちのめざ
すものをReborn-Artと名付けたのだ★23。それまでは東北牡鹿国際芸術祭
という名称も考えられていたが、地方型の芸術祭が乱立するなかで、十把
一絡げに見られてしまうとよくないとの判断もあった★24。

　制作委員会が設けられ、現代アートの展示企画を和多利恵津子、和多利
浩一が担う★25。2016年夏にはプレイベントとしてReborn-Art Festival×
ap bank fes 2016を3日間開催し、石巻会場に4万人を動員する。そして、
2017年7月22日（土）〜 9月10日（日）にアート・音楽・食の総合祭として
リボーン・アートフェスティバル2017を開催する。現代アーティストは39組
が参加した★26。和多利は「美術的な文脈を抑（ママ）えるためにも、海外
の大御所もきっちり集めた上で、日本で公的なところに疎まれそうなギリギ
リのところでやっている人たちを集め」★27たと話す。音楽については、

Reborn-Art Festival 2017 × ap bank fes を7月末に3日間開催したほか、「51日間、どこかで毎日音楽が鳴っているプログラム」を実施する。会場は、石巻市街地中心エリア、石巻市周辺エリア、牡鹿半島中部エリア、牡鹿半島先端・鮎川エリアの大きく4つに設けられた（図6-1)[28]。石巻市街地だけでなく牡鹿半島を会場としたのは、手つかずの自然が素晴らしく、東京からわざわざ行って感じられるよさがあるからだ[29]。

事業規模は7億円弱で、レストラン・トイレ・鹿の解体処理施設などの整備を含めると計9億円になる[30]。来場者目標20万人としたところ[31]、延べ来場者数は26万人を数えた（公式実来場者数3万2,000人）[32]。石巻市も金銭的のみならず人的支援で協力した。2,000万円の補助金を措置し[33]、50日間の期間中の平日に20人、土日・祝日に30人の市職員が会場受付等に従事し、ボランティアスタッフの不足を補った[34]。

なお、冒頭に紹介したように震災復興という地域・社会課題を目的とした点、美術館等専用施設以外を会場とした点などから、リボーンアート・フェスティバルはアートプロジェクト的性格を有する（序章4.参照）。

2. 地域づくりへの影響

リボーンアート・フェスティバルが開催されて、持続可能な地域づくりにつなげるための仕掛けとして新たな拠点がつくられた。こうした場づくりについて江良は音楽祭と対比して、次のように話す[35]。

2016年に音楽のコンサートを3万人規模で、2日間石巻でやる。音楽のコンサートは、一気に集まる。2日間で消えてしまう。花火というかそういうものに近い。音楽コンサートって、演者がいて、アーティストがいて、1人対3万人という、スター型。そういうコミュニケーションである。

芸術祭というのは、十日町でいいなと思ったのは、アーティストがいて作品があるのはもちろん、その作品を説明するおばちゃんがいて、作品説明をしていると思いきや、自分の説明をしている。自分の村を説明している。おにぎりがでてきて、おしんこがでてきて。山はこうなっていて。人とのコミュニケーションも含

めて作品である。そこにある自然、営み、命、そういうものを全体的につないでく
る。アーティストのやっているものをオーディエンスが聴きに行くということではな
く、作品をきっかけにそれが交流だったり、何かを感じて芸術的な鑑賞だったり、
何かが起きていく。アートが媒介、媒体になって何かをつなげている状況ができ
る。それが音楽ではできないし、難しい。アーティストがそこに行って、何かを感
応して、ありとあらゆる手段を使って、よくわからないものをつくっていく。それ
が場づくり。人と人をいろんな意味でつなげてくる。そういったことが、人を呼ぶ
し、意味合いをつくっていく。音楽で人を呼んで帰ってもらっても、その場所、そ
の人だったりが残っていかないし、つながっていかない。芸術やそういうアート
のあり方が、都市のいろんなものが便利になりすぎてしまったなかで、すごく意
味合いがある。地域のためにもなる。

　こうしてリボーンアート・フェスティバルでは、ap bank fes のコンセプトで
あるレゾナンス（共振・共鳴）にも影響を受けながら、場づくりということが
特色の1つともなった。本章では、2つの場づくりを紹介しておきたい。

▶ 2.1. はまさいさい

　1つ目に、「はまさいさい」である。
　江良は、大地の芸術祭 2012 視察の際、地域のお母さんたちが地元の食
材を活かした料理をふるまう「うぶすなの家」を訪ねた。そのときの印象を
次のように話す★36。

　あそこはインパクトが強くて、入ると、おばちゃんが、1時間ぐらいしゃべってく
る。作家の名前より、おばちゃんの名前が印象に残った。あれはすごい。そこに
ある里山の暮らしを浴びて帰ってくる。そこが伝わってくるのが、旅の醍醐味で
すから。そういったものが浜でもできないか。（それは、）最初からやりたかったこ
との1つだった。

　その一方で、牡鹿半島を主に担当したのが河合恵里だった。「IRORI石
巻」に半島の若手リーダーが集まり、浜を面白くするための意見交換を行う。

写真6-2 名和晃平《White Dear (Oshika)》(2017) 石巻市荻浜

「荻浜で生まれ育ったみゆきさん(＝江刺みゆきさん)とお話ししているときに、
『牡鹿半島にRAF[37]がきてくれるなら、自分たちも食のことで何か協力した
い』という想いを聞」く[38]。そうした声を、河合がリーダーシップを取りなが
ら、小林らに投げかけていたという[39]。

　こうして、Reborn-Art Festival事務局がフィッシャーマン・ジャパン(後
述)と相談してできたのが、牡鹿半島中部エリアの荻浜に牡鹿ビレッジとい
う場をつくろうという構想だった。当初、キャンプ場、ものづくりラボ、ステー
ジ、酒場、畑など多様なコンテンツのポンチ絵を描いていたが、いきなり全

写真6-3 「はまさいさい」(2018) 石巻市荻浜

部つくるのではなく、今後少しずつ広げていこうと考えていた★40。ひとまず
リボーンアート・フェスティバル2017では、食堂「はまさいさい」、公衆トイレ、
広場、リボーンアートダイニング、名和晃平の《White Dear (Oshika)》を
はじめとした作品展示(写真6-2)などを展開した★41。

　では、「はまさいさい」を紹介しよう。

　芸術祭期間中、「浜のお母さんたちが牡鹿の食材を、気取らない郷土料
理、家庭料理として提供し」★42た。特徴的なのは、リボーン閉幕後も、漁師
を支える女性たちの仕事づくりを意識したことだ。はまさいさいの立ち上げ、
その後の運営をサポートしているのが、フィッシャーマン・ジャパンである。
事務局マネージャー島本幸奈は次のように話す★43。

　フィッシャーマン・ジャパンは、担い手育成の事業と水産物販売の事業をメイ
ンでやっている。(担い手育成は、)県外からやってきている若者たちが浜での生
活に慣れていくなかで、地域の方々がサポートしてくれ、お母さん方が普段の生
活を気にかけてくれる。

お母さん方は、繁忙期には、牡蠣剥きしたり、わかめの芯を削いだり、漁業を手伝う。閑散期に女性の働く場所を浜につくっていけることはわれわれにとって大きい。

食堂オープンに際し、店を1か月間休んで石巻に滞在して、準備に奔走したのが、「山食堂」の矢沢路恵と山谷知生である。2人が東京・清澄白河で営む飲食店「山食堂」が、コンセプターを務めた[44]。

荻浜に限らず、近隣の小渕浜、給分浜などのお母さん方が最大で8名働いた。そして、51日間の芸術祭閉幕後も、翌1月末まで営業を継続する。定休日以外はほぼ毎日営業し、土曜の夜も営業した。2月以降は、牡蠣剥きやわかめの収穫の繁忙期を迎えることから、冬季休業となる。

2018年5月末から、土日に営業を再開した（写真6-3）。「知らない人たちに、ここの海産物を知ってもらいたい。土日におでかけして、『お母さんたちが手料理をつくってくれる』と来てくれる方を増やしていきたい」という[45]。2019年1月現在は、金土日・祝日に営業している（1〜4月冬季休業）[46]。

▶ 2.2. 石巻のキワマリ荘

2つ目に「石巻のキワマリ荘」を紹介しよう。

2015年春、石巻市街地と牡鹿半島でそれぞれリボーンアート・フェスティバルに協力してくれそうな地域の人々に呼びかけ、懇親会が開かれた。そこに、和多利浩一も参加し、「まちの中で展示場所を探している」という。石巻市中心部の市街地で電器店「パナックけいてい」を営む佐藤秀博は、敷地にある空き家を「面白い建物がある。飲み会のあと、見ますか」と和多利に声をかけた。築80年以上で、かつては繊維工場として使われていて、2階には働く人が住んでいた。それは、実は、和多利が「面白いところがある」と思っていた建物だった[47]。佐藤は酔っぱらった勢いで、展示会場としての利用を承諾する。再開発が進まない苛立ちもあり、小スペースでも皆が集まる場所をつくりたかったのだ（後述）。

「石巻市空き家等活用・移住促進事業補助金」の締め切りが1週間前に迫っていた。ISHINOMAKI 2.0の松村が1週間で手続きを済ませ、市、

リボーンアート・フェスティバル、佐藤の3者が費用を負担し合って、リフォームする計画を立てた[★48]。リノベーションで設計を担当したのが横浜市の建築設計事務所オンデザインパートナーズ代表の西田司である[★49]。単なる会場利用から、アーティストが滞在制作できる場所へと話が展開していくのだ。

その後、和多利浩一から有馬かおる（アーティスト）に「キワマリ荘みたいのをやってほしい」と電話で連絡がある[★50]。有馬は、「キワマリ荘（多目的スペース）を、愛知県犬山（1996-06）、茨城県水戸（2006-08）で運営し、『住む、制作、発表』を同場所で行」[★51]ってきた。当時の経緯を次のように話す。

ずっとキワマリ荘やってきて、しばらくやっていなかった。結婚したし、1人で動けない。無理かなって思っていた。やるのだったら最後だし、嫁説得してみようかな。半ば無理やり説得して。OKもらって。

2015年夏、有馬は、カオス*ラウンジ（出展作家）とともに石巻を訪ね、和多利浩一と合流した。いろんな場所を紹介してもらい、そのなかで佐藤が経営する電器店の敷地にある空き家も見た。補助金の助成が決まり、改築が決まると、「その住宅で何かやってほしい」と改めて要請を受ける。有馬は、いろんなプランを出したものの、結局「キワマリ荘」をやる覚悟を決めた。

リスクがでかすぎる。それを回避しながらいい展覧会をつくろうかと思った。考えれば考えるほど、キワマリ荘をやるしかない。それだったら、引っ越すしかない。そういう風に決めて。ああいう展覧会に対して批判的立ち位置（はもっている）。やり逃げじゃないか。まちを一時的に賑やかして去っていく。花火的な感じでいいのかというのがあって。自分が関わるなら残るものをつくりたいというのがあった。キワマリ荘をつくるんだったら、「引っ越さないと無理だ」というのがあって。リボーンの公式ガイドブックに書いたが、石巻の作家で運営してほしいという状況をつくるためには信用がいる。地元の人たちの。引っ越して信用を得て、地元住民と同じ立ち位置に立つのが一番、そういうことをした。一番でかかったのが嫁に納得してもらうこと。それをクリアした段階でうまくいくとは思っていた。

写真6-4　有馬かおる＋犬山のキワマリ荘《GALVANAIZE》（2017）石巻市　提供：Reborn-Art Festival 実行委員会

　2016年、石巻に引っ越すと決めた有馬は、妻と2人で住む物件を探す。
2017年4月に石巻に移住した。

　リノベーションされた建物は、有馬がGALVANAIZE galleryと名付けた。
GALVANIZE（ガルバナイズ）の意味を有馬が調べたところ、1）電気を通し
て刺激する、治療する。2）駆り立てる、活気づける、活性化する。3）トタン
を英語で、galvanized iron や Galvanized sheet といい、Luigi Galvani（イ
タリアの解剖学者1737〜1798）の名前に由来する。オーナーが電器店を営
んでおり、建物の外観がトタンで、まちの活性化の3つからGALVANIZE
に決めた。その場所を使い、リボーンアート・フェスティバル2017では、有
馬が、キワマリ荘（犬山市、水戸市）、パープルルーム（神奈川県相模原市）、
XYZ collective（東京都豊島区）に呼びかけ4つのグループ展を企画する（写
真6-4）。芸術祭の中に展覧会を仕掛けた理由について、有馬は次のように
話す。

写真6-5 「石巻のキワマリ荘」（右からミシオ、工藤玲那〈山形藝術界隈〉、守雅章「守章」〈アートユニット〉）
（2018）石巻市

　リボーンからいかに抜けるか。最初から片足を出していきたい。展覧会で、各
チームにオファーするけど、そのチームが何を展覧会するかを僕は知らない。リ
ボーンが我関せずになるし、リボーンの外に出るかな。そういう風にしたかった。

　その一方で、芸術祭閉幕後も「石巻のキワマリ荘」を運営していくために、
次の年の予定を決めなければならなかった。この場所を運営する人材を集
めるのが本当に大変だったと有馬はいう。

　4月から2か月ぐらい、「IRORI（石巻）」に毎朝行って、新聞読んで人の出入
りを見ていた。石巻に来てからリボーン開催までの間、（そして）リボーンを2か
月やっている間に、誰に会うかは賭けみたいなところがある。地元の人たちに声
をかけていった。面白そうな人たちのイベントに絡んでいく。その人たちが参加
するかどうかわからない。胡散臭いと思われるが、当然だ。いろんな人に「こう
いうことやるんだけど」と話す。よくわからないやつにそういうことを言われても、
上から言っている感じもするし。

そうしたときに興味を示してくれたのが、石巻の作家のシマワキユウ（メディアディレクター）と古里裕美（写真家）だった。彼らと接点をもっていった。そして、閉幕の1週間前に現れたのが、当時未成年だったミシオである[★52]。

　彼は、そもそも島袋道浩の作品に出合ってアーティストを志した。その島袋が京都造形芸術大学で実施していたアーティスト・イン・レジデンスに、参加する。その際、「リボーンアート・フェスティバルの作品《起こす》で流木が台風で流されたので、手伝いに来てほしい」と言われ、石巻を訪ねた。有馬と出会い、のちに、石巻のキワマリ荘に拠点を構え「現代アーティストになろう」と決意を固めるのだ[★53]。

　2017年12月には、GALVANAIZE galleryをはじめとした4つのスペースからなる「石巻のキワマリ荘」をオープンした。1階は、GALVANAIZE galleryとして有馬が運営する。初めての展覧会を、石巻市出身・在住のちばふみ枝（彫刻家）に依頼し、「Serendipity」を開催した。ちばは、震災後約2年間開設された日和アートセンターで展示を行い、現代アートの復興のシンボル的存在だったからだ。2階は、地元作家の古里とシマワキが部屋を借り上げて、それぞれ出展した。翌2月末からは、ミシオが2階の1部屋を借り上げて「おやすみ帝国」を立ち上げる。

　また、有馬が1年間継続的に展示をしてくれる東北の新進気鋭のアーティストを探していたところ、芸術運動体「山形藝術界隈」に出合う。彼らは、2016年の山形ビエンナーレをきっかけに集まり、ジャンルを問わず実験的な試みを展開していた。彼らに1階のGALVANAIZE galleryで、2018年2月から1年間の展示を委ねた。

　「石巻の作家が刺激を受け、育つ空間にしていきたい。全国からキュレーターや美術館関係者が来る」という。実際、彼らは『展示って何?』というところから始め、刺激を受け、レベルアップし上手くなっている」と話す。有馬はすでに石巻の別のところでギャラリーを立ち上げる構想を考え、「石巻のキワマリ荘」は2年後には自身から自立させようとしていた。実際、2019年3月からは、有馬が抜け、代表を地元彫刻家の富松篤が、管理人をミシオが務める新体制となる[★54]。地域とのつながりについては、「ISHINOMAKI2.0に関わる人も来るし、震災が起きて7年目となり、震災と向き合える人

写真6-6 「パナックけいてい」（2018）石巻市（佐藤秀博）

が話してくれる。リボーンに対する愚痴とかも話すような場所にもなっている」という（写真6-5）★55。

　こうした「石巻のキワマリ荘」の展開を和多利浩一は高く評価する★56。

　終わってからの展覧会の質もとってもいい。お茶を濁している感じじゃない展示で、有馬さんなりの意見を毎回若い作家に言ったりとかアイデアを出させて、育てている感じがあって。2代目、3代目と住人が出てくるところもおかしい。普通だったら自分のものにしたがっちゃう。1年、2年過ぎたら、こいつなら大丈夫という人に預けて、自分は引いちゃう。そこも彼の（作品の）面白いところだ。

　また、有馬にギャラリーを貸す佐藤は、約2,000平方メートルに及ぶ周辺一体を、優良建築物等整備事業を介して再開発し、広場を中心とした商店街をつくろうと構想していた。つまり、人が集まる場所をつくりたかったのだ。ところが、ギャラリーを取り囲むように12階建ての高層マンション建設が進

む。ギャラリーの東側に広場ができる前提で開口部がつくられたものの、マンションで閉ざされてしまった。

それでも佐藤は、自ら営む電器店のリノベーションを、ギャラリーの改修で大工を務めた細田勇（ホソダアーキスタジオ代表）に依頼した。電器製品は目立たぬように置かれ、真ん中に大きなテーブルが鎮座する。まちの電器店とは思えないつくりで、むしろリビングルームのようだ（写真6-6）。佐藤は次のように抱負を語った。

最初に再開発で考えていたことが、自分の中に残っている。単位は個人のお店になったけど。それによって、ギャラリー（石巻のキワマリ荘）に顔を出す若い人たちも集まってくれる。その人たちにアイデアをもらいながら、この店の使い方を考えたい。「IRORI石巻」には、若い人たちが集まる。ここは個人の店だから、もうちょっと、個人の顔を通した店づくりでいい。もともと地元に住んでいる人や、これに共感してくれる人と、一緒に遊ぼうと思う。電器屋にとどまらない、コミュニケーションセンターをつくりたい★57。

3. まとめ

最後に、芸術祭をきっかけにした2つの取り組みについて、改めて地域づくりへの影響をまとめておきたい。

リボーンアート・フェスティバル2017の特徴の1つは、先行事例の大地の芸術祭の事例などをリサーチし、後発型として場づくりに力点が置かれた点にある。芸術祭閉幕後にも持続可能な拠点となっているのが、はまさいさいと石巻のキワマリ荘である。はまさいさいでは、浜で働く女性たちが、冬季休業を挟みながら土日にレストランの営業を行う。はまさいさいは、大地の芸術祭のうぶすなの家を参考にしたのだが、女性たちの仕事づくりを明確に意識している点に特色がある。石巻のキワマリ荘では、地元作家らが芸術祭閉幕後、アートスペースを運営し、地域の人たちが出入りする場ともなる。石巻のキワマリ荘は、地域というよりも地元のアーティストを巻き込むような仕掛けがあり、かつ作品継続型ともいえる点に特徴がある。今後、

「はまさいさい」が女性たちの仕事づくりにつながっていくのか、誰もが交流できるコミュニティの場となっていくのか、「石巻のキワマリ荘」を軸にアーティストが石巻から育っていくのか、を注目していきたい。

　リボーンアート・フェスティバル2019のテーマは、「いのちのてざわり」だ。前回展示した有馬をはじめとしたアーティストたちが、それぞれのエリアのキュレーションを行うという。有馬は市街地エリアを担当する★58。仕掛けた和多利浩一は次のような抱負を話す★59。

　地域の特性も1回見ているし、作家がキュレーションする。エリアごとに小さなグループ展みたいなものがあって。それが総合して小林さんの言う「いのちのてざわり」になって。(網地島を担当する) 僕らが最後を飾る"トリ"みたいな。一番行きにくいところをやって。そこまで来てくれるような強いものをつくれたらいい。

注及び引用文献：

★1　「クリエーター／小林武史音楽家＆音楽プロデューサー」(六本木未来会議, 2019年, http://6mirai.tokyo-midtown.com/creator/takeshi_kobayashi/ (2019-5-1)) の記事の一部を要約した。

★2　本段落のここまでの記述は、「ap bankとは」(ap bank運営事務局, 2019年, http://www.apbank.jp/about/〈参照2019年5月1日〉.) の記載の一部を要約した。

★3　kurkku (クルック) は、ap bankがコンセプトプロデュースし、2005年に株式会社として発足した。「神宮前・代々木・スカイツリーエリアを中心にレストランやカフェ、バー、フードストアを展開」する。「これからの時代のオーガニックな消費や暮らしの在り方を提案して」いる (「company／会社概要」「kurkku? クルックとは？」(kurkku, 2019年, http://www.kurkku.jp/〈参照2019年5月1日〉.)。

★4　ここまでの東日本大震災時のap bankの活動に関する記述は、「コロカル／アートで東北支援する〈リボーンアートフェスティバル〉小林武史の『つくる』後編」(マガジンハウス, 2015年, https://colocal.jp/topics/think-japan/journal/20150811_52136.html (参照2019年5月1日) の記事を引用した。「　」内は直接引用した箇所である。なお、「2009年 (原文ママ) の新潟の震災」は「2007年の新潟の震災」の誤記だと思われる。

★5　本段落のここまでの記述は、「ap bankとは」(ap bank, 前掲Web) (参照2019年5月1日) の記載を要約した。

★6　ap bank fes運営事務局「2013年度 ap bank fes休催のお知らせ」, 2013年, http://fes.apbank.jp/12/ (参照2019年5月1日).

★7　本段落に関する記述は、「apバンクが3億円出資 人気音楽プロデューサーが被災地で芸術祭を企画した理由」(2017年8月11日) (毎日新聞社, 2017年) の記事による。「　」内は直接引用した箇所である。

★8 　kurkkuの江良慶介は、オーガニックコットンに関わるビジネスに取り組む。東日本大震災では津波の塩害を受けた地域に木綿を植えて農地を再開する「東北コットンプロジェクト」を展開する。これらのプロジェクトを、2014年に株式会社kurkkuからコットン事業を分社化して設立した株式会社kurkku alternative（クルック オルタナティヴ）で事業化する。江良が代表取締役である。ここまでの記述は、「【Beyond 2020（31）】ap bankはなぜ東北へ行くのか。51日間に及んだ芸術祭を終えて」（2018年3月6日）、（東北復興新聞、2018年、http://www.rise-tohoku.jp/?p=15647〈参照 2019年5月1日〉．）、の記事の一部を要約して記載した。

★9 　2018年6月6日9時30分から1時間程度日比谷グリーンサロン（東京都千代田区）で行った江良慶介（一般社団法人リボーンアート・フェスティバル理事・副事務局長・制作委員）へのインタビュー。

★10 　当該段落に関する記載は、「apバンクが3億円出資 人気音楽プロデューサーが被災地で芸術祭を企画した理由」（毎日新聞社、前掲記事）の記事の一部を要約して記載した。

★11 　当該文について2018年6月1日13時から1時間半程度「IRORI石巻」で行った松村豪太（一般社団法人リボーンアート・フェスティバル代表理事・実行委員会事務局長／一般社団法人ISHINOMAKI2.0代表理事）へのインタビュー。

★12 　本段落に関する記述は、「若者が活躍する新しい石巻づくりへの挑戦」『東北発10人の新リーダー 復興にかける志』』田久保善彦編、河北新報出版センター、2014年、277-304ページ）を一部要約して記載した。

★13 　当該段落について2018年6月1日松村へのインタビュー。

★14 　2018年6月1日松村へのインタビュー。

★15 　2018年6月6日江良へのインタビュー。

★16 　本段落について2018年6月1日松村へのインタビュー。

★17 　本段落について2018年6月1日松村へのインタビュー。

★18 　当該文について2018年6月1日松村へのインタビュー。

★19 　Sankei Biz「ミスチル育てた小林武史さん、有機農業に挑戦『ポテンシャルまだある』」（2014年5月1日 ）、2014年、https://www.sankeibiz.jp/business/news/140501/bsl1405010500001-n2.htm（参照 2019年5月1日）．

★20 　2018年6月6日江良へのインタビュー。

★21 　Reborn-Art Festival事務局『Reborn-Art Festival 2017 実施報告書』2018年．

★22 　ap bank運営事務局「「Reborn-Art estival」2017年夏に開催」、2015年、http://www.apbank.jp/news/150707.html（参照 2019年5月1日）．

★23 　本段落のここまでの記載について「Reborn-Art= 人が生きる術」『リボーンアート・フェスティバル2017 公式ガイドブック』（野中あゆみ編集人、2017年、スターツ出版、3ページ）の記載の一部を要約した。

★24 　当該文について2018年6月6日江良へのインタビュー。

★25 　Reborn-Art Festival事務局、前掲報告書．

★26 　野中編集人、前掲書、20-23ページ．

★27 　CINRA.NET「『Reborn-Art Festival』とは？ 小林武史＆ワタリウム美術館に訊く」（2017年2月1日）、2017年、https://www.cinra.net/interview/rebornartfes/vol1-kobayashiwatarium（参照 2019年5月1日）．

★28 　野中編集人、前掲書、18、20、22ページ．

★29 　当該文について2018年6月6日江良へのインタビュー。

★30 　当該文について2018年6月6日江良へのインタビュー。

★31 　石巻市産業部産業推進課「Reborn-Art Festival 2017の開催に係る市職員の従事について／平成29年度第7回庁議提案」2017年、https://www.city.ishinomaki.lg.jp/cont/10181000/0070/8059/07/07_shiryou08-1.pdf（参照 2019年5月1日）．

★32 Reborn-Art Festival 事務局，前掲報告書．

★33 石巻市財政部財政課「石巻市の平成 29 年度当初予算案の概要」2017 年，https://www.city. ishinomaki.lg.jp/cont/10103000/h029/29tousho_yosangaiyou.pdf（参照 2019 年 5 月 1 日）．

★34 石巻市の協力に関する記述は、「Reborn-Art Festival2017 の開催に係る市職員の従事について／平成 29 年度第 7 回庁議提案」（石巻市産業部産業推進課，前掲資料）による。

★35 2018 年 6 月 6 日江良へのインタビュー。

★36 2018 年 6 月 6 日江良へのインタビュー。

★37 RAF はリボーンアート・フェスティバルの通称、英語訳 Reborn Art Festival の略称である。

★38 当該文について「『牡鹿ビレッジ』ができるまで。／ SPECIAL」（2017 年 8 月 5 日）（リボーンアートフェスティバル，2017 年，http://2019.www.reborn-art-fes.jp/article/59849573457f5/（参照 2019 年 3 月 1 日）の記事を一部引用・要約した。

★39 本段落について、2018 年 6 月 1 日松村へのインタビュー。

★40 本段落のここまでの記述については、2018 年 6 月 1 日松村へのインタビュー。

★41 野中編集人，前掲書，30-31 ページ．

★42 Reborn-Art Festival 事務局，前掲報告書．

★43 フィッシャーマン・ジャパンに関する記述は、2018 年 6 月 3 日 13 時から 20 分程度「はまさいさい」で島本幸奈（一般社団法人フィッシャーマン・ジャパン事務局マネージャー）へのインタビュー。

★44 山食堂に関わる記述は、「食と人 vol.37 文／矢沢路恵」（NIWA-MAGAZINE，2019 年，http://niwa-magazine.com/taste/yamashoku-37/〈参照 2019 年 5 月 1 日〉．）の記事を一部引用、要約した。

★45 はまさいさいのリボーンアート・フェスティバル 2017 の会期中、閉幕後の活動については、2018 年 8 月 3 日島本へのインタビュー。

★46 はまさいさい「はまさいさい」2019 年，http://hamasaisai.com/（参照 2019 年 5 月 1 日）．

★47 当該文について、2019 年 4 月 21 日 16 時から 30 分程度ワタリウム美術館で行った和多利浩一（ワタリウム美術館代表 CEO）へのインタビュー。

★48 「石巻のキワマリ荘」の経緯に関するここまでの記述は、2018 年 6 月 1 日 18 時から 1 時間程度パナックけいてい（宮城県石巻市）で行った佐藤秀博（株式会社佐藤兄弟商会代表取締役）へのインタビュー。

★49 colocal「ISHINOMAKI 2.0 傾いた空き家、どうやって改修する？ 忍者屋敷がアトリエに」（2016 年 11 月 23 日），2016 年，https://colocal.jp/topics/lifestyle/renovation/20161123_85326.html（参照 2019 年 3 月 1 日）．

★50 2018 年 5 月 6 日 15 時から 1 時間程度石巻のキワマリ荘（宮城県石巻市）で行った有馬かおる（アーティスト）へのインタビュー。

★51 「リボーンアート・フェスティバル東京展／有馬かおる」（ワタリウム美術館，2017 年．http://www.watarium.co.jp/exhibition/1710reborn_return/#pro〈参照 2019 年 1 月 31 日〉．）のプロフィールの記載から抜粋した。

★52 ここまでの「石巻のキワマリ荘」の構想の経緯に関する記述は、2018 年 5 月 6 日有馬へのインタビュー。

★53 ここまでのミシオが「石巻のキワマリ荘」に関わる経緯に関する記述は 2018 年 5 月 6 日 15 時から 1 時間程度キワマリ荘（宮城県石巻市）で行ったミシオ（アーティスト）へのインタビュー。

★54 当該文について「有馬かおるのページ／フェイスブック」（2019 年 3 月 1 日投稿）（有馬かおる，https://www.facebook.com/kaoru.arima〈参照 2019 年 5 月 1 日〉．）による。

★55 「石巻のキワマリ荘」のオープン後に関するここまでの記述は、2018 年 5 月 6 日有馬へのインタビュー。

★56 2019 年 4 月 21 日和多利浩一へのインタビュー。

★57 佐藤が営む電器店のリノベーションに関するここまでの記述は、2018 年 6 月 1 日佐藤へのイン

タビュー。

★58 本段落のここまでの記述は、「REBORN ART FESTIVAL 2019」（Reborn-Art Festival 実行委
員会 https://www.reborn-art-fes.jp/#index-art〈参照2019年5月1日〉）による。

★59 2019年4月21日和多利浩一へのインタビュー。

第 7 章

札幌国際芸術祭
札幌市

札幌市資料館

Sapporo
International
Art Festival

前章では、芸術祭の開催地域やそれぞれの特徴を活かした取り組みとして、持続可能な地域づくりにつなげる仕掛けがつくられた「リボーンアート・フェスティバル」を取り上げた。本章では、芸術祭のそれぞれの特徴を活かした取り組みとして、ソーシャルキャピタルの醸成を仮定とした評価を行った「札幌国際芸術祭」を取り上げたい。しかも、芸術祭をきっかけに、ボランティアの熱量をつなげたいと札幌市資料館に新たな拠点としてアートセンター「SIAF[★1]ラボ」をつくり、前章同様に持続可能な拠点がつくられた点も注目される。市民の主体的・自発的活動が意識された稀有なアートセンターといってよい。本章では評価軸となる「市民の主体性向上」「新産業の創出」につなげる取り組みを中心に紹介したい。

1. 芸術祭の流行と評価の必要性

　国内で芸術祭が流行し、地域活性化や市民参加などに関心が及ぶことが少なくない。しかし、その効果と評価についてはせいぜい来場者数や経済波及効果が注目される程度である。改めて何のために芸術祭を開催するのか、その意義が問われており、それに答えていくためには、定性的な指標や、短中期はむろん、中長期の評価が必要となってこよう。

2. 札幌国際芸術祭と評価

芸術祭のアウトプット評価 ── 定性的分析
　この点、札幌国際芸術祭では、実行委員会事務局から委託を受け、札幌国際芸術祭2014でチーフ・プロジェクトマネージャーを務めた小田井真美ら[★2]がSIAF関係者の追跡調査を行い、事業評価検証会報告書[★3]をまとめた。全体監修／調査設計をしたのが光岡寿郎[★4]、大澤寅雄[★5]、吉澤弥生[★6]で、コーディネートしたのが熊谷薫ら[★7]だ。
　札幌国際芸術祭基本構想では目的・効果が次のように示された。開催目的は 1) 文化芸術に満ちた札幌独自のライフスタイルの創出、2) 札幌らしい文化芸術を支える人づくり、3) 文化芸術の力による札幌の魅力再発見と

図7-1 SIAF2014評価のためのロジックモデル

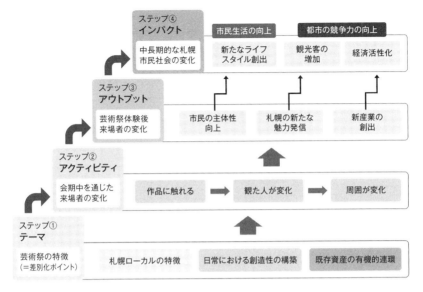

出所:「札幌国際芸術祭2014事業評価検証会報告書」を基に改変(札幌国際芸術祭2014事業評価検証会, 2016年a, 11ページ)

新たな価値創造、4)「創造都市さっぽろ」を牽引する多様な人材の集積・交流である。効果は1)まちづくりの活性化、2)観光の振興、3)経済の振興を掲げる[8]。そして、基本構想で示された目的・効果を実行委員会事務局へのヒアリングを通して分解し、評価のためのロジックモデルを構築した。すなわち、「目的と効果の間のストーリーを細分化して論理的に体系化し、想像しやすい言葉で説明」[9]をしたのだ(図7-1)。しかも、検証にあたり「SIAFが、ソーシャルキャピタル(社会関係資本)の醸成を図ろうとしている」[10]と仮定したという。

　文化事業はむろん、芸術祭やアートプロジェクトで評価が十分になされているとはいえないなか、芸術祭の評価の先行事例といえる。しかも、ロジックモデルを用いた点が画期的である。かつ芸術祭による地域づくりの意義が問われるなか、約200万人の市民を対象とし、特に、ソーシャルキャピタルの醸成を仮定した点が、本書と問題意識を同じくし注目したい。しかも、

こうしたロジックモデルに沿って、アンケート調査結果を定量的に分析し、ステップ②のアクティビティ（会期中を通じた来場者の変化）で「『作品に触れる』ことが『観た人が変化』を及ぼすことには効果があったものの、『周囲が変化』という効果に至っていないことが把握できた」★11とする。

　しかしながら、ステップ③のアウトプット（芸術祭体験後来場者の変化）の「市民の主体性向上」、「新産業の創出」等や、ステップ④のインパクト（中長期的な札幌市民社会の変化）の「経済活性化」等の検証までは、現時点ではなされていない。むろん、芸術祭のアウトプット・インパクト全てを定量的に分析することは、現実的ではない。当該報告書でも、指標の特性に応じて質的調査で補完することが一般論として示唆されている★12。

　そこで、本章では、定性的分析による芸術祭のアウトプット評価を行うことで、政策改善につなげる実践的意義を示し、芸術祭の短中期的評価を具体的に提案することを目的とする。事例としては、札幌国際芸術祭を取り上げ、なかでも札幌市資料館の展開に焦点を当てる。アウトプット・インパクトが生まれるためには、特に、100万人単位の都市を会場とする場合は、3年に1回、数か月に及ぶ芸術祭を重ねるだけでは容易ではなく、活動拠点をつくったり、他の文化施策・都市施策と組み合わせたりが必要となってくるところ、札幌国際芸術祭では、当該資料館に継続的な活動拠点がつくられたからである。

　アウトプット評価の分析指標は、先行事例のロジックモデルを用いて「市民の主体性向上」「新産業の創出」の2つとする。効果のうち、本章でアウトプットに着目するのは、初回開催から数か年で長期的な変化を主に捉えるインパクトを把握することが困難だと考えるからである。また前述の2つの指標を取り上げるのは、札幌市資料館で活動拠点がつくられ、市民・ボランティアとメディアアーツに関するプログラムが継続して開催され、前者が「市民の主体性向上」に、後者が「新産業の創出」につながる可能性が高いと考えたからである。

用語の整理

　アウトプットは「結果」、アウトカムは「事業の目的に照らした本質的な変

化」との意味で使われるのが通常である★¹³。しかし、本章では、アウトプットを先行事例にならい「芸術祭体験後来場者の変化」との意味で使う（図7-1参照）。そうすると、通常アウトカムとして扱うべき短中期的評価も、本章のアウトプットに含まれることになる。

　また、前述の事業評価検証会報告書では、ソーシャルキャピタルを「人々が信頼関係や人間関係（社会的ネットワーク）の醸成により、社会の効率性を高めるという概念」★¹⁴とする。ただ、そもそもソーシャルキャピタルの趣旨は、信頼・規範・ネットワークがあれば、自発的な協力が得られ集合行為のジレンマが解決でき、社会の効率性が高まるとするものである。そこで、前章までと同様に、本章で、自発性の要件に着目しソーシャルキャピタルとは自発的活動を促す信頼・規範・ネットワークと定義する。したがって、アウトプットの指標である「市民の主体性向上」は、同じく前向きな内心の活動を示す、ソーシャルキャピタルの中核要件である自発性と関連し、その形成に寄与する★¹⁵。ちなみに、自発性は率先して自ら行動すること、主体性は一歩進めて自分の判断で考え、行動することと本書では区別している。それに対して、「新産業の創出」は直接にはソーシャルキャピタル形成には結びつかない。本章でも「新産業の創出」ではソーシャルキャピタルを論じない（4.2.2.後述）。

札幌国際芸術祭の概要

　本来的には、アウトプット、インパクトは、政策立案・決定過程で策定した戦略と結びついてこそ、確実かつ大きな変化をもたらすものである。かつ、そうした変化には、他の文化施策・都市施策との連携も欠かせない。それには札幌国際芸術祭の政策★¹⁶が決定されるまでの札幌市の芸術文化の素地や文化施策等を理解することも必要となってくる。アウトプットの定性的分析の前提として、札幌国際芸術祭の政策・立案決定過程を明らかにしておきたい。

　本章は、公文書をはじめとした各種資料・文献・多様な立場の関係者へのインタビューをもとに調査した。

　札幌国際芸術祭は、札幌市が中心となって結成された創造都市さっぽろ・

国際芸術祭実行委員会（現在は札幌国際芸術祭実行委員会へと改組）が主催で、2014年に初めて開催された。主な会場は、北海道立近代美術館と札幌芸術の森美術館で、いずれも有料である。その他、チ・カ・ホ、500m美術館、札幌市資料館、モエレ沼公園などに無料会場が設けられた[17]。本章で焦点を当てる札幌市資料館は、1926年に札幌控訴院（高等裁判所）として建設される。札幌軟石を使い、1997年国の登録有形文化財に指定されている。1973年裁判所の移転に伴い、2階にミニギャラリーなどが設けられ[18]、市民の生涯学習活動発表の場として使われてきた。札幌国際芸術祭2014では、ボランティア活動の拠点が置かれたほか[19]、SIAF編集局（4.1.1.（1）後述）をはじめ幾つかの参加型プロジェクトが実施された[20]。決算額は約5.6億円で、入場者数は約48万人、うち7万人が有料入場者数である[21]。

　札幌国際芸術祭2017に言及しておくと、2015年4月に札幌国際芸術祭2014の開催を推進した上田文雄が市長を退任する。秋元克広が、前市長の路線を「継承」し、市長となる[22]。冬季オリンピック招致に向けて、文化プログラムを充実させたいとの思惑もあり、秋元は札幌国際芸術祭2017に前向きに取り組む[23]。2015年10月、ゲストディレクターが大友良英に決まり、2016年2月に開催概要が発表された。札幌芸術の森美術館、モエレ沼公園が前回同様に会場となり、新たにまちなかエリアも会場となる。バンドメンバーといわれる企画チームに端聡、上遠野敏（美術家／札幌市立大学教授）、中島洋（シアターキノ代表）ら札幌や北海道の芸術活動を民間で支えてきた人たちが加わり（4.2.1.後述）、彼らがまちなかエリアを担当した。

　なお、札幌国際芸術祭は、目的・効果として、「文化芸術に満ちた札幌独自のライフスタイルの創出」「観光の振興」「経済の振興」など地域課題解決を謳うが、札幌芸術の森美術館等の専用施設を主な会場としている点では、アートプロジェクトとは必ずしもいえない。ただ、札幌市資料館の展開など各会場にフォーカスすると、アートプロジェクト的性格を有するものが見られる（序章4.参照）。

3. 政策立案・決定過程

　まずは、札幌国際芸術祭の政策立案・決定過程を明らかにしていくが、なぜ札幌国際芸術祭は開催されたのだろうか。「札幌国際芸術祭（仮称）基本構想」（以下基本構想）には、その背景として創造都市政策の採用と、民間団体などによるプレ・ビエンナーレ開催が記載されている[24]。

▶ 3.1. 民間運動[25]

　民間運動のきっかけをつくったのは、札幌国際芸術祭2014の地域ディレクターを務めた端聡である。1960年生まれの端は、家業が看板屋で、幼い頃から生業を手伝っていた。10代の頃には北海道の美術動向に自然と関心をもち、芸術祭への憧れをもっていた。美術に思いをもつ端だったが、いったんは自動車販売会社に就職する。転機となったのが、50倍の難関を突破し、1995年にドイツ政府管轄ドイツ学術交流会（DAAD）の助成に合格したことだった。1年間のドイツ滞在をきっかけに、「カッセルのドクメンタ、ミュンスターの彫刻プロジェクトを、目の当たりにし、絶対に札幌でやるべきだと、そこからはそれだけ考えてやってきた」という。

　端は、帰国してから数年後にCAI現代芸術研究所（有限会社クンスト）を立ち上げ、美術家／アートディレクターとして活躍する。芸術祭を開催したいという端の思いを、真正面から受け止めたのが、門馬よ宇子だった。1919年生まれの門馬は、娘時代からやりたかった油絵を50歳で始め、全道展で活躍していた。そんな彼女が76歳のときに、「現代アートが面白い」と端が講師を務めるアートスクールに通い、インスタレーションを始めた。2002年には自分の家を改装して、「ギャラリー門馬」をオープンした。当時の経緯を端は次のように話す。

　「芸術祭を札幌に」という私の話に、門馬さんも共感を覚えてくれた。ギャラリーをオープンさせ、安い料金で若者に展覧会をしてもらう。3、4年経った頃に、「ギャラリーのレンタル料を自分の懐に入れる訳にはいかない。端さんの芸術祭につなげるために使いたい」と。一部私財も売り払い、250万ぐらいかな。それを

「あなたにあげるから。小さい規模でいいから国際芸術祭につながる展覧会をやってください」ということで開催したのが、「FIX・MIX・MAX！」だった。

　200万ではできない。門馬さんの思いや札幌の現代アートが世界に発信できるという思いも含め、皆感動した。ボランティアが300人ぐらいいて、あっちこっち走って、全部で450万円集まった。(札幌国際芸術祭2014で展示が見送られた)大竹伸朗も出展した。芸術祭開催を札幌市、芸術関係者に意識させた。門馬さんがいなければ、今回（札幌国際芸術祭2014）はない。北海道さっぽろの現代アートの母といわれている。私にとっても、もう1人の母親ぐらいに思っていた。

　2006年「FIX・MIX・MAX！現代アートのフロントライン」を開催し、9日間の会期に3,300人が来場した。この展覧会は、芸術祭に対する熱い思いをもつ端と、それに共振した門馬が中心になって開かれ、芸術祭開催を札幌市・芸術関係者に意識させるきっかけとなる。こうして「芸術祭を札幌に」という運動は民間発で始まったのだった。

▶ 3.2. 札幌市が民間運動を受け入れ

　こうした民間運動を、札幌市は創造都市政策採用を1つのきっかけとして受け入れていくのだが、実はそれ以前に素地はできつつあった。

　上田市長の登場と500ｍ美術館の開設である。2003年、芸術文化を主要な公約に掲げ、上田が市長になる。その公約の表れが、2005年度から毎年開催される「さっぽろアートステージ」である。11月を「芸術・文化月間」と位置づけて、市内各所で演劇・音楽・美術などのイベントを集中的に開催する[26]。2006年には、その美術部門で端がプロデューサーを務める。地下鉄大通駅とバスセンター前駅を結ぶコンコースを利用し、「500ｍ美術館」と称してアート作品を展示した。ちなみに、この「500ｍ美術館」は2011年から常設化し、札幌国際芸術祭2014では一会場となった。札幌で初めて現代アートが無料で見られる公共空間が設置されたのだ。このことを、芸術祭開催を門前払いしていた行政の姿勢が変わった1つの転換点として、端は評価する[27]。

　こうした素地ができつつあるなか、札幌市は、2006年に「創造都市さっ

ぽろ宣言」を行う[28]。2005年、札幌市と商工会議所が、英国のクリエイティブ産業を誘致しようという取り組みのなかで生まれた[29]。そうした状況に対し、端が始めた運動の特徴は、社会状況を汲みながら行政や経済界が納得する理屈を伴ったことである。たとえば、90年代にツーリズムが流行したときは、アートツーリズムを積極的に提唱した[30]。端の運動の特徴は、札幌市が創造都市政策に舵を切った際にも如何なく効果を発揮する。札幌市が創造都市政策を採用することで、端の提案が受け入れられていく様子について見ていきたい。

2007年4月、上田市長が再選し、文化基本計画の策定に取り組む。2007年10月から2008年5月にかけ、学識経験者や公募市民委員からなる札幌市文化芸術基本計画検討委員会を計4回開催する。ただ、議論の中心は、老朽化し閉鎖した旧市民会館に替わる「市民交流複合施設」と、アートセンターの検討で、芸術祭開催の議論は行われていない[31]。

それに対して、芸術祭の議論が行われたのが、創造都市さっぽろ推進会議（以下推進会議）である[32]。2008年10月から2009年3月にかけ計6回開催される。座長が武邑光裕（札幌市立大学デザイン学部教授：当時）で、副座長が大平具彦（北海道大学大学院国際広報メディア研究科教授：当時）だった。その他、端を始め、食分野の企画プランナー、北海道体験プログラムのサイト運営者、公募市民など計9委員が集まった。

ただ、当初は、創造都市のイメージが、参加者はむろん、創造都市さっぽろ推進会議事務局（以下推進会議事務局）自体も具体的に掴めなかったようだ。公募市民からは「創造都市という言葉がこれだけ分かりにくいのであれば、行政内部で創造都市を認識するための言葉としてはいいですが、一般市民に創造都市を押し付けても仕方がない」との発言が見られる。

それに対して、推進会議事務局の新谷光人（市民まちづくり局企画部長：当時）は「（前略）プロジェクトが2、3本ぶら下がって、組み立てのイメージができるようにご議論して頂くと、市民にも分かりやすくなるでしょうし、我々も庁内に向かって創造都市の括りでこういう事業をしていきましょうと議論ができるようになります」と、2回目以降の議論の方向性を示した。

2回目の冒頭に、端が「具体案があって、はじめて創造都市が生きてく

るのではないか。(中略)ビエンナーレのような打ち出しの方が理解しやすいのでは」とビエンナーレ開催をこの会議で初めて提案する。これに対して、推進会議事務局の新谷から、「今日の『創造都市は何か』という資料では、まだ人に説明できない。(中略)個人的には『食、文化、ガストロノミー』が分かりやすい。これが端委員や皆さんの取り組みを包含していればいいのだが」と発言がある。推進会議事務局は当初ビエンナーレよりも食文化に関心があったようにも読み取れる。

　その一方で、この会議の中盤には、大平副座長が創造都市を「食と環境、自然といったライフスタイル」「芸術」「産業」の3つの領域に整理する。整理したところで、「これだけ施設が整っていて、30分も走れば自然も多い。食もいい、空港もある。(中略)観光もアートもできる」と端がビエンナーレ開催を強く推した。それに対して、体験プログラムのサイト運営者の鈴木からは、「一市民として、ビエンナーレに関わりたいと思っても、(中略)近寄れないというイメージがあるが」と意見がある。端は「芸術、美術はどんどん変わってきている。アートの入り口としてのワークショップもあるし、誰しもが楽しめるユーモラスな作品もある」「正に参加型が1つのキーワードとなる」と説明する。ワークショップの話題が出たところで、新谷も「アーティストが一工夫してくれば変わっていくということに気がつくようなワークショップをやるなど考えられる。アイデアを引き出す場にしたい」とビエンナーレに関心を示した。こうした議論の展開を受け、大平部長が、先に話した創造都市の3領域を「ビエンナーレ」「食」「産業とアート」に再度整理した。武邑座長も「市民の創造性を発信していくビエンナーレのような取り組みは目玉になる」と味方した。

　2回目の議論を経て、3回目の会議の冒頭に、大平副座長が改めて「札幌ビエンナーレは具体的な事業として進めるという理解でよろしいでしょうか?」と出席者に確認を求める。公募委員の野村は「継続することが目的となってしまってはいけない。既存の成功しているビエンナーレをなぞるだけでは、あまり賛成できません」と発言した。端は「現代アートだけという形ではなく、様々なジャンル、例えば、食文化や地域の自然環境、地域らしさなどをいかに世界に表現できれば、意味のあるものになるのではないか」と

説明する。終盤には、「地下通路が完成したときに地下通路のオープニングセレモニーとビエンナーレの第1回を開催すればいい」と時期にまで踏み込み、新谷が開催を明言する。

　以上の議論を踏まえ、2009年3月、推進会議は創造都市政策のシンボル事業としてビエンナーレ開催を市長に提言する★33。「味方してくれたのが創造都市の具体性を主張していた武邑教授。地元のアーティストの意見があって（創造都市政策を）推進する。市が単独推進するわけではない。（武邑が）待っていたという。（行政の俎上に載せる）素案を提案した」と、端は振り返る。推進会議の提言を受け、札幌市は、2009年度と2010年度に国際芸術祭開催に係る調査を行う★34。こうして民間運動を傍目で見ていたといってよい札幌市が、創造都市政策の採用を1つのきっかけとして、芸術祭開催に舵を切ることになる。その過程では地元アーティストが議論を牽引していた。

▶ 3.3. 民間運動を首長が後押し

　推進会議がビエンナーレ開催を市長に提言したことを受け、民間運動が活発化する。折しも2007年春から、アーティスト・文化関係者・学術関係者などの有志が、札幌の芸術と文化の発展をめざし、ACF札幌芸術・文化フォーラムを立ち上げた。そのメンバーのうち、武邑・大平・端は推進会議に、竹津宜男（NPO北海道国際音楽交流協会副理事長：当時／2014年逝去）・中島は札幌市文化芸術基本計画検討委員会にそれぞれ加わっていた。要は札幌の文化を担う人たちが勢ぞろいしたのだ。2009年度にはビエンナーレに関するフォーラムを複数回開催し、11月ACF札幌芸術・文化フォーラムを母体として、札幌ビエンナーレ検討委員会が正式に発足する。委員会座長に大平、総合プロデューサーに端が選出された。

　推進会議で推進会議事務局の新谷自ら2011年開催を明言したように、2011年春に創造都市推進のシンボルともなる駅前地下歩行空間が完成し、ビエンナーレ開催の好条件が整うという状況があった。ところが、札幌市は準備期間の必要性等を考慮し、2014年開催を想定した。そこで、苦心の末2014年本開催に向け、民間主体で「札幌ビエンナーレ・プレ企画」を行う

ことを決める★35。

　2010年6月、札幌ビエンナーレ・プレ企画実行委員会を設立し、12月には「札幌ビエンナーレ応援100人会」結成記念パーティを開催する★36。このパーティには上田市長も出席し、「ビエンナーレは面白い」と後押しをした★37。年が明けた2011年3月には、札幌駅前通地下広場が「チ・カ・ホ」としてオープンする。4月には「札幌ビエンナーレ・プレ企画2011」として、「アートから出て、アートに出よ。～美術館が消える9日間～」を北海道立近代美術館で開催する。続いて、10月末から11月下旬にかけて、「表現するファノン―サブカルチャーの表象たち」を札幌芸術の森美術館で開催した★38。2011年4月、札幌市長選が行われ、上田は3選を果たした★39。

　こうしてビエンナーレ・プレ企画は、民間主体で、上田市長の応援を得ながら2つの展覧会を実現し、民間運動を首長が後押ししたのだった。

▶ 3.4. 民間運動の切断

　3選後、上田は、2011年12月、2011年から2014年の中長期計画として「第3次札幌新まちづくり計画」を策定する★40。「国際芸術展の開催」を明記し、事業費2億9,800万円とした★41。2011年8月からは、国際芸術展基本計画策定検討委員会が設置され、目的、概要、規模等を決めていく。この検討委員会に、端も入る。2012年6月に基本構想を発表し、名称を札幌国際芸術祭（仮称）とした。初回の開催は2014年とし、ビエンナーレでなく3年ごとの定期的な開催を目途とした。事業規模は3億円程度を見込み、国内外の50～70作家を想定する★42。2012年7月には「創造都市さっぽろ・国際芸術祭実行委員会」を設立する。9月に坂本龍一がゲストディレクターに就任し★43、テーマが「都市と自然」と決まる★44。

　このあと2012年末にかけ、アソシエイト・チームのメンバー・アドバイザー等実施体制を行政が中心になり決めていった★45。その結果、札幌国際芸術祭2014のアソシエイト・チーム、アドバイザー等計約20名のうち、札幌ビエンナーレ・プレ企画実行委員会のメンバーは端を始め数名に過ぎなかった★46。それまでの民間運動の流れがやや切断されたともいえるメンバー構成だったのだ。

▶ 3.5. 政策立案・決定過程のまとめ

　ここまでの札幌国際芸術祭2014の政策立案・決定過程をまとめると、1）そもそもは芸術祭を開催しようとする地元アーティストらの民間運動で始まった。2）それを、札幌市は傍目で見ていたのだが、創造都市政策を採用したことが1つのきっかけとなって、その姿勢を転換し受け入れていく。その過程では地元アーティストが議論を牽引していた。3）その民間運動を、芸術文化に造詣の深い首長が後押しした。4）しかし、いざ開催に向け行政が動き出すと、アソシエイト・チームのメンバー・アドバイザー等実施体制を行政が決めていき、それまでの民間運動の流れがやや切断されたきらいがあった。

4. 札幌市資料館の展開──定性的分析

▶ 4.1. 札幌市資料館の展開

　ここまでで明らかとした政策立案・決定過程を踏まえつつ、札幌市資料館の展開に注目し定性的分析によるアウトプット評価を行っていく。1つにはボランティア活動であり、2つにはメディアアーツ系のプロジェクトである。

4.1.1. ボランティア活動
（1）札幌国際芸術祭2014開催

　1つ目に、ボランティア活動から紹介すると、自発性を意識した仕掛けがつくられ、会期中751人のボランティアが活動した[★47]。ボランティアの声を受け、現在では、札幌市資料館に「SIAFラボ」が、市民等が主体的な活動を行う拠点としてつくられた[★48]。こうした一連の仕掛けがなぜつくられたのだろうか。

　プロジェクト・マネージャーの漆崇博（うるしたかひろ）がボランティアのコーディネーター役を務め、その運営を担った。「予算的にもキュレーターらが企画するものでボリュームが決まっていった」「（そこで）展覧会の企画でなく、市民参加はやっていることだから、それに近いことでできることは何かと考え」、ボランティアマネジメントに手を挙げた。そして、「イベントを成功させるだけでなく、

次にどうつなげていくか。観客・ボランティアも含め関わる人たちにアートの存在や文化事業について将来的に関わってもらう素地をつくっていこうとしたのだ」という。

これまでボランティアの運営経験はなかった。しかし、地元札幌を中心に非営利でアートを媒介としながら教育現場・まちづくりに関わってきた経験を活かし、次のような注意を払ったという。

労力もエネルギーもかかるけど、大きな派遣会社が入ってドライな業務で終わってしまうようなことはしたくない。システムを上手につくればいいということでなく、どういう人が活動の中心にいて、その人の熱意とか人柄で引っぱっていくもの（だ）。

ボランティアの自発性を阻害する要因があれば改善したり、その自発性を意識した仕掛けをつくったりした。1つには、たとえば、「ずっと座ってなきゃいけない会場ではアルバイトを雇おう」と提案した。2つには、情報が集まり、発信できる場として、SIAF編集局を札幌市資料館の一室につくった。公的な媒体では取り扱わない口コミ情報などを市民・ボランティア・スタッフ目線で集め、新聞・ブログなどで非公式で発信していく。新聞は「サカナ通信」と名付けられた。その名前は、「サ̇い̇あ̇ふ̇（SIAF）、カ̇わらばん、ナ̇ぜなに通信」の頭文字に由来する。ボランティアが手伝うだけでなく、自分がやったことが、誰かに伝わったり共有したりすることで、深まっていく。そういう関係性をつくることを狙いとしたのだ。

こうした自発性を意識した仕掛けによって、いかなる効果がうまれたのか。ボランティア参加者で情報を共有する目的で、各会場に手書きのボランティアノートが置かれた。漆によれば、「終わった後も、こうした活動を続けたい」と書いてくれているという★49。アンケート結果によれば、継続的に情報交換やワークショップの活動を求める割合が約70％あった★50。

（2）札幌国際芸術祭2014閉幕後

これらのボランティアの声を受け、芸術祭事務局も「市民が参加して一

緒に芸術祭をつくっていきたい。初回に盛り上がったボランティアの熱量を上手に次回につなげたい。（それには）場がないと動かない」★51 と考え、2015年4月に札幌市資料館に「SIAFラボ」をオープンする★52。「札幌市内において主体的、自発的な札幌独自の芸術文化活動が育まれるきっかけを創出します」★53 と謳った。

　プログラムの企画を主に担ったのが、芸術祭事務局マネージャーの細川麻沙美とSIAFラボマネージャーの漆と斎藤ふみ★54 である。細川は、坂本のテクニカルスタッフとして働いた小町谷圭等若手メディアアーティストらに声をかけた。彼らがワークショップを開催する（4.1.2.（1）後述）。それとは別に、漆が札幌らしさを、斎藤が展覧会を、細川がアート界隈の人々をそれぞれテーマに、研究会やレクチャーを計月2回程度企画した。そうした企画に毎回約20人が参加する。ドリンク等を提供するカフェも常設した。漆は、「札幌らしさ」を探る研究会「SAPPORO STUDY」を開催し、芸術文化に限らず札幌のさまざまなことを学び、多様な人々が日常的に集まれる空間をつくることを意識した★55。

　2016年度は漆がディレクターとなり、2015年とほぼ同様に市民・ボランティアやメディアアートに関わるプログラムを継続する。前年の「SAPPORO STUDY」を発展させ、新たに「SIAFラボ編集局」を立ち上げた。月1回程度編集会議やラウンジトークを開催し、毎回約15名が参加する★56。漆は「勉強だけでなく、より自律的主体的にいろんな活動を起こしてくるという素地をつくりたい」と次のように話す★57。

　世の中に盲目的にただひたすら受け取っている人が少なくない。それをやっている間は新しいものは生まれないし、創造的な活動は先細りしていく。誰かの呼びかけで、枠組みができて集う人はいるかもしれない。それってエントリーするだけで主体性があるとはいえるんだけど、きわめて受動的な動きが多い。それをどこかで歯止めをかける。

　ただのレクチャーでアーティストがやりたい実践をただ発信するだけなら、労力かけて汗かく必要はない。僕以外でもやっている人はいる。僕がやれるとしたら、考える場、試す場がもっとあった方がいい。いったんの状況はつくったとしても、

そこから先は僕が寄り添わないと回っていかないのではなくて、そこから新しいものが独立して育っていったり、戻ってきて共有したり、そういう状況が必要である限りで僕はやり続ける。

漆の意図を受け、たとえば、札幌市が都市景観条例で決めた「札幌景観色70色」を素材に、メンバーそれぞれの切り口で札幌を調べ、掘り下げ発信していくことを始める。教員、Webデザイナー、編集者、ライターなど多岐にわたる職業の社会人、社会人OBなどその顔触れは実に多彩である[58]。こうした動きと並行して、ボランティアら20人前後が、前述のSIAF編集局での集まりをきっかけに、芸術祭開催中から月1回程度自発的な集まりの場をもつ。「アートカフェ in 資料館」と銘打ち、約20回を数えた[59]。

(3) 札幌国際芸術祭2017

芸術祭事務局は、札幌国際芸術祭2017では、2つの方針を立てた。 1) 作品監視、会場受付などの活動よりは、おもてなしなどプラスアルファの部分をやってもらいたい、2) 自主的な動きをもっと進めたい、である。ボランティアがいないと回らないような会場運営を是正したかったことに加え、芸術祭を継続的につなげていくうえで、自主的な動きが必要と考えたからである[60]。その結果、「展覧会会場における作品監視や会場案内を見直し、今回は業者委託により行った」[61]。経費削減の観点から「ボランティアの善意が芸術祭に利用される」という実態が見られるなかで、業者の委託は先進的な取り組みといえよう。

まずは、2016年10月から2017年2月にかけて計3回のミーティングを重ねる[62]。そこでは「そもそもボランティアとは何か」「どのような活動ができるのか」「どんなことをやったらいいのか」などを議論した[63]。その結果、「展示（札幌大通地下ギャラリー500m美術館、モエレ沼公園など）やプロジェクト（大風呂敷プロジェクト、市電プロジェクトなど）のサポート活動とボランティア活動による自発的活動「何かやり隊」の2種類を実施した[64]。

2017年5月からボランティア募集を開始する。前回は登録が約1,300人に対して実働が約700人だったが、今回は登録が約300人に対して実働が

約200人となる。プロジェクトベースでは、SIAF 2017大風呂敷プロジェクト、SIAF 500メーターズ、市電プロジェクト×指輪ホテルなどが、ボランティアというよりも芸術祭に参加するという意識で開催前から活動した★65。

　ここでは、札幌市資料館で主に展開された自発的な活動とプロジェクトについて取り上げたい。

　1つは、前述の「何かやり隊」である。6月、7月に毎週札幌市資料館でミーティングを計6回開催し、毎回10名前後が参加した。そのなかで、「芸術祭、ないしはアートを勉強したうえで、芸術祭の活動をつなげよう」「芸術祭と一般市民をつなげよう」という大きく2つの希望がでたことから、それぞれ「まなび隊」と「つなげ隊」ができ、計約40名が参加した。うち「まなび隊」は、「SIAFコンシュルジュ」と称し、北専プラザ佐野ビルの会場での案内や作品解説をしたり、「バリア情報学び隊」として会場内や、最寄り駅から会場までのバリア「フリー」情報ではなく、バリア（障害）情報を調べ、ボランティアポータルで発信したりした。ただ、「何かやり隊」の活動は、閉幕後明確な動きが生まれていない★66。

　2つには、札幌国際芸術祭2014からのSIAFラボの活動の流れを汲む「CAMP SITE PROJECT『裏庭』」と編集局『サカナ通信』である。

　「CAMP SITE PROJECT『裏庭』」では、招聘作家タノタイガを迎え「資料館の裏庭を『キャンプ場』として機能させるためのプロジェクト」★67を実施した。《一石を投じる》をテーマとしたトークセッションを2017年度に実施し、パブリックアートやパブリックを考えたことが1つのきっかけとなった。札幌市資料館は法を裁く元裁判所であり、都市公園法の規制下の大通公園の延長にある。それに対して、その裏庭は、資料館の敷地であり、使用ルールがない。そうした場所に「CAMP SITE」をつくることで盲目的に受け入れている法制度等を問い直そうとしたのだ。後述の「ツララボ」の前期プロジェクトが本プロジェクトに置き換えられ、5月以降毎月1回ミーティングを重ねる。「ツララボ」のメンバー始め15〜20人程度が核となり、アイデアを出し合う。会期中、裏庭にDIYで制作したキャンプ場を設置する★68。「『裏泊』に泊まってみる」を計4回実施し、タノタイガは裏庭に「開拓風呂」をつくり、「タノタイガ鮭を飼いたい！『鮭と入浴式』」を始め計6回のイベントを

写真7-1　SIAF編集局『サカナ通信』(2017)札幌資料館　(提供:札幌芸術祭実行委員会　撮影:小牧寿里)

開催した★⁶⁹。

　一方で、札幌国際芸術祭2017でも、口コミなど非公式な情報を発信する編集局『サカナ通信』がつくられた (写真7-1)。SIAFラボ編集局は、2017年度前期に活動を継続しながら、『サカナ通信』の立ち上げに協力する。その1つが回覧板である。芸術祭を知らない人を大きなコミュニティと考え、回覧板を回し伝えていくのだ。『サカナ通信』の「サカナ」にかけて、魚の形をした30枚の回覧板が2回放流された。1回目の回覧板の仕組みを紹介すると、情報を読むと表紙の鱗（うろこ）をちぎって次に回す。鱗は30枚で、札幌市資料館に持っていくと特典があり、不特定の30人に回覧板を回す仕掛けだった。核となるのは10人前後だが、芸術祭をきっかけに新たなメンバーも加わる。会期中は、紙媒体『サカナ通信』を2回発行したり、ツイッターで随時情報を発信したりした★⁷⁰。

　閉幕後は、札幌国際芸術祭、SIAFラボなどのアーカイブや、札幌国際芸術祭2020に向けた情報発信など編集会議で話し合いを始める。

漆は、今後について次のように話す。

　2016年度から、景観色を切り口に札幌を掘り下げ、発信していくことをしてきたが、あくまで入り口として、今後も札幌、北海道を掘り下げて、これからの未来にどう発信していくのか、正解、不正解でなく皆で積み上げていきたい。そこで未来の札幌を思い浮かべていけば、そこから自律的な活動とか、いままでなかったような取り組みが生まれて、人が豊かに暮らせる状況が生まれるのではないか[71]

　2018年2月からは、芸術祭開催で中断していた「アートカフェ in 資料館」（4.1.1.（2）前述）が再開される[72]。

4.1.2. メディアアーツ系プロジェクト
（1）札幌国際芸術祭2014
　2つ目に、メディアアーツ系プロジェクトを紹介したい。そもそもの発端は、坂本ゲストディレクターの発案で、札幌市資料館を市民が創造性を発揮できる拠点としてリノベーションするために、今後の活用のアイデアを募集するコンペティションを実施したことだ。札幌国際芸術祭の最終日に審査結果が発表され、nmstudio[73]の「create creation」が最優秀作品として選ばれた。札幌市資料館の裏側の庭園を半地下にし、その空間をアーティストらの制作場所とし、市民や観光客がその制作風景を眺められるようになっている[74]。開催直前に病に倒れた坂本ディレクターは、病床から次のメッセージを最終日のファイナルトークの会場に送った[75]。

　芸術祭開催に当たり、最大の問題は、ユネスコが認めるメディアアート都市札幌に、山口市のワイカム（山口情報芸術センター）のようなメディアアートを制作する拠点がないこと、儀重的にアーティストをサポートする人材がないこと。札幌市資料館を実は、威厳と上品さを、現在の、メディアアートの拠点として再生できれば素晴らしい。

写真7-2 ツララボ ミーティング（2015年11月21日）札幌市資料館 ©SIAFラボ

　前述（4.1.1.（2））のとおり、細川から声をかけられた小町谷圭（メディア
アーティスト）・石田勝也（かつや）（VJ★76）・船戸大輔（ふなとだいすけ）（プログラマー）は、札幌国際
芸術祭コーディネーター冨田哲司（とみたてつし）★77がサポートしながら、2015年10月か
らワークショップ「ツララボ」を週1回開催する★78。メディアアーツという専
門性を強調すると人が集まらないと考え、サイエンスやデザインと間口を広
げることを心がけた★79。題材としては、市民にとって身近な「つらら」を取
り上げた★80。主な活動を紹介すると、1つには、自然界に存在しない形のつ
ららを、商業用の冷凍庫を改造し、育てる人口氷柱製造マシンを開発する。
小町谷の「つららを曲げたい」との発想がきっかけだった★81。2つには、巨
大つららをつくる屋外設置型マシンを制作する。3つには、つららを3Dスキャ
ンして、アクセサリーをつくる。こうした成果発表の場として、2016年2月に
は会期2週間で垂氷（たるひ）★82まつりを開催した。前記マシンの展示、つららチョ
コレートの制作・販売、「つららアクセサリーを作ろう！」などのワークショッ
プの実施などである★83。石田は「面白いことを息長く続けていければ」★84
と話す。

2016年度も「ツララボ」を継続して開催する。「1つのプロジェクトでもやりたいことが一杯できてくる。毎週集まると作業が進まない」ので、ミーティングは月1回とした。新たなメンバーも加わりながら、会社員、学生、中学生など約10〜20名程度が毎回参加する[85]。冨田は、「お祭りをやるぞということになるとルーティン化する。実験的なアイデアを試そうという集まりであること、原点に返ることを心掛け、企画に随時取り組む工夫をしている」[86]という（写真7-2）。

　そして、夏だからこそ冬が見えるかもしれないと考え[87]、8月に「さっぽろ垂氷まつり in summer」を開催する。開発した人口氷柱製造マシンを展示したり、ワークショップ「つららアクセサリーを作ろう」を実施した。2017年2月にも会期1週間で、「建築」をテーマに「さっぽろ垂氷まつり2017」を開催し、人口氷柱製造マシンや屋外設置型マシンを展示した。プレイベントでは、「つららが美しくできる建築とは？」をテーマに、裏庭特設会場に新たにつららを作るための「垂氷小屋」を設置した。つららのできばえを競う「つららハッカソン」を行う。

　これらの活動に際し、むろん彼らは坂本のメッセージを十分に意識している。船戸は「ツララボ」を立ち上げた当時、「テクニカルスタッフを育てる場としたい」といい[88]、小町谷は次のように話す[89]。

　ボランティア、テクニカルスタッフ[90]らが集まれる場が必要だ。ここで学生がデザインをやることが、芸術祭でボランティアとなり、アーティストとなることにつながれば。（そして）札幌で活躍できることも。最終的に人材育成になっていったらよい。SIAFラボの構想や創造都市さっぽろのロードマップを見ながら、箱だけでなく機能的なものを検証しながらつくっていきたい。

　一方で、冨田は、メディアアーツ系のプロジェクトが試行錯誤の段階にあることを率直に認める[91]。

　大人向けと子ども向けのプログラミング・ワークショップを開催した。（概して）大人は文化芸術を自分ごとというよりも、教育として捉えている部分がある。メ

ディア都市というと腑におちてない。メディアをやれば産業がよくなるとは短絡的にはいかない。専門的にクオリティをあげると、失うものがある。子ども向けプログラムの方が、多様な職種が混じり、大人が自分ごととして参加する可能性がある。

　身近な市民を置き去りにしないことで、市民の支持を広げる。そうした積み重ねが、回り道でも結果として札幌市資料館がメディアアーツの拠点となり、中長期的には産業振興や経済活性化につながっていくと彼らは考え、幅広なプロジェクトを模索している。

（2）札幌国際芸術祭2017
　2017年度は札幌国際芸術祭が開催されたことから、「ツララボ」の前期プロジェクトは、前述の「CAMP SITE PROJECT『裏庭』」に置き換えて実施することとなる。
　また、小町谷・石田・船戸は、札幌国際芸術祭2014では坂本のテクニカルスタッフとして働いたが、札幌国際芸術祭2017では、SIAFラボの活動に関わってきた実績を踏まえて、自らメディアアーツのプロジェクト《宇宙から見える彫刻、宇宙から聞こえる即興演奏》を展開する。チーム名が「ARTSAT×SIAF Lab」である。ARTSATは、SIAFラボのアドバイザーでもある久保田晃弘らを中心に多摩美術大学と東京大学で展開する衛星芸術プロジェクトである。その久保田と小町谷らとの話し合いで、「成層圏気球をあげて、コーディングを通じて、いろんな人たちが環境を感じるみたいなことをやってみよう」となったという[92]。「気球には、気球モジュールの位置や状態、周囲の環境を記録する『データーロガー』（データの保存装置）に加え、今回のプロジェクトのために開発した、プログラムコードを送るとそれに応じて音を送信してくれる『テレコーティング（遠隔でのライブコーディング）・モジュール』が搭載され」[93]た。このモジュールにはSonic Piの技術が使われる。これまでSonic Piに関わるワークショップや講座を開催し、クリエイティブ・コーディングをSIAFラボの1つの柱としてきた[94]。そうしたことを踏まえたものだった[95]。8月22日気球が打ち上げられたが、途中で電波が受診できなくなり、テレコーティングパフォーマンスを実施できなかった[96]。

それでも、10月に再挑戦し、パフォーマンスが成功する★97。

　札幌国際芸術祭2017が終わると、ツララボを再スタートさせた。3年目の区切りということもあり、プロジェクトメンバーの小町谷・石田・船戸・漆とコーディネーターの冨田・詫間のり子の計6名で話し合い、方針を固める。1つ目が、これまで展示してきたマシンの改良である★98。2つ目が、もちろん、誰でも参加できることも大事だが、メディアアーツやエンジニアリングに関心をもつ学生のエデュケーションに重点を置くことである。芸術祭でテクニカルサポートに入ったことで、メディアアーツに興味をもつ学生もいたからだ★99。3つ目が、つららにフォーカスする一方で、風景のなかで俯瞰して捉え、建物、都市空間・環境に広げていくことである★100。こうした方針にのっとり3回のミーティングを重ね、毎回市民ら15〜20人が参加する。垂氷まつりの開催を決め、キーワードは「都市、水脈、氷」とした。デザインチームは12月から、コンテンツチームは1月に入ってから学生計15名程度が準備を進める★101。2018年2月には会期10日間で、3回目となる「札幌垂氷まつり2018」を開催した。これまで展示してきたマシンを改良して展示したのに加え、新たに環境氷柱氷壁を資料館前庭特設会場に設置する。雪や氷ができる自然環境をさまざまなセンサーとネットワーク技術を使用し、札幌市資料館敷地内の複数拠点で取得したデータから光の氷柱の壁を展示したのだ★102。

　冨田は「垂氷まつり」の意義について、「お祭りとしても、SIAFそのものとお互いに影響しあっている。『垂氷まつり』は実験的、かつ継続的にやる。それに対して、SIAFは、3年に1度成果を見せることが求められる部分もある」★103という。石田によれば、「芸術祭に関わった学生がテクニカルスタッフとして関わり、さらにアーティストを目指してほしい」★104と話す。

　船戸は、次のようにこれまでの「ツララボ」を振り返る★105。

　まちづくりというテーマで入ると多分うまくいかない。つららというテーマが面白い。久保田がトークイベントで「メディアは身体を拡張する。メディアは脳を拡張する」というマルクーハンの言葉を紹介し、つららはメディアだと語った。つららをいろいろ遊んでこねくり回していると、都市と関係してくる。やればやるほど、

そこの結びつきがあり、まちを知るというのが、すごくつながっていく。

4.1.3. 札幌市資料館と札幌市民交流プラザとの機能の棲み分け

　ここで、札幌市の喫緊の課題となっている札幌市民交流プラザとの機能の棲み分けに触れておきたい。札幌国際芸術祭の政策立案・決定過程で紹介したとおり（3.2.前述）、文化基本計画検討の際「市民交流複合施設」が検討され、その施設が札幌市民交流プラザとして2018年に開館する[106]。そのなかに札幌文化芸術交流センターをつくり、アートセンター機能をもたせるという。そこで、文化サイドとしては札幌市資料館と次のような役割分担を検討している。当該センターには、文化芸術に係る幅広い創造的な市民活動の拠点としての機能を集約する。それに対して、札幌市資料館は、改修のうえメディアアーツの拠点に特化し、他のメディアアーツ創造都市とネットワークを組みながら、まちの活性化や産業の振興につなげていくプラットフォームとする構想である[107]。

4.1.4. 札幌市資料館以外のまちなか展開

　ここまでで札幌市資料館の展開中心に触れてきたが、それ以外の展開にも言及しておこう。

　札幌国際芸術祭2017では、前回の課題であった地域をいかに巻き込むのかについて裏テーマ的に取り組む。初回開催を牽引したメンバーがバンドメンバーに加わったことはむろん、地域の人たちに企画に入ってもらい、地域を会場として使ったのだ。企画に関しては、「一緒に作ろう芸術祭公募プロジェクト」を実施した。道内の団体、個人が市内で実施する事業を募集し、公式プログラムとして採用して、事業実施費を支援するほか、その実現をサポートした。たとえば、ゲストハウス×ギャラリープロジェクトは、市内4か所のギャラリーが企画し、市内8か所のゲストハウスで、北海道を拠点に活躍する10組のアーティストの作品を設置した。こうした展開により、ギャラリーとのつながりや、ゲストハウスのアート的な部分の理解が進んだという。会場に関しては、端が運営するCAI02、中島が設立したシアターキノがある狸小路商店街、北海道大学などで展示を行う。端、中島をはじめとしたバ

ンドメンバーはむろん、北海道大学とも次の活動に向けた協力関係を構築できたという★108。

▶ 4.2. 定性的分析によるアウトプット評価

では、札幌市資料館、札幌市民交流プラザに関わる市の構想を踏まえ、ロジックモデルの「市民主体性の向上」「新産業の創出」の2つの指標で、札幌市資料館での活動の効果を分析していきたい。分析にあたっては、継続性、広がり等に留意する。

4.2.1. 市民の主体性向上と市全体のソーシャルキャピタル形成

まずは、ボランティア活動について、市民参加に関心をもつコーディネーターがボランティアマネジメントに手を挙げた。自発性を意識した仕掛けにより、ボランティアが閉幕後も活動継続の声をあげる。こうした声がきっかけとなり、ボランティアなどの活動拠点としてSIAFラボができる。「主体的、自発的な芸術文化活動を生み出すきっかけを創出する場を作る」と明確に謳った点が画期的である。会期中のボランティアらの参加は一部にとどまるものの、毎回15〜20名で顔ぶれは多様である。講座等に参加したり、自発的な集まりの場をもったりしている。だが、2016年度の上半期が終わった段階では主体的にプログラムを企画することは未だ多くない。ただ、プロのコーディネーターらが主体的な活動の素地をつくることを意識した運営を心がけ、「SIAFラボ編集局」などプログラムの枠組みのなかではあるが、景観色を素材にした札幌を掘り下げる取り組みなど、自由な発想でさまざまな企画を考え実現することが多々見られるようになった。こうした活動は札幌国際芸術祭2017でも引き継がれ、資料館の裏庭にキャンプ場をつくったり、回覧板を使い「サカナ通信」を回遊させたり、ユニークな活動に結びついた。しかも、今後も自発的、主体的活動が次々と周囲に伝播していくことが企図されている。これらの伝播の仕組みをつくる理念・制度設計が熟慮されていることも勘案すれば、一時的、かつ場所が限定された事象ではなく、継続的、かつ広がりが見込まれる点で、主体性向上の萌芽が認められる。

それに対して、札幌市全体のソーシャルキャピタル形成となると、道半ば

である。とはいえ、前記のとおり場を拠点とした市民のさまざまな自発的な活動が生まれ、ネットワークが広がる見込みがある。しかも、そうした機能が、さらに大規模な札幌文化芸術交流センターに移されることが検討されている。くわえて、3.で紹介した500ｍ美術館、チ・カ・ホ、CAI02など既存の現代アートの拠点と連携したり、もしくは演劇、音楽などさまざまなジャンルのネットワークとつながっていくこともできよう。しかも、札幌国際芸術祭2014では、実施体制が行政主導で決められ、民間運動が切断されたきらいがあったが、札幌国際芸術祭2017では、バンドメンバーに端、中島らが加わり、初回開催を牽引した民間運動を引き継ぐ動きが見られた。実際、閉幕後に明確な動きがあるわけではないが、北海道大学などとの協力や、行政や各メンバーなどの関係ができ、今後につながりそうだという。芸術祭が多様なネットワークを紡ぐきっかけづくりになったのだ。

　こうして、SIAFラボが既存の拠点、ネットワークと連携していくならば、3年に1度の芸術祭が起爆剤となり、札幌市全体でソーシャルキャピタル形成の道筋を描くことも可能となってくる。

4.2.2. 新産業の創出

　続いて、メディアアーツの拠点としての可能性についてである。坂本の発案でコンペティションを実施し、札幌市資料館をメディアアーツの拠点とする手がかりがつくられた。地元の若手アーティストやコーディネーターが、試行錯誤しながら身近な素材をテーマにメディアアーツ系のプロジェクトを展開してきた。その特徴は、気軽に誰でも参加できる身近なワークショップの実践を積み重ねながら、市民の支持を広げていることだ。札幌国際芸術祭2017では、久保田らの衛星芸術プロジェクトのコラボに取り組み、成層圏に気球を打ち上げ、テレコーディングパフォーマンスを実施した。そのうえで、子ども、学生等を含めた人材育成、メディア産業との連携などに中長期的に取り組もうとしている。特に、学生のエデュケーションに重点を置きたいという。そうした現場の取り組みを後押しするかのように、芸術祭事務局は、札幌市資料館をメディアアーツの拠点に特化した施設に改修しようとしている。かつ、他のメディアアーツ創造都市とのネットワーク拠点とし、まち

の活性化や産業の振興につなげるプラットフォームにしたいという。

　以上から、アーティストらのボトムアップ型の地道な実践と、産業の振興につなげたいプラットフォーム構想というトップダウン型の展開が補完し合おうとしている。実際にプラットフォーム構想が動き出せば、継続的かつ確実な相乗効果が見込めることから、中長期的に「新産業の創出」につながる萌芽を、現時点で見ることができよう。

4.2.3. アウトプット評価のまとめ

　札幌国際芸術祭2014で札幌市資料館に常設の拠点「SIAFラボ」がつくられたことで、市民の主体性の向上、新産業の創出につながる萌芽が見られる。ただ、ソーシャルキャピタルの醸成となると、参加人数も少なく、市全体での形成は道半ばである。しかし、プロのコーディネーターが配置され、自発的な活動を次々と生み出すきっかけをつくる場がつくられ、それを明確に謳っている。そうした機能がより規模の大きな札幌文化芸術交流センターに移されることが検討されている。くわえて、札幌市には、500m美術館、チ・カ・ホ、CAI02など既存の現代アートの拠点がすでにある。それらの拠点との連携はむろん、演劇、音楽などさまざまなジャンルのネットワークとつながっていくことも必要だ。しかも、札幌国際芸術祭2017では、初回開催を牽引した民間運動を引き継ぐ動きも見られた。芸術祭が起爆剤となって多様なネットワークを紡ぎ、その結果ソーシャルキャピタルを醸成する道筋を描くことも可能となろう。

5. まとめ

　最後に、1）アウトプット評価のまとめにくわえて、2）評価の実践的意義を示し、両者を併せ芸術祭の評価の具体的提案を行うことで、本章のまとめとしたい。

　本章では、札幌国際芸術祭の政策立案・決定過程を踏まえつつ、札幌市資料館の展開に焦点を当て、定性的分析によるアウトプット評価を行った。その結果、常設の拠点「SIAFラボ」がつくられたことで、「市民の主体性の

向上」、「新産業の創出」につながる萌芽が見られる。その一方で、市全体のソーシャルキャピタル形成が道半ばであることを明らかとした。

　アウトプット評価をはじめとした中長期的評価の定量的分析手法の開発は、学術的にも実践上も不可欠である。その一方で、客観性にやや欠けるとはいえ、定性的分析によるアウトプット評価を実施することで、政策を改善し、実践上貢献する余地がある。本章でも次の3点を指摘できる。 1）市民の主体性の向上に関しては、大規模な札幌文化芸術交流センターを市民活動の拠点として集約するのであれば、SIAFラボのこれまでの自発的活動やその仕掛けを引き継ぐことが必要となってくる。 2）新産業の創出に関しては、これまでの裾野を広げた地道な取り組みを、産業振興につなげるプラットフォーム構想とリンクさせることである。 3）ソーシャルキャピタルを形成していくためには、芸術祭が起爆剤となってネットワークを紡ぐことや、すでにある現代アートの拠点や他の文化施策との連携等が不可欠である。

　こうして定性的な分析によるアウトプット評価から、中長期的な芸術祭の意義も改めて見えてこないだろうか。札幌国際芸術祭の目的・効果は、「文化芸術に満ちた札幌独自のライフスタイルの創出」「観光の振興」「経済の振興」などとされ、ロジックモデルとしても類似のものが掲げられている（図1参照）。しかしながら、たとえば、これまでの具体的な成果にもとづき「市民の主体性向上」「メディア関連産業の創出」「現代アートの発展」と修正した方が、ビジョンが明確化し、関係者や市民の共感を得られやすいのではないか。こうした議論を市民とともにしていくことが、芸術祭を根付かせるためには必要となってくる。

　あいちトリエンナーレや横浜トリエンナーレなど他の都市型芸術祭との比較を行い、「市民の主体性向上」「新産業の創出」の継続の一般的・普遍的条件をより精緻に明らかにしていくことを、今後の課題としたい。

注及び引用文献：

★1　SIAFは札幌国際芸術祭の通称で、英語訳 Sapporo International Art Festival の略称である。

★2　小田井の肩書きは札幌天神山アートスタジオプログラムディレクター。ほかに大友恵理（キュレーター、SIAF2014プロジェクトアシスタント：当時）、石島耕平（北海道大学社会教育学修士課程）、片寄菜々美（北海道教育大学岩見沢校芸術・スポーツビジネス専攻）、宮澤樹及（北海道教育大学岩見沢校芸術・スポーツビジネス専攻）、加藤康子（北海道大学大学院国際広報メディア・観光学院博士課程）、金野祐介（一般社団法人 A-bank 北海道事務局）が SIAF 関係者の追跡調査を行う。

★3　札幌国際芸術祭2014事業評価検証会『札幌国際芸術祭2014事業評価検証会報告書』、2016年 a．

★4　東京経済大学コミュニケーション学部専任講師（当時）

★5　ニッセイ基礎研究所芸術文化プロジェクト室准主任研究員（当時）

★6　共立女子大学文芸学部准教授（当時）

★7　熊谷の肩書きはデジタルアーカイブ・コーディネーター／アートマネージャー。ほかに永井希依彦（デロイトトーマツコンサルティング合同会社マネージャー：当時）、海老澤彩（リサーチャー）がコーディネート／執筆／データ分析作業を行う。

★8　札幌市『札幌国際芸術祭（仮称）基本構想』、2012年、4-6ページ．

★9　札幌国際芸術祭2014事業評価検証会、前掲報告書、2016年 a、9ページ．

★10　札幌国際芸術祭2014事業評価検証会、前掲報告書、2016年 a、14ページ．

★11　札幌国際芸術祭2014事業評価検証会、前掲報告書、2016年 a、47ページ．

★12　札幌国際芸術祭2014事業評価検証会、前掲報告書、2016年 a、42ページ．

★13　地域創造『地域における文化・芸術活動の行政効果―文化・芸術を活用した地域活性化に関する調査研究報告書』、2012年、18-20ページ．

★14　札幌国際芸術祭2014事業評価検証会、前掲報告書、2016年 a、14ページ．

★15　自発性とは「他からの影響・教示などによるのでなく、自分から進んで事を行おうとすること」であり、主体性とは「自分の意志・判断で自ら責任をもって行動する態度や性質」（三省堂、前掲書．）である。類義語であるが、本章では「自発性」は活動に焦点を当てているが、「主体性」は意思や責任も含む点でやや広い概念として整理する。

★16　政策とは構想・計画など「活動案」を一般的に指し、施策とは活動案の下での「実施活動」を指す（西尾勝『行政学［新版］』有斐閣、2001年、245-246ページ）。本章でもこの用語法に従う。芸術祭は文化基本計画に記される段階であれば政策にあたることは疑いない。しかし、すでに行政機関が施策し、事務事業として実施すれば、原則として政策にあたらない。ただ、新たな政策として実施されたばかりであったり、継続的な事務事業であっても見直しによって 変更を加えようとしたりすれば、政策として扱われる余地がある（西尾、前掲書、2001年、247ページ）。札幌国際芸術祭についても、新たな政策として実施されたばかりであり、かつ評価によって見直し変更を加えようとしている点で、本章では政策として扱う。

★17　本段落のここまでの記述は、「札幌国際芸術祭2014開催報告書」（創造都市さっぽろ・国際芸術祭実行委員会、2015年 a、2-4ページ．）による。

★18　札幌市資料館に関する記述は、「札幌市資料館」（パンフレット）（札幌市資料館、2015年．）による。

★19　札幌市資料館の利活用に関する記述は、『札幌国際芸術祭2014事業評価検証会報告書 別冊資料』（札幌国際芸術祭2014事業評価検証会、前掲報告書、2016年 b、86ページ．）による。

★20　坂本龍一＋創造都市さっぽろ国際芸術祭実行委員会編『人と自然が響きあう都市のかたち 札幌国際芸術祭2014ドキュメント』平凡社、2014年、148-155ページ．

★21　創造都市さっぽろ・国際芸術祭実行委員会、前掲報告書、2015年 a、48-49、52ページ．

★22　朝日新聞「札幌市長に新顔 秋元氏」（2015年4月13日朝刊）、2015年．

★23 2015年11月24日宮岡完（創造都市さっぽろ・国際芸術祭実行委員会国際芸術祭事務局係長：当時）へのインタビュー。

★24 札幌市，前掲資料，2012年，1-2ページ．

★25 本節に関する記述は、2014年9月21日20時から2時間程度「すすきの夜のトリエンナーレ」（札幌市）での端聡（美術家／アートディレクター）へのインタビュー。

★26 さっぽろアートステージ実行委員会事務局「さっぽろアートステージ2015／about」，2015年，http://www.s-artstage.com/2015/about/（参照2019年5月1日）．

★27 ここまでの500m美術館に関する記述は、2014年9月21日端聡へのインタビュー。

★28 札幌市「創造都市さっぽろ（sapporo ideas city）について」，2006年，http://www.city.sapporo.jp/kikaku/creativecity/creativecity/index.html（参照2019年5月1日）．

★29 武邑光裕［創造都市レポート］「北海道札幌市 トランスメディアとしての創造都市―メディア・アーツ都市の創造経済」，2013年，創造都市ネットワーク日本，1ページ．

★30 ここまでの端の運動の特徴に関する記述は、2014年9月21日7時から端聡へのインタビュー。

★31 札幌市「第1-4回札幌市文化芸術基本計画検討委員会議事録」，2007年；2008年，http://city.sapporo.jp/shimin/bunka/kihonkeikaku/kentou.html（参照2019年5月1日）．

★32 以下推進会議に関する記述は創造都市さっぽろ推進会議議事録（札幌市「第1-6回創造都市さっぽろ推進会議議事録」，2008年；2009年a），http://www.city.sapporo.jp/kikaku/creativecity/session/past.html〈参照 2019年5月1日〉）による。

★33 札幌市「創造都市さっぽろ推進会議・提言」，2009年b，http://www.city.sapporo.jp/kikaku/creativecity/session/teigen.html（参照2019年5月1日）．

★34 札幌市，前掲資料，2012年，2ページ．

★35 札幌ビエンナーレ・プレ企画の開催経緯は、札幌ビエンナーレ検討委員会報告書（札幌ビエンナーレ検討委員会，2010年，http://www. sapporoacf.com/?page_id=8（参照2015年6月1日））による。2019年5月1日時点では削除されている。

★36 札幌ビエンナーレ・プレ企画の立ち上げに関する記述は、札幌ビエンナーレ・プレ企画実行委員会のWebページ「ご挨拶／札幌ビエンナーレ・プレ企画実行委員会へのご支援有難うございました」（札幌ビエンナーレ・プレ企画実行委員会，2013年，http://www.sapporo-biennale.jp/?page_id=3312（参照2015年6月1日））による。2019年5月1日時点では削除されている。

★37 結成記念パーティに関する記述は、2014年9月19日端聡へのインタビュー。

★38 札幌ビエンナーレ・プレ企画実行委員会，前掲Webページ，2013年．

★39 朝日新聞「上田氏『市民参加強める』本間奈々氏『力及ばず』統一地方選・札幌市長選／北海道」，2011年．

★40 札幌市「第3次札幌新まちづくり計画」，2011年，http://www.city.sapporo.jp/chosei/3-new-plan/（参照2019年5月1日）．

★41 当該文について、2014年9月22日札幌市役所での池田重幸（創造都市さっぽろ・国際芸術祭実行委員会国際芸術祭事務局総務課長：当時）へのインタビュー。

★42 ここまでの基本構想に関する記述は、『札幌国際芸術祭（仮称）基本構想』（札幌市，前掲資料，2012年．）による。

★43 創造都市さっぽろ・国際芸術祭実行委員会「ニュース 2012.09.12 札幌国際芸術祭2014ゲストディレクターに坂本龍一氏が就任いたしました。」，2012年a，https://siaf.jp/2014/2012/09/577（参照2019年5月1日）

★44 創造都市さっぽろ・国際芸術祭実行委員会「ニュース 2012.12.17 札幌国際芸術祭2014テーマ＆メッセージを発表いたしました．」，2012年b，http://siaf.jp/2014/2012/613（参照2019年5月1日）．

★45 当該文について、2014年9月21日端聡へのインタビュー。

★46 創造都市さっぽろ・国際芸術祭実行委員会，前掲報告書，2015年a，67ページ．

★47 創造都市さっぽろ・国際芸術祭実行委員会，前掲報告書，2015年a，33ページ．

★48 ラウンジとプロジェクトルームの2部屋からなり，それぞれ約70平方メートルの広さがある（札幌市資料館「札幌市資料館」（パンフレット），2015年）。

★49 ここまでの芸術祭開催期間中のボランティア活動に関する記述は，2014年9月20日さっぽろ天神山アートスタジオでの漆崇博（AISプランニング代表）へのインタビュー。

★50 創造都市さっぽろ・国際芸術祭実行委員会，前掲報告書，2015年a，35ページ．

★51 2016年12月5日16時から1時間程度SIAFラボでの石井正治（札幌市市民文化局文化部文化振興課長：当時）へのインタビュー。

★52 創造都市さっぽろ・国際芸術祭実行委員会「『SIAFラウンジ』と『SIAFプロジェクトルーム』が札幌市資料館にオープンします」（2015年4月21日）（記者発表資料），2015年b．

★53 創造都市さっぽろ・国際芸術祭実行委員会『SIAF LAB.』（パンフレット），2015年c．

★54 漆と斎藤は当時の肩書である。

★55 本段落に関する記述は，2016年12月6日13時から1時間程度さっぽろ天神山アートスタジオでの漆へのインタビュー。

★56 SIAFラボの2016年度の活動に関する記述は，2016年12月6日漆へのインタビュー。

★57 2016年12月6日漆へのインタビュー。

★58 「札幌景観70色」の活動に関する記述は，2016年12月6日漆へのインタビュー。

★59 アートカフェに関する記述は，2015年11月24日コミュニティ＆レンタルスペース「オノベカ」（札幌市）で18時30分から4時間程度，2016年12月6日13時から1時間程度さっぽろ天神山アートスタジオでの漆へのインタビュー。

★60 本段落のここまでの記述は，2018年2月5日10時から1時間程度札幌市役所での阿部啓太郎（札幌国際芸術祭実行委員会事務局事業係長：当時）へのインタビュー。

★61 札幌国際芸術祭事務局『札幌国際芸術祭2017開催報告書』2018年，128ページ．

★62 札幌国際芸術祭事務局，前掲報告書，2018年，129ページ．

★63 当該文について2018年2月6日10時から1時間程度SIAFラボでの漆へのインタビュー。

★64 札幌国際芸術祭事務局，前掲報告書，2018年，128ページ．

★65 本段落のここまでの記述は，2018年2月6日漆へのインタビュー。

★66 本段落に関する記述は，2017年9月19日10時から1時間程度，2018年2月5日札幌市役所での阿部へのインタビュー。

★67 札幌国際芸術祭事務局，前掲報告書，2018年，53ページ．

★68 ここまでの「CAMP SITE PROJECT『裏庭』」実施の経緯に関する記述は，2018年2月6日漆へのインタビュー。

★69 札幌国際芸術祭事務局，前掲報告書，2018年，53ページ．

★70 本段落に関する記述は，2018年2月6日漆へのインタビュー。

★71 SIAFラボ編集局等閉幕後の動きに関する記述は2018年2月6日漆へのインタビュー。

★72 当該文について2018年2月5日阿部へのインタビュー。

★73 蜷川結と森創太によって2011年に結成され，現在はドイツと日本を拠点に建築・インテリアの設計を行っている（「札幌市資料館リノベーションアイデアコンペティション結果発表」，2014年a，https://siaf.jp/2014/siryokan_competition_final〈参照2019年5月1日〉）。

★74 創造都市さっぽろ・国際芸術祭実行委員会「札幌市資料館リノベーションアイデアコンペティション結果発表」2014年，https://siaf.jp/2014/siryokan_competition_final（参照2019年5月1日）。

★75 2014年9月28日開催の「札幌国際芸術祭2014ファイナルトーク」の冒頭で坂本のメッセージが紹介され、ユーストリームで全国配信された（創造都市さっぽろ・国際芸術祭実行委員会「siaf-channel」、2014年b, http://www.ustream.tv/channel/siaf-channel（参照2015年6月1日）。本章の記述は、ユーストリームの当日の映像で筆者が確認したものである。しばらくの間映像アーカイブで確認できたが、2017年4月1日時点では削除されている。

★76 ビジュアル・ジョッキーの略称。映像を素材とし、ディスクジョッキーと同様の行為を行う。2015年11月21日札幌市内での石田勝也（札幌市立大学デザイン学部メディアデザインコース講師）へのインタビュー。

★77 冨田哲司は、「札幌国際芸術祭2014」では、アーティストとして札幌オオドオリ大学とともに「エホン・カイギ」を企画・コーディネートした。札幌国際芸術祭事務局の事業サポートを行い、現在は札幌国際芸術祭 SIAFラボ プロジェクトアドバイザーを務める。この点について2015年11月21日18時30分から30分程度、2018年2月3日18時30分から1時間程度いずれもSIAFラボでの冨田（札幌国際芸術祭コーディネーター）へのインタビューで確認した。

★78 札幌国際芸術祭実行委員会『SIAF LAB.｜ANNUAL REPORT｜2015』、2016年、18ページ.

★79 当該文について2015年12月10日SIAFラボでの冨田哲司へのインタビュー。

★80 当該文について2015年12月10日18時から1時間程度SIAFラボでの小町谷圭（メディアアーティスト）へのインタビュー。

★81 2018年2月3日18時30分から1時間程度SIAFラボでの石田へのインタビュー。

★82 つらら（三省堂，前掲書.）。

★83 札幌国際芸術祭実行委員会、前掲報告書、2016年、18ページ.

★84 2015年12月10日18時から1時間程度SIAFラボでの石田へのインタビュー。

★85 ここまでの2016年度「ツララボ」開催に関する記述は、2016年12月6日18時から1時間程度SIAFラボでの小町谷へのインタビュー。

★86 2015年12月10日冨田へのインタビュー。

★87 2018年2月3日冨田へのインタビュー。

★88 2016年12月6日18時から1時間程度SIAFラボでの船戸大輔（プログラマー）へのインタビュー。

★89 2015年11月21日19時から1時間程度札幌市内でと、2016年12月6日小町谷圭へのインタビュー。

★90 テクニカルスタッフとはメディアアーツの作品制作を技術面でサポートするスタッフをいう。2018年2月3日石田へのインタビュー。

★91 2016年12月6日冨田へのインタビュー。

★92 プロジェクト《宇宙から見える彫刻、宇宙から聞こえる即興演奏》を展開の経緯については、2018年2月3日石田へのインタビュー。

★93 space-moere.org「PROJECT OVERVIEW」、2017年、https://space-moere.org/ja/about-jp/（参照2018年2月1日）. 2019年5月1日時点では文章が更新され、引用文はWeb上で確認できない。

★94 札幌国際芸術祭事務局、前掲報告書、2016年、15-16ページ.

★95 ここまでのSonic Piに関する記述は、2018年2月3日SIAFラボでの石田へのインタビュー。

★96 space-moere.org「10/19 気球打ち上げとテレコーディングパフォーマンス再挑戦を行います」、2017年、https://space-moere.org/（参照2019年5月1日）.

★97 札幌国際芸術祭実行委員会『札幌国際芸術祭2017開催報告書』2018年、104ページ.

★98 本段落のここまでの記述は、2018年2月3日18時30分から1時間程度SIAFラボでの船戸へのインタビュー。

★99 2つ目の方針について、2018年2月3日石田へのインタビュー。

★100 3つ目の方針について、2018年2月3日冨田へのインタビュー。

★101 芸術祭閉幕後のツララボの活動について、2018年2月4日14時30分から30分程度詫間のり子

（SIAFラボコーディネーター）へのインタビュー。

★102 札幌国際芸術祭実行委員会（SIAFラボ）「さっぽろ垂氷まつり」（ちらし）2018年.

★103 2016年12月6日18時から1時間程度冨田へのインタビュー。

★104 2016年2月3日石田へのインタビュー。

★105 2018年2月3日船戸へのインタビュー。

★106 札幌市民交流プラザ「札幌市民交流プラザについて」2019年、https://www.sapporo-community-plaza.jp/about.html（参照2019年5月1日）

★107 札幌文化芸術交流センターと札幌市資料館の棲み分けに関わる文化サイドの構想に関する記述は、2016年12月5日石井正治（札幌市市民文化局文化部文化振興課長：当時）へのインタビュー。

★108 本段落に関する記述は、2018年2月5日阿部へのインタビュー。

むすびにかえて

1. まとめ

　本書では、芸術祭が地域づくりに影響を与えること、そして、その具体的プロセスを主に明らかにしてきた。事例としては地域づくりへの影響が顕著に見られる7つの事例を各章で取り上げた。

　「あいちトリエンナーレ 長者町地区」「大地の芸術祭 莇平集落」の事例では、参加・協働型の作品で、かつ住民らの自発性に働きかけやコミットがみられたことで、それぞれに自発的活動が継続され、ソーシャルキャピタル形成への寄与が分析された。なかでも、長者町地区では、事務局の自主企画を促す仕組みやコーディネーター的存在が多数いたことで、まちづくりでは巻き込めなかった無関心層への広がりが継続したことが特徴となっている。それに対して、「水と土の芸術祭 小須戸ARTプロジェクト」の事例では、芸術祭をきっかけに自治組織主催で毎年アーティスト・イン・レジデンスを開催する。サイトスペシフィック型作品に住民の交流を組み合わせたことで、商店街への理解の広がりとともに、まちの魅力を発見し、町屋の利活用、まちの人たちの誇りの回復などにつながろうとしている。

　第1章から第3章までで、芸術祭で、参加・協働型作品に自発性へのコミットがみられたり、サイトスペシフィック型作品に住民の交流を組み合わせたりすることで、地域コミュニティ形成に短中期的に影響を与えられることを確認した。

　ここまでは、作品の性格やアーティストの側から見てきたが、第4章では、視点を変え、地域の取り組みの側から芸術祭をきっかけにした地域コミュニティ形成への影響を掘り下げた。むろん、「いちはらアート×ミックス 内田・月崎・養老渓谷」の事例でも、芸術祭により提案力・行動力の向上や、ネットワークの広がりが生まれ、地域コミュニティ形成に短中期的に影響を与え

ていた。そうした影響を与えた地域の受け入れ態勢として3パターンを示した。すなわち、1）既存の拠点（地域づくり）連携・発展型　2）作品展示継続型　3）新たな拠点形成型の3つである。参加・協働型の作品やサイトスペシフィック型の作品に閉幕前後のこうした地域側の取り組みが組み合わさることで、地域コミュニティ形成への影響が生じやすくなると考える。

　一方で、あいちトリエンナーレやいちはらアート×ミックスなどでは、現時点で他地区では地域づくりに影響が顕著にみられない。第1章から第4章までで取り上げた地区、集落、プロジェクト以外でも、今後地域づくりにつなげていくことはできるのか。芸術祭が地域づくりにつなげられないとすれば、その要因は何なのか。もしくは、地域づくりにつなげるための条件とは何なのだろうか。

　第5章で取り上げた「奥能登国際芸術祭」では、開催地の珠洲市がかつて原発誘致で揺れたこともあり、まさに芸術祭開催が「内発的発展」か否かが問われた。そこで、内発的発展論の議論を採用しながら、過疎地・地方型芸術祭が短中期的に地域づくりにつながらない要因を4つの観点、すなわち1）外部資源へのアクセス　2）地域資源の活用　3）環境・福祉・文化・人権等総合目的　4）地域の主体的戦略から検討した。検討の結果、1）の観点からは、外部人材を活用することは、開催ノウハウの提供などで芸術祭の地域づくりにつながる面があった。しかしながら、2）～4）の観点からは、次の3要因がやや足りていなかったのではないか。3要因とは、①サイトスペシフィック型の作品展開で地域住民との交流を図るなど地域資源（なかでも人的資源）を活用すること、②参加・協働型の作品でアーティストが住民の自発性にコミットするなど地域コミュニティの主体性を重視すること、③地域活動との結びつきを企図したり、新たな拠点を整備したり、持続可能な戦略をもつこと、である。さらにいえば、行政が地域コミュニティの理解を得ながら、ときには地域コミュニティが主体となり、企画会社に参加・協働型の作品を提案したり、既存の拠点（地域づくり）との結びつきを考えたり、地域コミュニティの視点で持続可能性を探ることも必要だ。

　なお、①、②の要因は、第1章から第3章までで明らかにした芸術祭による地域コミュニティ形成の具体的プロセスに対応している。作品の性格や

アーティストの側からの視点である。それに対して、③の要因は、地域の取り組みの側からの視点で見ており、第4章で明らかにした地域コミュニティ形成に影響を与えた3パターンにほぼ対応している。

　第5章では芸術祭が地域づくりにつながらない要因、ひいてはつながる条件を検討したものの、その要因・条件は、芸術祭や地域の事情に応じて個別化・具体化していく必要がある。他方で、芸術文化は主催者が企図しない予測不可能なことが起きる点に意義や面白さがある。そこで、第6章の「リボーンアート・フェスティバル」では、前記条件を掘り下げたり、当初の企図を超えて成果を生んだり、そうした場づくりの取り組みを紹介した。

　条件を掘り下げたのが、女性たちの仕事づくりを明確に意識した「はまさいさい」の取り組みで、芸術祭閉幕後も、浜のお母さん方が冬季休業を挟みながら土日にレストランの営業を行う。当初の企図以上の成果を生むのが、「石巻のキワマリ荘」で、地元作家らが芸術祭閉幕後、アートスペースを運営し、地域の人たちが出入りする場ともなる。「石巻のキワマリ荘」は、住民らということではないが、地元のアーティストを巻き込むような仕掛けがあった点では参加・協働型である。しかも、第4章で言及した作品継続型、かつ新たな拠点形成型でもある。

　第6章で芸術文化の予測不可能性に触れたが、そうだからこそ芸術文化の評価の難しさがある。そうした難しさに配慮しながらも、1億円以上の税金を投入する芸術祭では、政策改善や説明責任を目的とした評価がより求められる。第7章の「札幌国際芸術祭」では、札幌国際芸術祭2014で用いられたロジックモデルを用いた評価の取り組みに注目し、モデルで示された2つの評価軸で定性的分析を行った。対象としては、芸術祭をきっかけに、市民の主体的・自発的活動が意識されたアートセンター「SIAFラボ」がつくられた札幌市資料館の展開を取り上げた。

　「市民の主体性向上」という評価軸については、芸術祭でのボランティア活動をきっかけに、「SIAFラボ編集局」が立ち上がり、そうしたプログラムの枠内であるが、市民が自由な発想でさまざまな企画を実現することが多々見られる。しかも、こうした活動が次々と伝播することが企図され、「市民の主体性向上」の萌芽を認めることができた。ただ、ソーシャルキャピタル形

成となると、道半ばである。とはいえ、約200万人の市民を対象としてソーシャルキャピタルの醸成を仮定している点が、地域づくりを自発性・協働性に着目して分析を行う本書と問題意識を同じくしており注目していきたい。都市型芸術祭による地域づくりの1つのモデルをつくろうとしているとも考えられる。

　一方で、「新産業の創出」という評価軸については、アーティストらは、つららなど身近な素材をテーマにワークショップなどを積み重ね、ボトムアップ型の実践を継続している。それに対して、メディアアーツの産業振興につなぐプラットフォーム構想というトップダウン型の展開が補完し合おうとしている。両者相俟って、「新産業の創出」につながる萌芽を見ることができる。

　持続可能性を担保していくためには評価が欠かせないが、芸術祭開催で手一杯で十分な評価がされていないなかでの実験的な試みとして、芸術祭と評価の今後に期待したい。

　以上から、第1章から第4章までで、芸術祭が地域づくりに影響を与えること、そして、その具体的プロセスを明らかにするとともに、第5章では、芸術祭が短中期的に地域づくりにつなげられない要因等にも言及した。また、第6章ではユニークな新たな拠点形成型の事例、第7章では評価の事例をそれぞれ取り上げた。1、2の観察でなく、事例研究を7つ行うことで、理論的な位置づけを明確にし、一般性、客観性ある主張を心がけた。それでも、不十分な点があることは認めざるを得ない。本書の今後の研究課題に言及しておきたい。

　1つには、第1章から第4章を通して、芸術祭による地域コミュニティ形成への影響について定性的分析を行った。第1章ではあいちトリエンナーレ2016により長者町地区でソーシャルキャピタルがプロアクティブ化したとした。だが、あいちトリエンナーレ2010・2013で起きた活動が2016開催前後で停滞したことを強調すれば否定することもできよう。肯否の判断がわかれる限界事例では、定性的分析の曖昧さをより実感した。また、ソーシャルキャピタル形成への寄与について、「あいちトリエンナーレ 長者町地区」「大地の芸術祭 莇平集落」では認める一方、「水と土の芸術祭 小須戸ARTプロジェクト」では否定した。特に、あいちトリエンナーレ 長者町地区の事例

では、「それまでのまちづくりの限界を克服したか」「対症療法的でなく対応を先取りしたのか（先見性）」という実質的要素を考慮し、評価軸の明確化に務めた。とはいえ、一方の事例で肯定し、他方の事例で否定するに足りるだけの一般性、客観性ある主張ができているのか不安ではあり、読者の判断に委ねたいと思う。拙著『トリエンナーレはなにをめざすのか―都市型芸術祭の意義と展望』がソーシャルキャピタルを定性的分析のみを行ったことに対して、評者澤村明に、「ソーシャル・キャピタルが古くから提唱されながら、パットナム以降、急速に利用されるようになったのは、彼がイタリアで定量的分析を行なったからである」として定量的分析の必要性を指摘された[★1]。本来的には、事例ごとに定性的分析と大量データを用いた定量的分析を組み合わせ、重層的に分析していくことが必要なのだろう。

　2つには、第5章では、過疎地・地方型芸術祭が短中期的に地域づくりにつなげられない要因等を明らかにした。第1章から第4章までの結論と概ね整合性はとることができた。だが、当該要因等について一事例での仮説を立てたにとどまるきらいがあり、他事例での検証を今後の研究課題としたい。内発的発展論が芸術祭による地域づくりの議論に参照できるのか、より緻密な論証も必要とされよう。

　3つには、第6章は事例紹介にとどまっている。経過観察を重ね、理論的な分析を行っていきたい。

　4つには、第7章は、芸術祭と評価を取り上げた。芸術祭に限らず文化事業の評価は、これまでアウトプットや短期的な経済波及効果に終始してきた。その一方で、緻密な評価手法を考えても現場は使いこなせない。現場の実態を鑑みれば、事業担当者が事業の意義、位置づけを再確認することに評価の第一義的意義がある。それぞれの文化事業での評価軸の確立、第三者評価などの仕組みの構築を今後検討していきたい。

2. 分析を踏まえた考察

　さて、これまでの分析を踏まえ、芸術祭がなぜ開催されるのか、その意義を考察し、今後を展望しておきたい。

▶ 2.1. なぜ芸術祭が開催されるのか

　地域づくりや地域の再生を目的とするなら、地域の人たちがまちの歴史や魅力など地域の資源を掘り起こすなど、地域の人たちが誇りや矜持をもつことにつながるまちづくりを地道に行うのが早道だろう。地域の理解も得やすい。それでも、芸術祭が地域活性化などを目的として開催されるのはなぜなのだろうか。

　本書は、各芸術祭の開催経緯を詳細に記してきたことから、まずは、経緯の観点から確認しておこう。

　過疎地・地方型芸術祭については、大地の芸術祭が、約20年間毎回数10万人の観客を集め、経済波及効果という点で成果を挙げてきたことが、1つのきっかけであることは、疑いない。また、過疎地・地方型芸術祭が各地で開催されるのは、それだけ過疎地の疲弊が深刻ということがあるだろう。いちはらアート×ミックス、奥能登国際芸術祭では、大地の芸術祭の成功を聞きつけ、北川フラムを頼り、芸術祭を開催していた。リボーンアート・フェスティバルも、大地の芸術祭を視察し、美術が音楽に比し地域づくりに優位性があることに気づいたことが1つのきっかけとなっていた。音楽イベントが瞬間風速、かつ1人対数万人のスター型のコミュニケーションなのに対して、現代美術を内容とする芸術祭が、地域で長期間活動でき、かつ場がつくられ、人と人がつながっていく点に注目したのだ。

　一方、大都市・広域中心都市型の芸術祭は趣が異なる。新潟市は、市長と北川との対談が1つの契機となっていた。あいちトリエンナーレは、有識者会議での提言を受け、美術好きな神田知事が在任していたことが、開催に結びついた。札幌では地元のアーティストらの民間運動から始まっていた。新潟市や札幌市では、創造都市[*2]に取り組んでいたことが後押しした。

　以上からわかることは、過疎地・地方型芸術祭では、地域活性化・地域再生を目的として開催していることが明確であり、大地の芸術祭が来場者数等で短中期的に成果をあげてきたことが大きな動機・誘因となっている。ただ、序章で「地域活性化」という言葉がバブル経済下での経済的な活況を指す意味合いがあったことを紹介したが、そうした面を引きずり、芸術祭の経済的効果が注目されている点が気になるところだ。

それに対して、大都市・広域中心都市型芸術祭では地域活性化を目的としていることがそれほど明確ではない。本書で紹介した新潟市、札幌市以外に、横浜市、さいたま市などで芸術祭が開催されていることを見ると、創造都市の文脈で大都市型・広域中心都市型芸術祭の流行を説明することができよう。ただ、そうした点からは、一文化事業として開催するあいちトリエンナーレは異色であることにも改めて気づかされる。

続いて、こうした開催経緯とは別に、芸術祭が地域づくりにつながることを学術的・客観的に明らかにすることが本書の目的であることから、当該目的に照らしてなぜ芸術祭が各地で開催されるのか、先の問いに答えておきたい。

端的に言えば、芸術祭が短中期的に地域コミュニティ形成につながることがあるからだ。

第2章で「アートをやりさえすればいいのでなく、普遍性が大事だ」との北川の指摘を紹介した。むろん、理念やビジョンだけでも不十分で、それらを具体化した明確な戦略・戦術が必要だと筆者は考え、そのことが、本書で一番伝えたいことだ。繰り返しになるが、芸術祭が地域づくりを目的とする場合の戦略・戦術の概要を記しておくと、4つの事例をもとに明らかにしたのが、参加・協働型の作品で、かつ住民らに自発性へのコミットがみられたり、サイトスペシフィック型作品に住民の交流を組み合わせたりすることで、地域コミュニティ形成に短中期的に影響を与えられることだ。特に、あいちトリエンナーレ長者町地区の事例では、まちづくりの限界をアートが克服し、芸術祭によりまちづくりの無関心層がまちやアートに関わる様子をみた。また、地域コミュニティ形成に短中期的に影響を与える地域の受け入れ態勢として、①既存の拠点（地域づくり）連携・発展型 ②作品展示継続型 ③新たな拠点形成型の3つを示した。

前記事例以外でも、次の条件のもと、過疎地・地方型芸術祭が短中期的に地域づくりにつながることを明らかにした。噛み砕けば、アートの側からは、参加・協働型の作品で自発性の仕掛けをしたり、サイトスペシフィック型の作品で住民との交流を図ったり、地域の側からは、地域活動とのつながりを考えたり、新たな拠点を整備したり、そうした仕掛けや工夫が必要なのだ。

とはいえ、戦略・戦術を強調することに違和感をもつ読者がいるかもしれない。もちろん、アートは、主催者が企図しない予測不可能なことが起きるところに面白さがあり、特に芸術祭・アートプロジェクトは想定しなかった何かが社会の中に生み出されるからこそ、地域での展開に意義をもつことには、十分な留意が必要だ。起きたことに対して柔軟に対応することも求められよう。もとより、住民の自発性にコミットしたり、住民との交流を企図した作品ばかりを展示せよという訳ではない。強調したいのは、芸術祭で地域づくりを目的として掲げるならば、漫然と開催するだけでは何も生まれず、先行事例から学ぶ緻密な戦略・戦術が求められるということだ。

▶ 2.2. 芸術祭の今後の展望

　さて、芸術祭が短中期的に地域コミュニティ形成につながるとして、芸術祭の今後をいかに展望すべきなのだろうか。

　各会場・地域の視点からみれば、芸術祭が短中期的に個別の地域コミュニティ形成に寄与し、地域課題解決に資することが、芸術祭の目的、効果として、注目していくべきだ。芸術祭の主催者側からすれば、芸術祭を一定の条件の下で、地域資源を活用しながら着実に根付かせていくもので、芸術祭継続の社会的意義としてより注目すべきではないだろうか。特に、小須戸ARTプロジェクトの事例では、芸術祭開催年以外にも、地域がアート活動を少額の予算で、かつ小規模で継続して実施可能であることを示している。

　また、芸術祭で、地域性を重視すれば、地域にわかりやすいものが求められ、アートの先端性がそがれる面もある。ただ、各芸術祭での、その時代・社会・時系列を踏まえた戦略もあると思われる。初めから地域にわかりづらい作品群を展開すれば、芸術祭の継続が覚束ないという判断は尊重されるべきだろう。その一方で、リボーンアート・フェスティバルでは、和多利浩一が「日本で公的なところに疎まれそうなギリギリのところでやっている人たちを集め」たことを紹介した（第6章1.参照）。このことは、先端性への挑戦として評価したい。

　そもそも芸術祭の作品がはたして先端性を失ったり、質が劣化したりしているのかは、個別の作品ごとに、もしくは各芸術祭全体でも丁寧な検証が

必要だ。本書では、芸術祭と地域づくりにフォーカスして学術的・客観的な評価を行ってきたが、中村史子が「批評 アート、地域、プロジェクト それを評するのは誰か」[★3]で指摘するとおり、美学・美術史的アプローチからの個別の作品・芸術祭の評価は欠かせない。

　逆に、芸術祭でアート性を重視すれば、地域の文脈に必ずしも直接つながらない作品も展開され、地域活性化や地域づくりにつながらないということもある。あいちトリエンナーレでは、都市型で、かつ美術館などの専用施設の展開がメインということがあるが、まちなか展開であっても、たとえばあいちトリエンナーレ2016がそうであったように、概して地域の文脈につながらない作品も少なくない（第1章5.2.2.参照）。

　繰り返すまでもなく、地域とアートは相互に相容れないものなのだが、さまざまな局面でバランスが必要なのだろう。

　ここで、小規模だが展示において地域とアートのバランスを考えた好例として、いちはらアート×ミックス2014で岩間賢がディレクションした月出工舎の取り組みを紹介しておきたい（第4章5.1.参照）。工舎の2階の部屋で展示を行ったのが、ジャオ・ミン、竹村京、田中奈緒子の3人である。海外部門として3人の作家を招聘した狙いを岩間は、次のように話す。

　継続性や持続性を考えずに、ダイレクトに感じたものを発表してほしいと、海外部門としての位置づけをもたせたかった。そのかわりに、染織家の岡博美さん、「食」プログラムを担当した風景と食設計室ホーさんは、地元のリサーチの中から作品を生み出している。ずっと関わる人って継続性のよさはあるが、作品が柔らかくなることが時にある。そこに切り込むようなエッジの効いた仕事が大事だと思うので入れている。高い視座があって、ローカリティに取り組むことで実は世界につながる。グルーカルな話が本当はここにもあるし、そういう方々を呼びたいし、巣立っていってほしい[★4]。

　むろんアートと地域がコンフリクトを起こすことは多々あるが、相互にリスペクトしあうことで、それが結果として円滑なコミュニケーションにつながり、解決できることが相当数あるように思われる。第3章・第5章で紹介した南

条嘉毅は、アートと地域の関係を問う筆者の質問に対して、次のように話す★5。

　僕のスタンスとしては、場に関わって制作する。場に関わることでしかできない作品形態になっている。芸術祭自体がない状態で、地域の人に話を聞いたり場所を借りるのは困難なことが多い。芸術祭の作品は、制作時間も労力もかかるが、1か月、2か月で元の場所に戻る。そのまま何もなかったこととして終わらないよう、その作品を別の場所で形で展示したり、もしくは、記録画像や動画でその地域のことを含め宣伝させてもらっている。アートと地域がもちつもたれつの関係になっていることが理想だと思う。

　水と土の芸術祭への参加を1つの縁として、奥能登国際芸術祭に作品を深化させて展開している南条だからこその説得力をもつ。
　決して数は多くはないが、現場を訪ね歩いた筆者の経験に照らせば、地域とアートがハレーションを起こさないために、アートの側は、常に現場の目線に立ち、地域を利用していると思われない配慮がなされてきたように思う。前記の岩間も「立ち上げのときは、自分なりのロジックを結構考えた。（その1つが、）草刈りは大事にする。使う土地の道端とかは絶対にきれいにする」★6と話す。また、第5章で中瀬康志が取り組む上黒丸アートプロジェクトに言及したが、その中瀬の言葉を紹介したい。

　プロジェクトをやるときは、一番大変なところを選ぶ。誰も行かない土地である。そこにおじいちゃん、おばあちゃんが住んでいる。1人のためでもいいから作品をつくるというコンセプトで、今までつくってきた。畑を草刈りしてきれいにする。使わなかった竹林をきれいにして、栗が拾えるようにする。きれいになってから作品を置かせてもらう。1対1のつきあいから始める。上黒丸はそういうところ。

　改めて、2人の言葉を噛み締めたい。
　他方で、地域の側はアートを単なる地域活性化の手段、道具として扱うのでなく、アートやアーティストへのリスペクトが必要なのだろう。

大地の芸術祭ですら、約20年が経過したに過ぎない。50年、100年単位で中長期的な地域づくりへの影響は、未知数である。本書で明らかにした短中期的な地域コミュニティ形成への影響が、地域の誇り・矜持につながっていくのだろうか。中長期的な視点での評価軸を明らかにしていくことや、長期的な効果を詳らかにしていく研究も、時の経過とともに今後必要となってこよう。

　地域の疲弊が深刻で、その文脈で芸術祭が流行したということがあるかもしれないが、国内では芸術の社会や政治に対する影響がそれほど注目されない。熊倉も「共創の場を重視する傾向にある日本のアートプロジェクトは、欧米のプロジェクト型の活動に比べて、政治性や鋭い社会批評性をあらわにしないのが大きな特徴で」ある★7と指摘する。岩間の言葉を借りれば、地域に近づき過ぎていて、表現が柔らかくなっている面があるのかもしれない。

　しかし、高齢化・少子化・過疎化を抱える一方で、グローバル化や新自由主義の浸透による格差拡大、貧困など様々な課題を抱える現代社会で、国内の芸術祭が社会全体の枠組みや既存の価値観に対して異議や問題提起する存在であってもよいと思う。2017年度「ギリシャから学ぶ」をテーマにドイツ・ギリシャで開催されたドクメンタ14などの視察を行い、痛感したことだ。そうした点からは、あいちトリエンナーレ2019が、2019年度開催の第58回ベネチア・ビエンナーレと肩を並べる形で、参加作家の男女比の平等を実現したことが注目される。

　また、あいちトリエンナーレ2019では、「表現の不自由展・その後」の中止にまつわる事態が起きた。政治は民主主義で決まる。それに対して、芸術・文化は、多様性・個性・マイノリティがその根源にある。多数決で政治を決めるなら、自ずと政治と芸術・文化は衝突する。国内で芸術祭が始まり20年が経つ。海外同様に、芸術祭が既存の価値観や社会制度に異議や問題提起をする存在となるときが来た、と前向きに受け止めることができないだろうか。それにしても、今回の事態を眼前にして思うのは、直接的な表現以上に、芸術文化がもつ「人々の感情を揺さぶる力」の大きさ・怖さである。今まさに芸術祭の在り方が問われている。むろん、そこで、前提となるのは

「今日の少数者が明日の多数者になる」熟議ある民主主義であることは、決して忘れてはならない。

　最後に、本書について読者諸氏に大いにご指摘、ご批判いただくことを期待したい。特に、アートよりも地域づくりに重きを置きすぎているのではないかとの批判は甘んじて受けたい。「表現の不自由展・その後」の中止にまつわる事態を踏まえ、改めて芸術祭の意義を検証、議論していく必要があろう。本書が芸術祭・アートプロジェクトと地域づくりの両者の発展に少しでも貢献すれば幸いである。

注及び引用文献：

★1　澤村明「書評：吉田隆之著『トリエンナーレはなにをめざすのか―都市型芸術祭の意義と展望』水曜社，2015年」，『文化経済学』第13巻第1号，2016年，69-71ページ．
★2　ここで創造都市とは、文化政策を中心に置き、芸術文化の創造性を領域横断的に活用することで地域の課題を解決していく都市を指す。
★3　中村史子「批評 アート、地域、プロジェクト それを評するのは誰か」『芸術批評誌【リア】』リア制作室，37号，2016年，144-148ページ．
★4　ここまでのいちはらアート×ミックス2014の月出工舎のプロジェクトに関する記述は2017年5月14日岩間へのインタビュー。
★5　2018年3月25日南条へのインタビュー
★6　2017年5月14日岩間へのインタビュー。
★7　熊倉監修，前掲書，2014年，13ページ．

謝辞

　本書執筆の際には、大阪市立大学大学院都市経営研究科の学生には、草稿を読んでもらい、幾多の貴重なコメントをいただき、大いに役立った。創造都市研究科修了生の佐川深雪氏には校正を手伝っていただいた。また、多くの関係者にご多用ななか、インタビューの協力をいただいた。現場の皆さんの日々の積み重ねがあったからこそ、本書をまとめられたことに、改めて感謝したい。一般性、客観性ある論述を心がけたが、不十分な点があるとすれば、その責任はすべて筆者にある。

　最後に、本書の出版に尽力してくださった水曜社の仙道弘生社長はじめ松村理美さん、佐藤政実さんにこの場を借りてお礼申し上げたい。

　本書は、JPS科研費17K02371"芸術一般"の助成を受けた研究成果をまとめたものである。

　また、本書と関連する論文は次の通りである。

- 「芸術祭によるソーシャルキャピタルのプロアクティブ化―あいちトリエンナーレ2010・2013と2016の比較―」『文化経済学』第15巻 第1号, 2018年, 102-108ページ.
- 「国際展の地域コミュニティ形成への影響―水と土の芸術祭（新潟市）を事例に―」『文化政策研究』第10号, 2016年, 100-112ページ.
- 「芸術祭の地域コミュニティ形成への影響―いちはらアート×ミックスを事例に―」『アートマネジメント研究』第十九号, 2019年, 7-21ページ.
- 「札幌国際芸術祭のアウトプット評価―定性的分析」『アートマネジメント研究』第十七・十八号, 2018年, 104-116ページ.

事項索引

人名索引

著者紹介

吉田 隆之（よしだ・たかゆき）

1965年神戸市生まれ。愛知県庁在職時に「あいちトリエンナーレ2010 長者町地区」を担当。職務を離れてからも、長者町地区内外で一市民としてアート活動やまちづくりに関わる。2015年より大阪市立大学大学院都市経営（創造都市）研究科准教授。日本文化政策学会理事、文化経済学会〈日本〉理事。京都大学法学部卒業、京都大学公共政策大学院修了、東京藝術大学大学院音楽研究科博士後期課程音楽文化学専攻芸術環境創造分野修了。公共政策修士（専門職）、博士（学術）。研究テーマは、文化政策・アートプロジェクト論。著書に『トリエンナーレはなにをめざすのか—都市型芸術祭の意義と展望』（水曜社）『文化条例政策とスポーツ条例政策』（吉田勝光との共著、成文堂）『芸術祭の危機管理—表現の自由を守るマネジメント』（水曜社）ほか。

芸術祭と地域づくり 改訂版
"祭り"の受容から自発・協働による固有資源化へ

発行日　　2021年3月28日 改訂版第一刷

著者　　　吉田 隆之
発行人　　仙道 弘生
発行所　　株式会社 水曜社
　　　　　160-0022
　　　　　東京都新宿区新宿1-14-12
　　　　　tel 03-3351-8768　　fax 03-5362-7279
　　　　　URL suiyosha.hondana.jp/
デザイン　井川祥子（iga3 office）
印刷　　　日本ハイコム 株式会社

芸術祭の危機管理

表現の自由を守るマネジメント　　　　吉田隆之 著　　2,500 円

なぜ世論は分断されたのか。実行委員会の対処、検討委員会の判断、政治の動き、県・市の見解が別れた経緯、文化庁助成の取りやめ発表と減額復活等「あいちトリエンナーレ」の顛末にまつわる多くの疑問を解明する。行政の文化事業、文化施設関係者にとってリスクマネジメント、ダメージコントロールを考える必読書。

はじまりのアートマネジメント
芸術経営の現場力を学び、未来を構想する

松本茂章 編
2,700 円

学芸員がミュージアムを変える！
公共文化施設の地域力

今村信隆・佐々木亨 編
2,500 円

アートプロジェクト
芸術と共創する社会

熊倉純子 監修
菊地拓児・長津結一郎 編
3,200 円

アートプロジェクトのピアレビュー
対話と支え合いの評価手法

熊倉純子 監修・編者
槇原彩 編者
1,600 円

新訳版 芸術経済論
与えられる歓びと、その市場価値

ジョン・ラスキン 著　佐々木雅幸 序
宇井丑之助・宇井邦夫・仙道弘生 訳
2,500 円

障害者と表現活動
自己肯定と承認の場をはぐくむ

川井田祥子 著
2,200 円

基礎自治体の文化政策
まちにアートが必要なわけ

藤野一夫＋文化・芸術を活かしたまちづくり研究会 編著
2,700 円

ソーシャルアートラボ
地域と社会をひらく

九州大学ソーシャルアートラボ 編
2,500 円

トリエンナーレはなにをめざすのか
都市型芸術祭の意義と展望

吉田隆之 著
2,800 円

全国の書店でお買い求めください。価格はすべて税別です。